9157

Journal des années de peste

Jean Dutourd
de l'Académie française

Journal
des années de peste

PLON

Ecrivant depuis longtemps des billets dans un journal, où je dis ingénument ce que je pense de la politique, des mœurs, de la vie actuelle, de l'Histoire, je me suis fait une réputation de polémiste ou de pamphlétaire. Cela ne laisse pas de m'étonner, comme m'étonnent d'ailleurs les diverses étiquettes sous lesquelles on m'a rangé tout au long de ma vie. Les étiquettes tiennent quelques années, puis se décollent. Seuls quelques attardés me reprochent encore d'avoir du bon sens ou d'être un imbécile. L'étiquette « pamphlétaire » tombera elle aussi un de ces jours, mais je sens bien qu'il faudra attendre que je sois mort (et même assez longtemps après que je serai mort) pour qu'on me voie dans ma vérité, à supposer qu'on ait cette curiosité.

Lorsque les socialistes et les communistes arrivèrent au pouvoir en 1981, ils accumulèrent tant de sottises que j'eus l'air, en me moquant d'eux (et parce qu'il était difficile de ne pas céder à la moquerie en les observant), d'attaquer ces bonnes gens avec l'acharnement d'un partisan. Pourtant je n'étais le partisan de personne, et singulièrement pas de la droite qui, pendant les sept années précédentes, m'avait paru bien malhabile et surtout bien ridicule à cause du snobisme qu'elle avait de se donner des airs de gauche. Je ne m'étais pas privé de la brocarder, et même assez vivement, mais il ne venait à l'esprit de personne, alors, de m'appeler polémiste ; je ne le suis devenu qu'à la minute où M. Mitterrand est

7

entré à l'Elysée, quoique je n'eusse rien imprimé de plus piquant sur lui et ses ministres que sur M. Giscard et les siens.

Au mois de septembre 1986, j'en eus tout à coup assez de la politique et plus généralement du monde comme il va. J'avais envie d'écrire un roman d'amour ; l'intérêt que je portais à ce qu'on appelle l'actualité (encore qu'il fût assez peu suivi) était incompatible avec l'imagination romanesque : la politique est une espèce de roman quotidien ; à force d'en suivre les péripéties, on finit par ne plus penser à rien d'autre. Je décidai donc d'arrêter le journalisme. Il y a vingt coups de tête de ce genre dans ma vie : soudain je romps avec quelque chose, sans espoir de retour, comme on rompt avec une femme. Je m'en trouve du reste toujours bien quoique ignorant sur le moment si je pourrai avantageusement remplacer ce que je laisse. Ces ruptures sont chaque fois le début d'une métamorphose ; et il est nécessaire pour un écrivain ou un artiste de se métamorphoser continuellement.

Il paraît qu'à force d'écrire mes plaisanteries dans le journal j'avais fini par prendre une certaine place dans la presse. Je ne prévoyais pas que mon départ passerait tout à fait inaperçu, mais je pensais qu'il susciterait peu de commentaires. Je caressais l'espoir que, n'étant plus offusqués par mon nom en première page tous les deux jours, j'irriterais moins les intellectuels parisiens. J'ai beau savoir par cent déconvenues que les gens qui se sont fait une certaine idée de vous n'en reviennent pas et que l'on ne peut jamais rentrer en grâce auprès d'eux, je ne parviens pas à me débarrasser de la chimère qu'ils changeront comme je constate que je change moi-même, qu'ils conviendront de bonne foi que je parle d'autre chose que de politique lorsque je tâche de peindre équitablement tel aspect de la société contemporaine ou que je raconte les amours de Jean-Claude et de Brigitte. Quand je publiai mon roman d'amour, commencé le 1er septembre 1986 et fini en février de l'année suivante, je constatai une fois de plus que j'étais le seul à avoir eu conscience de ma métamorphose. Les critiques qui se soucièrent de l'ouvrage écrivirent que je continuais à polémiquer dans le roman comme je l'avais fait dans le journal. Vivant dans le malentendu depuis mon enfance, je pris celui-là avec la même philosophie que les autres, encore que j'en fusse un peu agacé par-ci par-là. D'autant que l'on m'expliquait concomitamment que je n'avais abandonné le journalisme que parce que le gouvernement socialiste, après m'avoir fourni en gaietés pendant cinq ans, avait fini par tomber et que je ne me serais pas senti le cœur de me moquer d'un gouvernement de droite. C'était mal connaître les écrivains, qui ne sont jamais contents de rien et qui demandent tant de perfections à leurs amis qu'ils les querellent plus volontiers, en fin de compte, que leurs ennemis, pour lesquels le mépris qu'ils ressentent adoucit leurs emportements. C'était aussi me juger faussement, me prendre pour un enragé qui mesure tout à l'aune de sa politique. Il est vrai que la plupart des intellectuels français sont ainsi, et qu'il était inévitable que l'on m'assimilât à eux.

Une autre de mes illusions quand je fais un livre est de penser que rien ne sera plus facile, après qu'il sera fini, que d'en faire un autre, puis un autre encore, et ainsi de suite jusqu'à mon dernier soupir. Il y a dans l'acte d'écrire quelque chose de si naturel, je dirai même de si fatal, que l'on ne conçoit pas, en l'accomplissant, que l'on puisse un jour s'arrêter. C'est comme de respirer ou de parler. Dans cet état agréable, j'oublie chaque fois qu'il est tout aussi naturel de ne pas écrire, qu'il m'est souvent arrivé d'être à court d'inspiration pendant des mois, sinon des années, et d'être convaincu, alors, que « la petite machine à faire de la musique », comme disait Léon-Paul Fargue, est arrêtée définitivement.

Mon roman fini, j'étais si plein de présomption que je fis la chose la plus bête possible : j'en commençai sur-le-champ un autre, dont l'idée m'amusait. Je poussai ce travail jusque vers la cinquantième page, puis cela m'ennuya. Je suis incapable de surmonter l'ennui lorsque j'écris. Il me faut sans arrêt des surprises, des découvertes, des apparitions, une jungle à traverser sans y voir à deux pas devant moi. Le roman d'amour m'avait apporté cela à profusion. Rien de tel avec l'autre bouquin. Pour la trentième ou la quarantième fois, je m'apercevais avec dépit que je n'étais pas George Sand, capable de passer de la conclusion d'un roman au premier chapitre du suivant dans le même moment et pour ainsi dire dans le même mouvement. Quels bonheurs ne doit-on pas éprouver à être, ainsi que cette bonne dame, un fabricant de littérature ! Il est dit que je les ignorerai toujours. Après chaque livre un peu long, il me semble que j'ai renversé un baquet contenant toutes mes idées, mes sentiments, mes expériences, mes intuitions, et qu'il faut attendre que le baquet se remplisse à nouveau.

Sur ces entrefaites, Bouvard me téléphona. On lui avait confié la direction de *France-Soir*. Il me demanda d'y reprendre mes chroniques. Cela me contraria pour plusieurs raisons. La première est que je n'en avais pas le moindre désir ; la deuxième, que j'avais fait, dans mon ultime article, des adieux très touchants aux lecteurs ; que je trouvais, ma foi, assez doux de ne plus avoir cette obligation ; et, enfin, que je prévoyais qu'on ferait des gorges chaudes sur ma versatilité (cela ne manqua pas : *Le Canard enchaîné* s'empressa de m'appeler « Jean du Retour »).

J'élevai toutes les objections que je trouvai. Mais Bouvard avait grande envie d'être directeur du journal, c'était son rêve, et, pour y atteindre, il m'avait, me dit-il, « vendu à Hersant ». J'en fus flatté : cela signifiait que j'étais le cadeau ou la dot qu'il apportait pour que le propriétaire de la publication décidât de la marier avec lui, ou tout au moins que j'avais servi d'argument. Bref, je capitulai, mais pas tout à fait sans conditions. Je bornai ma nouvelle collaboration à un papier par semaine. Après tout, mon roman était fini ; il était sur le point de paraître et, malgré le mirage dans lequel je me complaisais, une petite voix, loin en moi, qui me parle souvent et que j'écoute quelquefois, bien qu'elle exprime invariablement ma vérité, me murmurait que je pouvais me féliciter d'être de nouveau dans la nécessité d'avoir une idée originale par semaine et que cela m'empêcherait de sombrer dans une paresse complète. Et même, cela ne venait-il pas à point ? Nous étions au mois de mai 1987. J'avais passé mars et avril avec mon ouvrage, qui perdait peu à peu ses couleurs, tandis que le récit s'épaississait jusqu'à devenir dur comme du ciment.

Il y a une certaine analogie entre un livre qu'on mène à bien et une victoire militaire. Je veux dire que, même si l'on s'est battu jusqu'à la limite de ses forces, ou au-delà, même si l'on est aussi exsangue que le vaincu, la victoire vous apporte un regain de vie, d'énergie, qui fait croire que rien ne sera capable de vous arrêter dans d'autres conquêtes. On se sent doté d'une semblable invulnérabilité après avoir écrit quatre ou cinq cents pages. La différence tient en ceci que, la guerre gagnée, on a peu l'occasion d'avoir à en faire aussitôt une autre. Le monde vous redoute, il vous laisse tranquillement digérer votre gloire ; puis vient la démobilisation et le retour à la paix, qui est bien dure aux anciens combattants. Redevenir un homme ordinaire, environné d'une foule de petits tracas, est la punition de l'héroïsme. Le regret des temps heureux où l'on risquait la mort plusieurs fois par jour, où l'on trouvait dans son âme des grandeurs qu'on n'aurait jamais imaginé qu'elles y étaient, vous dévore. L'écrivain, après chaque livre, est un ancien combattant qui ne sait pas que la guerre est finie et qui croit qu'on peut immédiatement repartir en campagne. On me pardonnera d'exposer tout cela un peu longuement, mais cela n'a pas encore été dit, que je sache, et si quelqu'un me l'avait révélé quand j'étais jeune, j'aurais perdu peut-être moins de temps dans ma vie.

Les propositions, ou plutôt les instances, de Bouvard, étaient la dernière formalité de ma démobilisation. En fait, je n'ai jamais cessé d'écrire dans les journaux, même lorsque j'étais au plus profond de mon roman. Je donnais le dimanche une chronique à *L'Est républicain*, trouvant toujours l'heure nécessaire à cette besogne. Plus on travaille, plus on a du temps. Je fais cette expérience-là depuis mon plus jeune âge, ainsi, du reste, que l'expérience inverse : lorsque je n'ai pas d'ouvrage en train, tout me coûte, je n'ai pas une minute ; les journées vides sont remplies de tant d'infimes obligations que l'on se crée je ne sais comment,

11

d'inutilités qui paraissent nécessaires, de broutilles à expédier toute affaire cessante, que la nuit arrive sans qu'on ait eu la moindre pensée sérieuse.

Néanmoins, *L'Est* me pesait autant que *France-Soir*, et je cherchais vainement un moyen honnête de me débarrasser de cette collaboration. Ce moyen me fut offert par la gazette elle-même : après que mon roman parut, un de ses rédacteurs lui consacra une critique hargneuse qui m'arrangeait bien et dont je fis semblant d'être fâché. Je déclarai à la direction qu'il était sans exemple que l'on éreintât de la sorte un journaliste dans son propre journal, et que je ne pouvais demeurer une semaine de plus en un lieu où l'on avait si peu d'amitié ou de considération pour moi que l'on n'hésitait pas à en informer le public. Le P-DG vint exprès de Nancy à Paris pour me fléchir, mais je restai de marbre. Il est très amusant de jouer au vexé, à l'offusqué, surtout si l'on sait qu'en se tenant bien au personnage on y gagnera la liberté. Je m'offris là une jolie séance d'indignation hypocrite, dont le brave P-DG, qui était sincèrement contrarié de mon départ, fut tout à fait la dupe.

Je demande encore une fois que l'on me pardonne toutes ces explications, si l'on a eu la patience de les lire. C'était pour en venir à ceci que, au cours des années 1986, 1987 et 1988, je n'ai à peu près pas cessé, malgré beaucoup d'efforts pour m'en dispenser, d'exposer mes idées sur ce qui se passait chez nous ou dans le monde, et d'en rire, non tant par philosophie que par disposition du caractère. Ce volume vient à la suite des cinq qui sont déjà parus et dont le premier s'intitule *De la France considérée comme une maladie*, formule qui pourrait, ma foi, servir de titre général à toute la série. Souvent je me suis pris à songer, quand je couchais tel raisonnement sur le papier, que m'échappait tel ricanement ou tel soupir, que j'étais assez semblable à un malheureux atteint d'une particulière sorte de peste qui ne causerait de ravages que chez nous, et dont les autres pays sont protégés par un invisible cordon sanitaire ; que je tenais un Journal de l'épidémie, de ses symptômes, de ses accalmies et de ses

12

recrudescences, en même temps que j'observais sur moi les progrès ou les rémissions du mal.

« Le patriotisme, dit Montherlant, cette horrible maladie, mais pas plus que tout amour. » Il est à craindre que la France soit le pays où cet amour est le plus despotique et tout ensemble le plus difficile à identifier, tant les formes qu'il prend sont déconcertantes. Il n'existe pas, je crois, d'autre peuple qui se sente aussi consubstantiel à son passé et à sa terre. Les étrangers s'y trompent continuellement, et l'on ne saurait leur tenir rigueur, vu les imprécations quasi unanimes des Français contre la France, la rage qu'ils mettent à l'abaisser, l'injurier, la noircir, lui attribuer même des lâchetés ou des crimes qu'elle n'a pas commis. Il est à peine hasardé de dire qu'il y a du patriotisme jusque chez les traîtres avérés. Toute affaire de trahison, ici, ressemble à un crime passionnel ; du moins cette ressemblance nous frapperait si l'on se donnait la peine de rechercher les vraies raisons qui ont poussé le misérable. Nos traîtres ont quelque chose de tragique et d'indécis (ou de trop résolu) que n'ont pas les traîtres d'ailleurs. Pour ceux-ci, la trahison est affaire d'idéologie ou d'argent ; pour les nôtres, c'est à peu près dans tous les cas une histoire d'amour qui a mal tourné.

Toute éphéméride politique française est un « Journal des années de peste ». J'en ai encore eu l'illustration en découvrant (un peu tardivement) les recueils de Pierre de L'Estoile qui vécut sous Henri III, Henri IV et la minorité de Louis XIII. Ce qu'il raconte ou décrit quotidiennement, qui se passe à Paris, ressemble trait pour trait à ce que nous y voyons aujourd'hui, et il en souffre de la même manière que nous en souffrons, ce qui ne l'empêche pas de vivre assez agréablement, de lire Montaigne, de scruter les prophéties de Nostradamus, d'acheter des tableaux, des curiosités, des monnaies anciennes, d'écumer les libraires et les bouquinistes, de s'efforcer de conserver quelque bon sens au milieu de ce peuple de fous, de ce « sot peuple » ou de ces « veaux » comme il dit, ce qui me paraît des désignations très judicieuses et toujours bonnes.

Lisant L'Estoile, je me demandais si le général de Gaulle

avait été mon Henri IV. Par bien des côtés, il le fut, sans doute, et jusque dans sa manière de « se gosser », c'est-à-dire de plaisanter, d'avoir le mot pour rire ; cependant, il lui a manqué une vertu à la fois minuscule et immense, qui était d'être sacré, d'être l'oint du Seigneur. Il avait eu la bravoure, l'obstination et toute la finesse d'Henri de Navarre ; il avait été comme lui un héros ; mais ce qu'il avait reconquis n'était pas son héritage, et cela faisait pour nous, malheureusement, une grande différence. Il y a dans l'ordre monarchique, tant qu'il est admis (ou chéri) par les citoyens, un principe de cohésion qui n'existe pas dans les républiques. Le roi est à la fois le père et le fils du peuple, qui le vénère comme son tuteur naturel et en même temps qui est fier de lui comme d'un enfant très supérieur dont il aurait accouché en des temps très lointains. Les démocraties n'offrent pas d'attachements comparables ou, plutôt, de tels régulateurs des mouvements politiques. D'où il suit, en dépit des jérémiades de L'Estoile sur la décadence française, en dépit de son pessimisme quant à l'avenir, de son désespoir parfois, qu'il était mieux loti que nous. Concini n'avait pas l'immunité parlementaire. Certains grands seigneurs nocifs jouissaient de quelque chose qui y ressemblait, mais on pouvait espérer qu'ils finiraient un jour par se tuer en duel ou, sinon, qu'on les assassinerait. A présent, on ne peut plus compter que sur la vieillesse et la maladie pour nous débarrasser de certains dignitaires dont on sait qu'ils seront nuisibles jusqu'à la dernière extrémité.

Sur les six années que couvre le présent Journal de la peste nationale, deux ont été marquées par ce que l'on a appelé « la cohabitation », unique exemple dans notre histoire où nous avons bénéficié d'une sorte de monarchie à l'anglaise, c'est-à-dire d'un roi qui régnait sans gouverner et d'un Premier ministre qui faisait ce qu'il voulait, ayant la majorité absolue à l'Assemblée nationale. Il me semble qu'il y eut là sept cents jours assez heureux, ce qui ne nous a pas empêchés de nous plaindre, bien sûr, et moi tout autant qu'un autre. Mais il est constant que M. Chirac, avec ses théories ou plutôt ses sentiments de capitaliste, était plus éclairé et au

14

bout du compte plus bienfaisant que n'avaient été les socialistes durant les cinq années précédentes. C'est là sans doute qu'il faut chercher son échec devant le suffrage universel. Celui-ci a horreur de ce qui a l'air nouveau ou à la page ; il n'aime que le suranné, le rabâché, l'inadéquat, qui ne le déconcertent pas. D'où cette situation paradoxale : il a rejeté la droite, qui tâchait de faire une révolution moderne, et il a redonné le pouvoir à la gauche, qui se croyait encore sous Napoléon III. On doit convenir néanmoins que la gauche, par la suite, tout en continuant à parler le langage de Zola qui est le seul intelligible en politique, dirait-on, s'est résignée, derrière cet écran, à abandonner ses fantômes et à faire elle-même ce que la droite avait menacé de faire pendant le court temps qu'elle a été au pouvoir.

« Les choses étant ce qu'elles sont », comme avait accoutumé de dire le Général, et le pauvre Parti communiste se mourant d'anémie, il se pourrait bien que, d'ici à quelques années, il n'y ait pas beaucoup plus de différence entre la droite et la gauche française qu'entre le Parti républicain et le Parti démocrate aux Etats-Unis. Cela est fort souhaitable, d'autant que cela n'empêchera pas de se haïr comme devant, de nous moquer, de nous injurier, et de désespérer de la France, qui a vécu quinze cents ans et qui a, quoique nous en pensions, encore de l'avenir.

1986

L'Élysée de cinq à sept

Si je suis un jour président de la République (ou ex-président), je ferai comme mes prédécesseurs : je demanderai que le septennat soit ramené à cinq ans. C'est une excellente attitude. Elle suggère qu'on est modeste, qu'on est effrayé à l'idée de garder trop longtemps une trop grande puissance. Ensuite, on a plus de chances d'être réélu. En cinq ans on fait moins de bêtises qu'en sept. C'est mathématique. D'où il suit que, en réduisant le mandat, on l'allonge.

Sept ans de pouvoir, ce n'est pas assez, on n'a pas le temps d'aller jusqu'au bout de la jouissance. Dix ans, c'est bien, c'est confortable ; surtout, c'est prudent : on ne peut guère espérer davantage avec les Français. Prenez de Gaulle. Dieu sait s'il plaisait, celui-là ! Les électeurs faisaient ce qu'il voulait. Quand il organisait un référendum, il obtenait quatre-vingts pour cent des voix. C'était mieux qu'un chef d'Etat : c'était une idole. Néanmoins, il n'a tenu que onze ans.

Troisième avantage : si l'on n'est pas reconduit, on a le plaisir de laisser à son successeur un mandat miteux, qui ne dépasse pas en longueur celui d'un député. On aura été le dernier à savourer un septennat franc et massif, comme les Grands Ancêtres. On aura été l'ultime Gargantua du pouvoir.

Après viendront les dyspeptiques, les faméliques, les branlants, les inquiets. Ces considérations ne sont pas désagréables quand on a pris sa retraite — ou quand on vous a mis à la retraite.

Seuls quelques nostalgiques du gaullisme tiennent aux sept ans par sentiment ou par superstition. S'il y a un jour un référendum là-dessus, le projet passera, et ce qu'on appelle la classe politique sera enchantée. A moins que le peuple ne soit, lui aussi, un nostalgique du gaullisme. C'est une éventualité à envisager. On a tendance à oublier le peuple, dans les combinaisons de la démocratie.

(9 janvier.)

La fascination du troisième âge

L'Académie française a plus de succès que jamais ; tout le monde en France a envie d'y entrer, y compris ceux qui se moquent d'elle, parce qu'elle est le triomphe de la retraite, l'apothéose du troisième âge. Aucun établissement, en France, n'a plus d'avenir que celui-là. J'en ai encore eu la preuve la semaine dernière, à moins que ce ne soit celle d'avant, par un article de M. Jean-Edern Hallier dans *Paris Match*, où ce « jeune homme » parlait de nous avec une gourmandise qui ne trompe pas et s'amusait à nous trouver des successeurs pour l'an 2000.

C'était assez curieux à lire. J'avais le même sentiment devant l'Académie de M. Hallier que devant l'Académie de 1950, lorsque je n'en étais pas : je la trouvais pleine de vieux croûtons absolument indignes d'en faire partie. Il me venait à chaque ligne d'excellentes plaisanteries à leurs propos.

La retraite est une chose terrible parce que, du jour au lendemain, le monde n'a plus besoin de vous. Autrement dit, vous n'existez plus. L'Académie française opère le miracle de vous faire exister jusqu'à votre dernier souffle, puisqu'on a toujours besoin de vous pour élire de nouveaux vieux. De la sorte, il ne cesse d'y avoir des gens autour de vous, qui vous appellent « Maître » et vous expliquent qu'ils vous admirent plus que tout au monde.

Mieux encore, l'Académie nous offre un petit travail, qui consiste à fabriquer un interminable dictionnaire et à donner des prix à une foule de littérateurs. Cela se passe au palais Mazarin, qui est beaucoup plus beau que le Home des Mimosas, qui a l'avantage d'être au cœur de Paris et où nous sommes comme chez nous. Quant à l'uniforme, j'y verrais toutefois quelques améliorations. Par exemple, remplacer le bicorne par un tricorne, et le pantalon par une culotte à la française.

M. Bernard Frank, dans *Le Monde*, sous couleur de plaisanter M. Hallier et de nous brocarder, nous a envoyé sa lettre de candidature lui aussi, sur deux colonnes. Il ne s'est trouvé que neuf voix. A mon avis, il en a davantage. Il arrive à l'Académie d'être sensible au talent. C'est son côté déconcertant.

(11 janvier.)

Le KGB par quelqu'un qui l'a connu

A l'émission de M. Pivot, « Apostrophes », j'ai entendu un jeune homme nommé Thierry Wolton révéler que les ambassades soviétiques en Occident comptent dix fois plus de fonctionnaires que les ambassades occidentales à Moscou. Sur les sept cents diplomates russes en poste à Paris, disait M. Wolton, il y a six cents espions déguisés qui racontent tous nos petits secrets militaires et industriels au KGB.

L'espion, tel que nous le décrivent la littérature et le cinéma, est un personnage si romanesque, si profond, si ténébreux, si exceptionnel en un mot, que je ne puis croire qu'il y ait six cents de ces héros rien que chez nous. Ou alors le KGB est une pépinière de génies. Six cents espions à Paris, cela signifie six cents espions à Londres, autant à Washington, deux ou trois cents à Rome et à Bonn, une bonne centaine à Genève, etc.

Avant de trembler, ai-je pensé, il faut en revenir à l'homme. Qu'est-ce que l'homme ? L'homme est un animal médiocre, dépourvu d'imagination et d'initiative, s'engluant dans la facilité et la routine, recherchant la tranquillité, généralement incapable de s'élever au-dessus de sa besogne. Il n'y a pas de raison pour que les espions, étant des hommes, se conduisent différemment. Ils sont comme les autres : ils travaillent pour obtenir leur brevet ou leur diplôme et, l'ayant décroché, ils se reposent le reste de leur vie. Dans une époque de paresse et de laisser-aller comme la nôtre, je ne vois pas pourquoi ils seraient les seuls gens à bien faire leur travail. Le nombre de calembredaines que décortiquent les ordinateurs du KGB (ou de la CIA) et que les chefs de la Centrale examinent avec soin doit être monstrueux.

D'ailleurs, les six cents espions qui prospèrent en France font-ils vraiment de l'espionnage ? Je n'en suis pas aussi sûr que M. Wolton, et j'ai plusieurs arguments pour le démontrer. A Paris, la vie est agréable : il y a une foule d'excellents restaurants, de boîtes de nuit, de cinémas, d'automobiles, de jolies femmes ; tandis qu'à Moscou, on ne s'amuse guère, et il fait un froid de chien. Paris est sûrement un poste très recherché par une quantité de jeunes gens désireux de connaître autre chose que le mausolée de Lénine et même que les ballets du Bolchoï. C'est là qu'intervient le piston, car on pistonne en URSS comme ailleurs. J'imagine très bien un bambin soviétique disant à son père : « Papouchka, quand je serai grand, je veux être espion à Paris. » Le père répond : « Tu le seras, mon pigeon, ou alors ce n'est pas la peine d'appartenir à la Nomenklatura, mais mange ton bortsch en attendant. »

Lorsque le jeune espion a enfin réalisé son rêve, il s'aperçoit que, Paris offrant tous les plaisirs et toutes les distractions possibles, il est inutile d'en sortir. Aussi ne le voit-on jamais en province. Particulièrement pas dans la Beauce, où il pourrait espionner la façon dont on y fait pousser le blé, ce qui serait très utile à son pays, lequel est fort en retard dans ce domaine. Va-t-il jusqu'au Salon aéronautique du Bourget ? Je me le demande. Le Bourget est bien lointain. A mon avis, il se cantonne au Salon du Sicob, au Salon des Arts ménagers, au Concours Lépine, aux informations de dixième page du *Monde* qu'il recopie chaque soir, car il faut bien envoyer des rapports pour n'être pas rappelé, quoiqu'il préfère pour sa part la lecture du *Figaro*, à cause du carnet mondain, unique pour se tenir au courant de la vie parisienne.

J'ai sur M. Wolton l'avantage d'avoir connu personnellement quelques espions du KGB. Ils répondaient assez exactement à ce que je décris ci-dessus. Cela se passait en 1957 ou 1958. L'ambassadeur d'URSS à Paris était alors M. Vinogradov, qui m'invitait assez volontiers à ses sauteries. Les agents du KGB, autour de lui, faisaient les honneurs de l'ambassade. C'étaient d'aimables garçons, mais peu efficaces sur le plan du renseignement. Conçoit-on qu'aucun d'eux, je le jure, n'ait essayé de me recruter, de m'acheter, ou seulement de nouer avec moi de ces relations amicales qui, comme on sait, mènent à leur perdition les naïfs hommes de lettres ?

J'étais une proie rêvée, pourtant. C'est Aragon qui m'avait introduit chez M. Vinogradov. Celui-ci m'aimait bien parce que j'étais gaulliste et qu'il l'était aussi, à sa manière. Il me faisait des compliments délicats auxquels j'étais sensible. Entre autres, je m'en souviens, il me confia qu'à ses yeux j'étais le plus grand écrivain français avec Mauriac. La restriction me fit tiquer une seconde, mais je la pardonnai par russophilie. Le jour anniversaire de la révolution d'Octobre, on m'avait vu deviser gaiement avec le grand Thorez paralysé dans son fauteuil à roulettes et qui, tout rougeoyant, avait l'air d'une ruine romaine. J'étais allé en Russie l'année précédente ; j'en étais revenu plein de sympathie pour cet attachant pays. Bref, j'avais tout pour être, comme disent les spécialistes, « contacté ». Or je ne le fus point. Pis encore, quand M. Vinogradov fut remplacé par M. Zorine, on ne m'invita même plus.

La seule personne de l'ambassade qui eût un peu l'air

d'appartenir aux services secrets était Mme Vinogradov elle-même, grosse dame sévère, soupçonneuse, avec qui j'eus cependant un échange révélateur. Un soir, je l'interrogeai poliment sur sa datcha, car il faut bien parler de quelque chose avec les Excellences. Son visage soudain s'éclaira, s'anima, j'y vis presque un sourire. Cette femme taciturne se mit à roucouler tendrement sur les plaisirs champêtres et le bonheur d'aller se reposer au milieu de la nature en fin de semaine. Pour montrer que je connaissais mon Moscou sur le bout du doigt, je demandai si la datcha était sise à Peredel-kino qui est le Montfort-l'Amaury de l'URSS. Mme Vino-gradov me répondit : « Non, elle se trouve à Bois-le-Rrrroi. »

Je pense au désespoir des quarante-sept diplomates russes que M. Mitterrand a fait expulser en avril 1983. Voilà des gens qui doivent souhaiter de tout leur cœur la victoire de l'Opposition en mars prochain. Qui sait ? Peut-être rever-ront-ils alors leur cher Paris.

(18 janvier.)

L'idéologie sécuritaire ou : vous vous faites des idées

Dans le livre que le père Bruckberger vient de publier sur la peine de mort, on trouve deux arguments irréfutables. Le premier est celui du couvre-feu. Quand une armée étrangère occupe un pays, dit le père, elle commence par imposer le couvre-feu. A la seconde où l'on boute l'ennemi dehors, le couvre-feu est aboli. Bruck fait un développement très brillant là-dessus, et il conclut que nous sommes un pays occupé puisque les gens, en France, n'osent pas s'aventurer la nuit dans la rue de peur d'être tués. Quoique le couvre-feu n'ait pas été officiellement proclamé, il existe en fait, et notre

24

gouvernement, qui s'en accommode, est un gouvernement de collaboration.

L'autre argument n'est pas moins fort. C'est celui de la charité, de l'humanité, de la pitié. L'Evangile, dit Bruck, ordonne le pardon des offenses. Certes, mais il s'agit des offenses dont on a été soi-même la victime. Pas de celles qui ont été faites à autrui. La mission de la justice est de venger les torts causés aux innocents par les coupables. Si elle y faillit, par angélisme mal placé, elle instaure un monde dominé par la loi du plus fort ou du plus inscrupuleux.

Il y a une troisième idée saisissante dans le factum de Bruck, à savoir que les démocraties occidentales, devant l'offensive de la pègre et du terrorisme, sont, comme à leur accoutumée, en retard d'une guerre. C'est d'autant plus curieux qu'elles ont très bien compris que l'état de guerre existe, et qu'elles ne manquent pas de moyens pour se défendre. Abolir la peine de mort c'est dire à l'ennemi : « Allez-y, tuez-nous. Nous ne riposterons pas. Vive le désarmement unilatéral ! »

La caractéristique de l'angélisme est d'avilir tout le monde. En l'espèce, il a ôté leur honneur aux bandits, qui était de risquer eux-mêmes la mort s'ils la donnaient, et il a fait des citoyens des lâches vivant dans un sauve-qui-peut perpétuel.

Je ris souvent des euphémismes que le gouvernement met en circulation, sans qu'on voie pourquoi il se donne cette peine. Mais, j'y songe tout à coup : c'est le propre des gouvernements de collaboration que de dorer ainsi la pilule aux gens. Il s'agit de minimiser leurs souffrances, de les anesthésier, de les empêcher de mesurer l'abjection où ils sont tombés. Il était fatal que les deux plus beaux euphémismes du régime actuel vinssent de la place Vendôme, où Thémis est censée avoir ses bureaux. Il semble que l'un ne soit plus guère employé, peut-être parce qu'il était trop naïvement choquant : « Le délit d'appropriation » pour dire le vol. En revanche, on nous sert toujours l'autre : « L'idéologie sécuritaire ».

Je ne sais qui a inventé cette formule, si c'est un fonctionnaire de la Chancellerie ou le garde des Sceaux lui-même, mais quelle remarquable trouvaille ! Elle exprime à peu près ceci : « Il n'y a pas de bandits, pas de cambrioleurs, pas d'assassins, pas de poseurs de bombes en France, ou alors très peu. Vous voyez le mal partout. D'ailleurs les accidents de la route causent bien plus de morts que les malheureux délinquants, qui sont au fond des victimes de la société. »

Miraculeuse ressource que le charabia ! C'est la potion magique des politiciens. « Idéologie sécuritaire » agace bien un peu les personnes qui ont perdu leurs deux jambes dans un attentat, ou celles qui ont été cambriolées douze fois de suite, ou celles dont le mari a été tué dans une attaque de banque, ou les policiers qui risquent leur vie dans la rue et qui savent à quoi s'en tenir sur la sécurité et son idéologie ; mais que serait-ce si le garde des Sceaux s'adressait à eux en français, comme on le faisait encore il y a une trentaine d'années ? La traduction d'« idéologie sécuritaire » est exactement : « Vous vous faites des idées. »

« Les barbares ne sont pas toujours là où on les attend », dit le père Bruck. En fait, ils ne sont jamais là où on les attend. Abolir la peine de mort a été une escroquerie de nos maîtres. Ils ne voulaient pas avoir de morts sur la conscience. Ils ont rejeté cette responsabilité inhérente à leur état, car on les paie justement pour avoir les mains sales à notre place. Mais on ne règne pas innocemment. Quand on refuse d'avoir le sang des tigres sur les mains, on a celui des agneaux. C'est le cas.

(23 janvier.)

Correspondance culturelle

Pour ceux qui ne le connaîtraient point, voici le contenu de la lettre de M. Lang, ministre de la Culture, à M. Sarre, député de Paris : « Cher Georges, pourquoi ne pas orchestrer une campagne sur le scandale de Bercy ? Et sur " Paris capitale la plus sale d'Europe " ? Et sur la nullité de la politique culturelle de Chirac ? Bien cordialement. »

A mon avis, on a eu tort de s'indigner comme on l'a fait sur cette lettre. Pour ma part, je la trouve attendrissante. Elle ressemble à celles que s'envoient les adolescents inquiets ou romanesques. « Cher Georges, tu crois en Dieu, moi pas. Mais je ne demande qu'à changer d'avis. Voyons-nous samedi. J'ai une demi-heure. Tu me convertiras. » Ou bien encore : « Cher Georges, si on partait pour Tahiti ? En hiver c'est épatant, et il y a plein de femmes à poil. Et puis ça nous évitera la compo de physique de lundi. »

En général ces billets circulent pendant les heures de cours. Quelquefois le professeur les intercepte et les lit à haute voix pour faire honte à leurs auteurs et amuser le reste de la classe.

Il est agréable de penser que, depuis 1981, nous avons eu comme ministre de la Culture un gentil garçon dont l'âge mental se situe entre quatorze et quinze ans. Cela nous change heureusement des vieux crocodiles de la politique, dont le moins qu'on puisse dire est qu'ils ne sont pas des enfants.

Quelles missives a envoyées M. Lang au président de la République, au cours des années passées ? On aimerait qu'elles eussent été, elles aussi, confisquées et lues à haute voix : « Cher François, mettons une pyramide en verre dans la cour du Louvre. Je connais un Chinois super qui fera ça comme un chef. D'ac ? » « Cher François, un opéra à la Bastille, ce serait chouette, non ? Ce coin-là manque de culture, me suis-je laissé dire. » « Cher François, Chirac a un copain qui fait des paquets. Il veut emballer le Pont-Neuf. C'est lui qui paiera la ficelle et la toile. On va se poiler. » « Cher François, y a Pierre qui a envie qu'on lui file les plans en relief des Invalides. C'est des vieux trucs vachement poussiéreux. Puisque c'est son idée, envoyons-les à Lille. Ils arriveront en miettes. On en sera débarrassé. Tout bénef. »

Des esprits chagrins diront que cela ne vaut pas la correspondance de Voltaire. C'est autre chose.

(25 janvier.)

Le mauvais choix

Le président de la République, dans le discours électoral qu'il a prononcé récemment au Grand-Quevilly, s'inscrit dans l'illustre tradition républicaine qui consiste à être en retard d'une guerre. En l'écoutant à la télévision, en le lisant dans les journaux, je me demandais : « Quelle campagne fait-il ? » J'entendais dans ses paroles comme un écho des batailles de jadis. Ce n'était pas le Mitterrand d'aujourd'hui qui parlait, mais celui de 1981. Ce n'était pas le Président de tous les Français qui lançait le feu nucléaire du haut de son Olympe, mais un capitaine d'infanterie partant à l'assaut d'une tranchée capitaliste.

J'ai été très étonné aussi par les projectiles qu'il lançait sur l'ennemi. Qu'est-ce que cette « France des riches » et cette « France des pauvres » ? Après cinq ans de socialisme, il ne devrait plus exister un seul riche. S'il en reste, c'est que les socialistes, et le Président à leur tête, ont mal fait leur métier. On les avait élus pour tout niveler, pour faire du pays quelque chose de plat, de gris, d'uniforme, d'égalitaire. Nous voulions la pauvreté pour tous. On ne nous l'a pas donnée. Alors, à la porte les incapables !

Je concède qu'il y a plus de pauvres qu'au temps de Giscard. Mais le pouvoir les a mal choisis. Ce ne sont pas d'anciens riches, ce sont des chômeurs, des gens qui gagnent plus mal leur vie que naguère, des quinquagénaires acculés à la retraite anticipée, de petits propriétaires ruinés par la loi Quilliot, etc.

Voteront-ils socialiste, seulement ? Ils sont bien capables de préférer l'opposition, c'est-à-dire la droite, avec l'espoir que, grâce à celle-ci, la France des pauvres sera moins peuplée qu'elle ne l'est à présent. Ils ne demandent pas à faire partie de la France des riches. Un état intermédiaire entre ces deux France leur suffirait.

C'est fatigant, à la longue, la lutte des classes. Dans le meilleur des cas, il n'y a ni vainqueur ni vaincu. Dans le pire, les riches sont vaincus et cela donne l'URSS.

(*28 janvier.*)

La sale bête

Rien n'est plus agréable que de traiter les sujets tabous. L'Afrique du Sud en est un. Lorsqu'on parle d'elle dans les journaux de chez nous, il est d'usage de s'indigner, de flétrir la brutalité du gouvernement de Pretoria, de prédire la déconfiture des Blancs qui seront un jour submergés par les Noirs, ce qui sera très moral. Du reste, tous les embêtements qui tombent sur la tête des Blancs en général — et des Blancs d'Occident en particulier — sont très moraux. Le Blanc d'Occident souffre d'une forme de péché originel. On lui a fourré dans la tête qu'il a mille ans d'Histoire à se faire pardonner.

Le cliché actuel concernant l'Afrique du Sud, c'est que les Blancs de là-bas livrent un combat d'arrière-garde, que dans dix ans ou moins ils seront obligés de faire leurs paquets, heureux encore si on ne les massacre point. On lit cela périodiquement dans les hebdomadaires d'opinion, lesquels ajoutent avec gourmandise, comme s'ils y étaient intéressés, que ce sera un bien beau jour celui qui verra la fin de la présence européenne sur le continent africain.

Ce raisonnement me paraît hasardeux pour diverses raisons. D'abord parce qu'il est dicté par la morale, et que ce n'est pas la morale qui régit la vie des nations, mais la force, ou, à défaut, l'audace.

Si les Africains du Sud sont mangés, ce ne sera pas parce qu'ils sont colonialistes, racistes et fascistes, mais parce qu'ils seront moins forts que les populations autochtones. Le passé le plus récent nous offre deux exemples de crimes contre l'humanité autrement plus graves que le crime d'*apartheid*, qui sont restés impunis et que leurs auteurs ont emportés en paradis : le génocide des Indiens par les Etats-Unis et la tuerie des Ukrainiens par l'URSS. L'Allemagne, qui a tué six millions de Juifs, est aujourd'hui le pays le plus prospère de l'Europe.

La notion de « marche de l'Histoire » est une des grandes blagues de notre temps. L'Histoire est une vieille folle incohérente qui change de cap à chaque siècle, si ce n'est à chaque lustre. Il suffit pour cela d'un homme supérieur qui arrive inopinément quelque part ou d'un peuple entêté qui veut persévérer dans son être. Nous l'observons entre autres avec l'Etat d'Israël, dont tout le monde prédisait la disparition parce qu'il était entouré de cent millions d'Arabes. Or Israël est toujours là. Il sera encore là dans vingt ans, dans trente ans. On se sera accommodé de lui pour la seule raison qu'il aura duré.

Pourquoi n'en serait-il pas de même pour l'Afrique du Sud ? Pourquoi cet Etat ne durerait-il pas, lui aussi, vingt ans, trente ans, et ne fatiguerait-il pas le reste du monde ? Après tout, si antipathique qu'il soit, on ne peut nier qu'il montre de l'énergie. Mais ne serait-ce pas ce violent désir de survivre, et par tous les moyens, qui le fait mal juger ? Proust raconte que sa vieille bonne Françoise, tâchant d'égorger un poulet qui se débattait pour ne pas mourir, s'écriait rageusement : « Ah ! La sale bête ! »

(3 février.)

Il faut se plaindre et faire pitié

La persistance d'une idée reçue, c'est-à-dire d'une idée fausse, est un phénomène qui me captive toujours. Aucune déconvenue ne parvient à faire revenir les gens de leur préjugé. C'est frappant avec la télévision. Voilà des années que je me suis aperçu, moi, simple particulier, homme de la rue, que cet instrument était plus dangereux que bénéfique aux politiciens, pour deux raisons au moins : la première étant qu'ils assomment le public avec leurs rabâchages et l'indisposent par leurs galéjades ; la seconde parce que, à les voir sans arrêt, on finit par être écœuré de leurs têtes, de leurs tics, de leur fausse bonhomie, de leurs feintes colères.

Combien de spectateurs tournent le bouton du poste quand

30

ils apparaissent, en disant : « Encore celui-là ! Quelle barbe ! »
A moins qu'ils ne disent : « Tiens Untel passe à " L'Heure de
Vérité " ce soir. On va rire ! » Dans la conjoncture politique
actuelle, le seul personnage que la télévision n'ait pas
desservi est M. Le Pen, parce qu'on l'invite rarement.
M. Chirac a eu la chance de pulvériser M. Fabius, ce qui a
amusé les badauds.

Depuis des années, les partis tiennent une féroce comptabilité de ce qu'ils appellent le temps d'antenne, ils se battent
comme des chiens pour un quart d'heure, ils accusent le gouvernement de « monopoliser les médias », etc. C'est bien de la
peine qu'ils se donnent. Ils devraient se féliciter plutôt que
leurs adversaires, en les empêchant de bavarder à tort et à travers, leur conservent leur bonne réputation.

Le gouvernement socialiste, qui n'est pas avare de maladresses, en commet deux en ce moment. D'abord, il a commencé trop tôt la campagne électorale. Tout son personnel
défile à la télévision, à commencer par le chef de l'Etat lui-
même, que l'on voit presque quotidiennement, haranguant le
peuple ici et là, expliquant que son parti est incomparable, qu'il
faut lui faire confiance dans l'avenir, que ce qui a été accompli
depuis cinq ans est très précieux, et ainsi de suite. Il n'est pas
possible que les électeurs ne soient pas déjà lassés de ce pilonnage, auquel collaborent les autres grands hommes du Parti
socialiste.

Toute propagande, lorsqu'elle est excessive, provoque
dans la foule un désir irrésistible d'entendre le contraire de
ce qu'on lui assène. Sous l'occupation, les Français écoutaient avec délices la radio de Londres qui, en quelques
minutes, le soir, malgré le brouillage, défaisait l'ouvrage
d'une journée entière de propagande allemande et vichys-
soise.

La seconde bêtise des socialistes est les sondages qu'ils sus-
citent, et qui sont censés prouver que leur cote remonte. Les
voilà maintenant à trente pour cent. Je ne sais si ce pourcentage
est vrai ou faux (j'inclinerais à croire qu'il est faux, mais la
question n'est pas là) ; ce que je sais, c'est qu'il est imprudent
de le dévoiler. Beaucoup de « déçus du socialisme », croyant

que leur pauvre parti est vraiment en loques et qui auraient peut-être voté à gauche, pour lui épargner une défaite trop lourde, ne le feront pas. « Bigre, se diront-ils, pas d'imprudence, nous pourrions gagner ! »

La chute de M. Giscard d'Estaing en 1981 est imputable au prix de l'essence. Si, trois mois avant l'élection présidentielle, on l'avait baissé de cinquante centimes par litre, la face de l'Hexagone en eût été changée. Mais on ne l'a pas fait, par honnêteté électorale, par avarice, ou parce qu'on pensait que l'on n'avait pas besoin de cet expédient pour vaincre. C'est sur des broutilles comme celles-là que le gouvernement devrait méditer et tâcher d'y trouver quelque équivalent. Que ne suis-je Premier ministre ! Je provoquerais une grève de la télévision jusqu'au 16 mars. On n'y diffuserait plus que des films du matin au soir, et bons, de préférence. Tant pis si tout le stock y passe. L'essentiel est de faire le silence complet sur la politique. Et je ne publierais pas de sondages, fussent-ils favorables aux socialistes. Surtout s'ils le sont. Se taire et avoir l'air misérable : le salut est là. Comme le gouvernement ne me lit jamais, je ne vois pas pourquoi je me serais privé de l'amusement d'écrire cette chronique.

(4 février.)

Il faut sauver Bébé Doc

J'espère que la France soutient Bébé Doc, dictateur d'Haïti, mais je n'en suis pas sûr. Bébé Doc est le genre d'hommes devant lesquels les gens qui nous gouvernent se voilent la face. Il a tous les défauts. Il est le fils d'un terrible tyran, le Dr Duvalier, grand sorcier vaudou, que l'on appelait Papa Doc, et qui régna pendant quatorze ans sur Haïti, appuyé par les féroces Tontons Macoute.

Bébé Doc est le digne fils de son père. Les Tontons

Macoute sont toujours là. Le peuple haïtien vit dans la misère, l'obscurantisme et la crainte. Bref, il y a toutes les raisons de souhaiter que Bébé Doc soit chassé. Toutes, sauf une. Il parle français. Et grâce à lui le français est la langue de la république d'Haïti. Après son départ, Haïti parlera américain.

Cet îlot de français dans la mer des Antilles irrite les Etats-Unis depuis longtemps. Ils le considèrent comme une incongruité et une dissonance. Ils sont exaspérés qu'il résiste à leur influence, à leur commerce, à leur colonisation. L'idée que Bébé Doc branle dans le manche les enchante. La Maison-Blanche a même annoncé, vendredi, qu'il était en fuite. Il doit y avoir un autre personnage à regarder Haïti d'un œil concupiscent : c'est M. Castro. Cuba n'est pas loin.

Autrefois, la politique étrangère était facile, car elle ne s'encombrait pas de morale. A présent, il faut avoir l'air humanitaire, démocratique, charitable, généreux. La plupart des pays font ces singeries sans y croire. Par malheur, ce n'est pas le cas de la France. Elle y croit tout à fait, c'est la grande jobarde des deux hémisphères. Si Bébé Doc perd son trône et si, par suite, le français s'éteint en Haïti, les hautes consciences de chez nous s'en réjouiront comme d'une victoire.

(5 février.)

Du bon usage de la mort

Il y a des morts que les gouvernements aiment bien, et d'autres qu'ils ne toucheraient pas avec des pincettes. Parmi les premiers, les plus intéressants sont ceux qui détournent l'attention. L'accident du Paris-Dakar dans lequel ont péri cinq personnes a été, en l'occurrence, inespéré. Depuis trois semaines, la télévision et la radio ne cessent d'en parler. Les journaux en sont pleins, c'est quasiment un deuil national.

Ces morts-là sont excellents à tout point de vue. Aucune autorité ne les a envoyés se faire tuer ; c'est eux-mêmes qui sont responsables de leur destin, ils ne s'occupaient pas de politique, et, grâce au tapage qu'on fait à leur propos, les gens cessent pendant un moment de penser au bilan de cinq ans de socialisme.

Quelle différence avec l'inspecteur de police Jean Vrindts ! Voilà un mort insupportable. Il a été tué en service commandé, par des bandits qui pillaient une banque à Paris, ce qui implique plusieurs choses, en particulier que les truands sont devenus si sûrs de l'impunité qu'ils n'hésitent plus à tirer sur les représentants de l'ordre, témérité inconcevable il y a seulement vingt ans.

La télévision, la radio et la presse ont parlé environ cinquante fois moins de la fusillade de la rue du Docteur-Blanche que de l'accident du Paris-Dakar. C'est au point que j'ai dû rechercher le nom de l'inspecteur Vrindts dans des piles de vieux journaux. J'ai eu beaucoup de difficulté à le trouver, imprimé en caractères minuscules dans des bas de pages. J'y ai appris que les collègues de ce brave avaient dû solliciter des cartes d'invitation pour aller à son enterrement.

(6 février.)

L'ambulance

« On ne tire pas sur une ambulance », disait je ne sais qui naguère, à propos d'un candidat à je ne sais quoi dont on voyait d'avance qu'il était fichu. Tirer aujourd'hui sur les socialistes, c'est tirer sur une ambulance.

Oui, mais cette ambulance n'est pas un inoffensif véhicule sanitaire. Les moribonds qu'elle transporte ne sont pas tout à fait dans le coma. Certains ont un peu de force pour soulever leurs escopettes et envoyer des pruneaux.

L'ambulance, du reste, n'a pas tellement l'air d'en être

une. Elle est gréée en char, avec tourelle, meurtrières, chenilles, et elle bénéficie d'un soutien d'infanterie, bien amenuisé sans doute, mais qui existe encore. J'ajoute que c'est un char qu'on ne peut démolir que tous les cinq ans, attendu que c'est le char de l'Etat. Le reste du temps, son blindage est invulnérable.

Ce qui nous a abusés, c'est que les socialistes sont des gens naturellement plaintifs. Dès qu'ils ont grimpé dans le char de l'Etat, ils ont peint une croix rouge dessus. Ils attendaient son passage depuis vingt-trois ans en râlant sur le bord de la route. Ils croyaient qu'ils mourraient tous, là, misérablement, dans les marécages et les taillis de l'opposition. Une fois installés, ils ont continué à gémir. Après vingt-trois ans, pensez, le pli était pris. D'où le genre ambulance de la guimbarde.

L'agrément de se déplacer en ambulance est qu'on a une sirène qui fait pin-pon et qu'on grille les feux rouges en toute impunité. Les autres voitures se rangent pour vous laisser le passage. La force publique arrête la circulation afin que vous alliez plus vite. Bref, c'est si commode que les gangsters s'en sont aperçus et transportent volontiers leurs troupes, leur attirail d'effraction et leurs mitraillettes par ce moyen.

Comme quoi, il faut tirer sur les ambulances, contrairement à la formule de Mme Françoise Giroud. Je me rappelle soudain que c'est elle qui en était l'auteur.

(8 février.)

Les comédiens et le public

Mme Simone disait : « Au théâtre, les spectateurs n'écoutent pas ; quand ils écoutent, ils ne comprennent pas ; quand ils comprennent, ils oublient. » On peut transposer cette sage (et modeste) observation à la politique. Surtout depuis que la politique est devenue un spectacle, avec vedettes et troisièmes couteaux.

35

Le cas de M. Marchais est frappant. Qui écoute ce qu'il dit quand il dit quelque chose ? Quelques critiques dramatiques tout au plus — je veux dire quelques journalistes spécialisés. Quant à comprendre, nul ne s'en donne la peine. D'ailleurs cela ne servirait pas à grand-chose, vu qu'il joue la même pièce depuis quinze ans. Et de quoi se souvient-on quand il a fini ? De ses sourcils, de son accent, dont nul n'a encore deviné de quelle province il vient, de ses cuirs et pataquès (heureusement qu'il en fait, le cher homme, cela égaie ses numéros), de sa façon de s'écrier à propos de la moindre broutille : « C'est un scandale ! »

M. Marchais est un extrême. Mais il en est de même pour les autres premiers rôles de la tragi-comédie électorale. Dieu sait s'ils ont dit des bêtises, des absurdités, des mensonges, s'ils ont fait des promesses qu'ils n'ont pas tenues (et d'autres qu'ils ont tenues, malheureusement !), s'ils se sont déjugés sans vergogne, s'ils ont donné des preuves répétées d'incapacité et d'aveuglement, s'ils se sont livrés aux plus honteuses palinodies ! Pfuitt ! Tout est évaporé, il n'en reste pas trace. C'est comme si cela n'avait pas existé.

Les paroles s'envolent, les écrits restent, dit un proverbe latin. Quels écrits ? Il y a des tonnes de déclarations d'hommes politiques imprimées dans le *Journal officiel*, dans la presse, dans les livres. De temps à autre, un satiriste s'amuse à les recenser, à les juxtaposer, à en composer un recueil édifiant à l'usage des bonnes gens qui votent. Travail ingrat, qui n'intéresse que quelques obsédés de politicaillerie ou quelques moralistes toujours heureux d'avoir des témoignages de l'incohérence humaine.

J'ai fait un peu de politique autrefois. Je n'ai pas tardé à m'apercevoir que l'on tâchait davantage d'épater les collègues, les camarades de la troupe (sans oublier, bien sûr, le directeur du théâtre), que le public. Et l'on cherchait, le lendemain, dans les journaux, si l'on avait de bons articles. Dans les réunions publiques, les orateurs comme les acteurs s'inquiètent d'avoir une bonne salle.

La droite qui est prompte à s'alarmer et qui voit avec indignation les socialistes clamer à tous vents qu'ils ont accompli pendant cinq ans une œuvre colossale, qu'ils sont admirables et prodigieux, que la droite est en pleine déconfiture, etc., devrait se tranquilliser. Ce que les socialistes disent n'a aucune importance. Voilà cinq ans que leur pièce dure, et les spectateurs en avaient déjà assez au bout de six mois. Ils n'écoutent pas plus aujourd'hui qu'en 1982.

La droite a d'autant plus de motifs de se rassurer que ces mêmes spectateurs écoutent ce qu'elle raconte un tout petit peu plus que ce que répète la gauche, ce qui n'implique pas, d'ailleurs, qu'ils comprennent ni qu'ils se souviennent. Mais il y a dans la droite un élément d'intérêt qui n'est pas dans la gauche : elle attaque tandis que la gauche se défend ; elle avance tandis que l'autre recule ; elle va prendre le pouvoir tandis que l'autre va le lâcher. Bref, quoi que dise la gauche, le succès est du côté de la droite, et le succès a quelque chose de gai qui retient l'attention et qui entraîne les bravos.

Les gens qui vont voir des comédies au théâtre veulent des fins heureuses, de préférence des mariages. La droite est tout à fait dans une situation de comédie : va-t-elle épouser le beau François, fils de famille décavé qui s'est ruiné en folies et qui a besoin de redorer son blason avec une riche héritière, mais qui apporte un joli titre ? Papa Barre ne veut à aucun prix d'un tel gendre. Comment cela se terminera-t-il ? Le mariage n'est pas fait, mes bons amis !

Devant une intrigue si forte, si palpitante, les dialogues de la pièce sont superflus. D'autant que ces dialogues sont, la plupart du temps, des monologues. En argot de théâtre, on appelle cela des « tunnels ». Encore cinq semaines à vivre dans les tunnels et ce sera fini. On pourra enfin sortir du théâtre et prêter l'oreille à ce que nous disent nos amis ou nous murmurent nos maîtresses.

(10 février.)

Culture et civilisation

Dans ma jeunesse, culture n'avait qu'un sens : cela voulait dire agriculture. De même, on n'employait pas le mot civilisation pour désigner n'importe quoi. Il y avait la civilisation grecque, la civilisation française. Sous l'influence des géographes, anthropologues, sociologues, ethnologues, le mot s'est étendu aux peuplades les plus arriérées. On parle de la civilisation du manioc, du maïs ; un de ces jours, pourquoi pas, de la civilisation du torchis, de la gadoue, du cannibalisme. Même euphémisme avec la culture : la bande dessinée est une culture. Elle dépend de M. Lang et de son ministère. N'importe quel balbutiement, n'importe quelle amusette est culture.

Je ne sais pourquoi j'ai écrit ce paragraphe. Pour le plaisir de ronchonner, sans doute, car il ne changera rien à rien. Nous vivons dans le siècle des masses. Il suffit d'être une masse, fût-ce une masse d'analphabètes, pour représenter une culture et une civilisation. Le suffrage du nombre est devenu le critère unique. On ne peut plus avoir raison tout seul. Chienne d'époque où les savants, décorés du nom de scientifiques, sont encore plus bêtes que les bons vieux crétins d'autrefois !

(10 février.)

Hubris

Il y a une chose au moins que l'on peut dire en faveur de la droite : c'est qu'elle est prudente et superstitieuse. Depuis des mois elle gémit. Elle répète qu'il ne faut pas vendre la peau de l'ours avant de l'avoir tué, que les élections de mars 86 ne sont pas gagnées d'avance, et que si par chance on en sort vainqueur, la facture à régler sera féroce.

Les électeurs ne sont pas moins pessimistes que les parlementaires. Quand ils me demandent mon avis et que je leur réponds que les socialistes seront écrasés, ils me regardent dubitativement et soupirent : « Le Ciel vous entende ! »

Tout cela est excellent. Si j'étais un des pontes de la gauche, une telle attitude m'alarmerait et je donnerais aux troupes socialistes le conseil de la copier. Le genre fanfaron, matamore, « vous-allez-voir-ce-que-vous-allez-voir », « on-va-gagner », « le-16-mars-on-continue », n'est pas seulement détestable, il est dangereux. Les Grecs de l'Antiquité prétendaient qu'il indisposait les dieux. Ils avaient même un mot pour le désigner, *hubris*, qui signifie orgueil, présomption, démesure.

En assistant ces dernières semaines au grand bluff des socialistes, qui parlaient de remontée terrible du parti dans l'opinion, qui faisaient état de sondages étonnants, qui brocardaient la pauvre droite perdant du terrain à vue d'œil, je me disais : ils se montent le coup. Il y avait là, en effet, quelque chose d'improbable, quelque chose qui ressemblait trop à un miracle pour que l'on pût y croire. Non certes que les miracles n'aient pas lieu, mais ils sont pour les gens qui les méritent, et l'on ne voit pas en quoi les socialistes en auraient mérité un.

Le sondage était faux. Les socialistes sont retombés dans les tristes pourcentages de naguère. Le RPR et l'UDF à eux seuls auront presque le double de députés qu'eux, à ce qu'il semble. Les dieux, décidément, sont très agacés par l'*hubris*. Ils la châtient encore plus vite qu'on ne prévoit. Je pensais qu'ils auraient quand même attendu le 16 mars.

(12 février.)

Le bonheur dans l'hypocrisie

L'Armée rouge donne des frissons. On découvre périodiquement qu'elle est très forte, très nombreuse, équipée d'une quantité de machines à exterminer les populations. De là divers commentaires apocalyptiques.

Il y a des années que je sais, moi, que l'armée soviétique n'est pas une petite affaire, qu'elle possède beaucoup de chars, d'avions, de fusées, de bombes, capables de détruire quarante-sept fois le globe terrestre. Pourquoi les états-majors occidentaux se laissent-ils prendre au dépourvu ? Que ne m'écrivent-ils ou ne me téléphonent-ils ? Voilà vingt ans que j'aurais pu les éclairer sur le potentiel militaire du pacte de Varsovie.

J'ai remarqué au fil des années que, n'ayant aucune fonction officielle, n'ayant accès à aucun rapport secret, parcourant tout juste le journal, et encore assez irrégulièrement, bref, étant ce qu'on appelle « l'homme de la rue », j'en connais plus long sur le monde actuel que les ministres, les généraux, les économistes, les énarques et autres personnages majestueux qui règnent sur nous, lesquels ont l'air, tous les deux jours, de tomber de la lune.

Il me semble aussi que je suis moins sujet à la panique. Par exemple, on a beau m'expliquer que l'armée russe peut croquer l'Europe en deux jours si l'envie l'en prend, cela ne m'empêche pas de dormir. Je me suis fait un petit raisonnement philosophique là-dessus qui vaut bien les considérations stratégiques, économiques, politiques et statistiques des experts.

Ceux-ci oublient régulièrement dans leurs prophéties un aspect essentiel du XXᵉ siècle : l'hypocrisie. Autrefois, les rois étaient cyniques. Ils s'emparaient d'une province parce qu'elle leur plaisait, parce qu'ils voulaient tout bêtement arrondir leur domaine. Aujourd'hui, pour faire la guerre il faut un prétexte idéologique. On ne se reconnaît le droit de tuer les gens et d'annexer leurs terres que si l'on a proclamé au préalable que c'était pour leur bonheur.

Certes l'URSS a une armée formidable, mais on dirait bien qu'il n'y a rien derrière. Le communisme est expirant : le Goulag l'a tué. Marx est à peu près aussi antique que J.-J. Rousseau. La Russie n'est plus qu'un empire militaire. Or un empire militaire n'est pas dangereux dans les périodes d'hypocrisie. D'autant moins dangereux que les Etats-Unis sont également un empire militaire et que la Chine s'évertue à le devenir.

Voilà quarante ans que l'Europe vit en paix. Cela durera encore un moment. La paix détruit les armées aussi sûrement que la guerre.

(15 février.)

Mozart dénationalisé

Il est regrettable qu'aucun des chefs de l'opposition ne soit mélomane : plusieurs heures par jour résonne un argument très fort en faveur des dénationalisations. On le trouve en tournant le bouton de la radio jusqu'à 101.1 sur la bande de la modulation de fréquence. C'est là qu'émet le poste charmant appelé « Radio Classique ».

Il est charmant car il diffuse de la bonne musique sans la commenter. Certes, il a ses marottes, qui ne sont pas toutes heureuses, en particulier, une bizarre prédilection pour Chostakovitch, dont il offre un peu trop souvent à mon goût les indigestes symphonies et les fumeux quatuors qui plaisaient, paraît-il, à Staline. On a droit également à quelques variations et partitas assez sévères du cher Jean-Sébastien. Mais, dans l'ensemble, c'est plutôt Haydn, Mozart, Beethoven, Schubert, Schumann, Dvorak, Tchaïkovski, Berlioz, Chabrier, etc., que l'on entend.

Avant que n'apparussent les radios privées, les affamés d'harmonie en étaient réduits à « France Musique » qui fait penser à une langouste : pour dénicher un petit morceau de chair exquise, on est obligé de casser une carapace très dure, sur laquelle on s'écorche les doigts. Je veux dire que, pour obtenir le deuxième mouvement d'un quintette, il faut endurer pendant des quarts d'heure entiers des cuistres qui bavardent effroyablement. Tantôt ils sont seuls, tantôt deux, parfois plusieurs. Ils discutent, ils s'appellent par leur prénom. Leur voix est ce qu'il y a de plus exaspérant : blanche, rapide, exprimant le contentement de soi et le ravissement d'enseigner.

J'ai beaucoup souffert avec « France Musique ». Mais je n'avais que cela, et j'étais bien forcé d'en passer par les parlotes si je voulais de temps à autre ouïr de belles choses. Je pestais contre cette dictature des pédants, contre cette mainmise de l'Etat sur les grands musiciens qui me les mesurait chichement, contre les musicologues ou prétendus tels qui vivaient sur Mozart comme des limaces sur une salade.

Avec le charmant « Radio Classique » où les seules paroles que l'on entend sont celles qui annoncent les morceaux, c'est Mozart, c'est Beethoven qui sont là du matin au soir, entiers, resplendissants, non défigurés par les annotations ni débités en tranches par des pédagogues. S'il y a une fête quelque part, c'est à la fréquence 101.1. Pas seulement la fête de la musique : celle, aussi, du libéralisme, de la libre entreprise.

(16 février.)

Quelques voix pour subsister...

On peut assez bien comparer les socialistes à la cigale de La Fontaine. Ils ont chanté tout l'été, c'est-à-dire pendant toute la législature, mais maintenant que la bise est venue, c'est-à-dire les élections générales, ils se trouvent fort dépourvus.

Les cigales sont des personnes très agréables tant que dure la prospérité. Elles ne se refusent rien et couvrent leurs amis de cadeaux dont les trois quarts au moins sont inutiles. Elles aiment donner, surtout quand l'argent ne sort pas de leur poche, mais qu'il vient des fourmis de la petite et moyenne industrie française. Car les fourmis jouent un rôle dans la fable socialiste : on les fait cruellement cracher au bassinet, on met leurs fourmilières en faillite, et, pour finir, on dit qu'elles sont d'abjectes capitalistes.

Il y avait jadis des fourmis qui aimaient bien les cigales, malgré leur différence de nature. Elles avaient assez vu la fourmi Giscard et la fourmi Barre qui gouvernaient la grande fourmilière hexagonale. La fourmi Giscard les agaçait particulièrement parce qu'elle se donnait des airs de cigale. « Cigale pour cigale, disaient ces fourmis, votons pour une cigale authentique. Peut-être aura-t-elle à cœur de faire une politique de fourmi. Sait-on jamais ? »

Vivre en cigales pendant cinq ans, c'est long pour des fourmis. Elles voient avec délectation la prochaine déconfiture des cigales. Ce qui est drôle, c'est que celles-ci chantent maintenant leurs plus jolis airs afin de rattraper quelques fourmis et de n'être pas trop détruites. La plus grosse de toutes les cigales saute désespérément d'un coin à l'autre de l'Hexagone pour charmer les oreilles des fourmis, car les fourmis ont des oreilles, dans les fables.

Le triomphe de la fourmi, son moment de gloire suprême, a lieu quand la cigale, complètement ruinée, vient tendre la main et mendie quelques voix pour subsister. Elle peut alors prononcer la parole implacable en quoi se résume sa philosophie et sa fureur : « Vous chantiez, j'en suis fort aise ; eh bien, dansez maintenant ! » Ce moment est venu.

(18 février.)

Plaire aux Chinois

Vers 1965, Edgar Faure, revenant d'un voyage semi-officiel en Chine, demanda une audience au général de Gaulle afin de lui en faire le compte rendu.

— Savez-vous, mon général, dit-il, que vous êtes très populaire là-bas. Les Chinois vous aiment et vous admirent.

— Dommage qu'ils ne votent pas ! répondit sarcastiquement le Général.

En effet, l'élection présidentielle approchait, et les Français, selon leur habitude, étaient mécontents. On leur avait donné une prospérité comme la France n'en avait jamais connu et un lustre à l'étranger tout à fait inespéré vu ce que nous étions : le chômage n'existait pas, notre franc était à parité avec le franc suisse, etc. Le Général ne craignait pas d'être battu, mais d'être mis en ballottage, ce qui arriva grâce aux efforts de MM. Mitterrand et Lecanuet. Le suffrage d'un milliard de Chinois gaullistes lui aurait facilité les choses.

Pendant trois ou quatre ans, les socialistes se sont efforcés de plaire aux Chinois. Je veux dire que les bénéficiaires les plus voyants de leur politique étaient des gens dépourvus du droit de vote. En particulier les délinquants et les terroristes. L'abolition de la peine de mort a déplu aux trois quarts de la population qui aurait désiré au contraire que l'on guillotinât en grande pompe cinquante ou cent assassins par an et que l'on instituât une cour martiale pour les terroristes attrapés en flagrant délit.

Les immigrés n'ont pas plus de carte d'électeur que les détenus, et l'excès de leur nombre inquiète les gens qui en ont une. Néanmoins, dès leur accession au pouvoir, les socialistes se sont empressés de régulariser la situation de tous les immigrés qui étaient entrés en fraude.

Il y a même un vrai Chinois, un Chinois de Chine, quoiqu'il fût naturalisé américain, que le gouvernement a favorisé malgré les cris d'horreur poussés par le pays entier : c'est M. Pei, architecte de la pyramide en verre ou en plexiglas de la cour du Louvre. Cette pyramide, d'ailleurs, est une épine dans le pied du président de la République. Les travaux durent depuis une éternité, et rien ne s'élève encore. La pyramide ne serait pas pire que le chantier qu'elle nécessite.

Comme on ne peut pas contenter tout le monde, les socialistes ont déplu aux gens qui votent. Ceux-ci ont fait le raisonnement qu'ils font en pareil cas : « Ou ce gouvernement est bête, ou il est pervers. Pourquoi nous contrarie-t-il sans arrêt ? Pourquoi nous fait-il enrager ? » A quoi le gouvernement répond stupidement : « On ne vous a pas pris en traître. Vous nous avez élus sur notre programme. Nous ne faisons rien d'autre que de l'appliquer. Ne vous en prenez qu'à vous-mêmes si notre politique vous hérisse. »

Ce genre de réponse est désastreux quand il s'adresse au corps électoral, c'est-à-dire à des personnes dont on a périodiquement besoin. Le corps électoral n'est pas différent des autres collectivités : il a horreur qu'on lui mette le nez dans ses contradictions, et encore plus qu'on lui démontre qu'il est le premier responsable de ses déconvenues. Ce n'est pas à lui-même qu'il en veut, mais aux imprudents qui le lui disent.

Quelqu'un a-t-il cité aux socialistes la réplique du Général à Edgar Faure ? Cela se pourrait, car, depuis un an, ils ont tâché autant qu'ils ont pu de donner de petites compensations aux électeurs réels, à ceux qui mettent des bulletins dans l'urne et qui font au défont les majorités. M. Chevènement, par exemple, avec sa politique scolaire, a été une compensation. M. Fabius, énarque centriste, en a été une autre. Sans parler des communistes quittant le gouvernement. Mais c'était trop tard. Le pli était pris ; la mauvaise humeur s'était installée. Et puis la guigne s'en est mêlée. Il y a eu l'affaire de Nouvelle-Zélande et la démission de M. Hernu qu'on aimait bien parce qu'il aimait l'armée, l'insécurité croissante dans la rue, etc.

Le drame d'un pouvoir qui a déplu avec persévérance pendant trois ou quatre ans et qui, tout à coup, s'avise qu'il faut plaire pour survivre, est qu'il est forcé de se jeter dans la démagogie. C'est ce que nous observons avec le pouvoir socialiste. Mais il n'est pas si facile qu'on croit d'être démagogue. Pour l'être avec succès, il faut avoir toute honte bue. Nos princes, pour leur malheur, n'ont pas toute honte bue. En outre, ils sont bridés par l'idéologie. Il y a certaines choses qu'ils n'osent pas faire. Entre autres, rétablir la peine de mort, quoique cette mesure étonnante et imprévue leur ramenât bien des électeurs.

Seul un réalisme sans faiblesse pourrait, aujourd'hui, sauver les socialistes. Donc, ils sont perdus. Quand on a choisi les Chinois, on perd les Français. La Chine est le seul pays au monde où l'on puisse sans dommage choisir les Chinois. Je crois du reste qu'aucun homme d'Etat chinois ne se soucie de plaire aux Français. Nous le saurions.

(*22 février.*)

Un tyran cache l'autre

Ayant été mobilisé en juin 1940, j'ai peu connu la guerre. J'ai eu le temps, quand même, d'y faire une observation : à savoir que le soldat déteste changer de cantonnement. Il se dit que, où qu'on l'envoie, il sera plus mal que là où il est.

Les peuples devraient pratiquer un pareil pessimisme avec leurs persécuteurs. Lorsqu'ils ont tant fait que de se débarrasser d'un tyran de droite, un tyran de gauche survient, qui est pire. Batista, dictateur de Cuba, était une crapule qui avait tous les vices. Castro, qui était un jeune homme pur et marxiste, l'a remplacé, et l'on peut penser que la majorité des Cubains regrettent Batista.

Les pauvres Ethiopiens ne sont-ils pas cent fois plus malheureux sous M. Mengisthu qui va périodiquement à Moscou qu'ils ne l'étaient sous la férule du vieux Négus ? Pourtant, quels cris de joie quand on l'a renversé, ce pauvre Négus ! Il y a vingt exemples de ce genre dans le monde actuel.

Dieu sait que Bébé Doc et ses Tontons Macoute étaient des gens affreux. Il serait bien étonnant qu'ils ne fussent pas remplacés par des gens encore plus affreux. Pour ce qui est des Tontons Macoute, je prends le pari qu'ils entreront dans la police du nouveau maître, et qu'ils le serviront avec autant de zèle qu'ils servaient Bébé Doc.

(*22 février.*)

La dissuasion

Certains mots attirent la guigne. Celui de « dissuasion » me paraît des plus dangereux. Traduit en vieux français, il signifie : « Nous n'avons pas envie de nous battre et nous espérons qu'en remuant des casseroles nous intimiderons les méchants qui veulent nous faire des misères. »

Il est à présumer que M. Kadhafi a parfaitement traduit « dissuasion » en vieux français puisque, loin d'être intimidé, il a envoyé un Tupolev jeter trois bombes sur l'aéroport de N'Djamena. Que va-t-il faire maintenant que nous avons renforcé la dissuasion en mettant en place un « dispositif de dissuasion » ? Envoyer toute une flotte de Tupolev, débarquer à Brest, envahir la Bretagne ? Avec un homme qui ne comprend que le vieux français, tout est à craindre. Il n'est que temps d'installer des dispositifs de dissuasion dans le Massif central. Peut-être faut-il envisager la mobilisation générale.

Notez que ce ne serait pas une mauvaise idée. En période de mobilisation générale, on doit pouvoir reporter les élections à une date ultérieure. De la sorte, le gouvernement n'aurait plus à se faire de souci pour celles du 16 mars qui, malgré les sondages, les affiches, le Parti socialiste qui va rester le plus grand parti de France, etc., ne s'annoncent pas fameuses. M. Mitterrand pourrait enfin prendre quelques moments de repos à Latche et soigner la laryngite qu'il a sûrement attrapée en parlant partout, dans les courants d'air bien connus des réunions électorales.

Plus j'y pense, plus je trouve excellent ce projet de mettre le gouvernement en « état de dissuasion ». Ce mot-là n'impressionne pas M. Kadhafi, mais il peut très bien impressionner les naturels de l'Hexagone qui parlent à qui mieux mieux le néo-français, c'est-à-dire qui croient n'importe quoi pourvu que ce soit dit en jargon.

Ainsi, pour une fois, M. Kadhafi aura servi à quelque chose. En outre, il serait bien attrapé : lui qui voulait flanquer par terre M. Mitterrand et ses socialistes, il les aurait installés pour cinquante ans. Car l'intérêt de la dissuasion est qu'elle peut durer indéfiniment et qu'elle coûte si cher que cela permet d'établir des impôts nouveaux.

(*25 février.*)

Le retour des hirondelles

M. Gallo, il y a deux ou trois ans, pleurait des larmes de sang parce que les intellectuels de gauche n'avaient plus d'avis sur rien. Il ne connaissait pas son bonheur. Ce silence signifiait que le pouvoir socialiste était bien installé. Car l'intellectuel de gauche n'ouvre la bouche que pour deux choses : manger la soupe que lui sert l'Etat et déclarer qu'elle est infecte.

Pendant vingt-trois ans, l'intellectuel de gauche avait vécu dans le ravissement. La droite le gavait d'une bisque de homard inouïe, et il avait en outre la satisfaction de cracher dedans. Puis vinrent les années noires. Je veux dire les années socialistes. La gauche avait remplacé la bisque par du bouillon de légumes, que l'intellectuel avalait avec des grimaces, mais en disant miam-miam.

Or, voilà soudain que l'intellectuel reprend la parole. Il s'attaque à la droite comme si elle était déjà au pouvoir. Il fait la grosse voix. Il ne veut pas du rétablissement de la peine de mort, de la Cour de sûreté de l'Etat, de la loi Sécurité et Liberté, de ministres issus du Front national, de chasse aux sorcières dans les administrations, il réclame les colonnes languides du Palais-Royal, l'Opéra de la Bastille, et diverses autres broutilles. Bref, avant que la droite ne lui serve la soupe, il crache dedans.

Je ne sais ce que pense de cela M. Gallo, mais, si j'étais lui, je frissonnerais. L'intellectuel ne parle que pour fulminer. Et voilà qu'il fulmine. Donc la droite est là ou presque là. Elle a gagné avant même la bataille. Une hirondelle ne fait pas le printemps, mais tout un vol d'hirondelles annonce le printemps du libéralisme. La déclaration des intellectuels de gauche après un lustre de mutisme est plus parlante que n'importe quel sondage.

Ah ! certes, on ne relève pas, parmi les signataires du manifeste, les grands noms d'autrefois. C'est que ceux-ci ne mangent plus de soupe. Avec le régime socialiste, ils sont passés à la nourriture solide : filets de harengs, sauté de veau, poulet à l'estragon, langouste même, et ils ne signent plus rien, dans l'espoir qu'ils continueront à être nourris. M. Gallo, par exemple, n'est pas dans la liste des râleurs. Ni quelques autres abonnés.

(27 février.)

Le bilan

Lorsque Jacques Faizant et moi nous nous rencontrons, nous ne manquons pas de nous servir une plaisanterie qui nous amuse depuis 1981 : « Le socialisme aura au moins fait deux profiteurs : vous et moi. » En effet, nous n'avons jamais été aussi contents, aussi gais que depuis que les socialistes ont le pouvoir.

C'est que nous arrivons l'un et l'autre à l'âge de Flaubert lorsqu'il inventa Bouvard et Pécuchet. Nous n'avons pas eu la peine de les inventer. La politique nous les a apportés tout faits. Nous n'avions qu'à les reproduire. Je veux dire par là que, ayant fait le tour d'un certain nombre de choses et de sentiments, il ne nous reste plus qu'à peindre la bêtise, personnifiée par deux imbéciles qui, quoiqu'ils ne connaissent rien du monde, se sont mis en tête de le comprendre et de le décrire dans sa totalité. Mieux encore : d'agir sur lui.

Il s'en est suivi une succession d'absurdités qui sont exactement la pâture du romancier moraliste (mais quel romancier n'est moraliste ?), plus encore que du journaliste.

49

D'absurdités et d'ingénuités. Faizant et moi, pendant cinq ans, nous avons été deux peintres qui avons installé notre chevalet devant le paysage du socialisme, et nous avons travaillé sur le motif. Notre seule difficulté est que Bouvard et Pécuchet étaient multipliés par cent ou davantage et que notre tableau risquait de fourmiller de personnages.

Avons-nous été des polémistes, comme l'écrit M. Rinaldi dans *L'Express*, en le regrettant ? Pour Faizant, c'est possible, car le croquis est une flèche qui s'enfonce dans la chair du croqué et l'artiste anthropophage ne se lasse pas de manger les personnages qu'il tue chaque matin. Mais pour moi, je n'en suis pas aussi sûr. Du moins, je n'ai jamais le sentiment de polémiquer. Plutôt celui de raconter, ce qui est le propre du romancier. Certes, au bout de l'histoire arrive souvent une drôlerie, mais c'est parce que j'ai affaire à des caricatures et que le romancier a une prédilection pour les caricatures. Aucun grand ancêtre ne me contredira. Jamais Cervantès, Fielding, Dickens, Balzac, Proust et consorts ne sont si heureux ni si gais que lorsqu'ils peignent un grotesque. Leur plume frétille et pétille. Ce sont là leurs meilleurs morceaux. La caricature, c'est la vie en creux, l'homme en creux.

Du reste, la caricature mène à tout. Nous l'observons dans *Don Quichotte* et dans *Pickwick*, dont les héros, au début, sont extrêmement ridicules et qui, peu à peu, à mesure que le roman se développe, deviennent des anges. Qui me dit, en tant que romancier, que Mitterrand, Mauroy, Fabius ne deviendront pas aussi des anges sous ma plume ? Il leur suffit d'un peu de malheur. Je l'attends, ce malheur. Il approche, en dépit des précautions qu'ils prennent pour l'éviter. Il est inscrit dans les astres, et il sera probablement pire que ne le prévoient les intéressés, d'un bord comme de l'autre.

Paul Morand, dans *Le Journal d'un attaché d'ambassade*, rapporte un mot de Proust en 1917 : L'Allemagne le faisait penser à une femme qui valse, qui valse à perdre haleine, sans savoir qu'elle a un cancer. J'ai le même sentiment à l'égard des socialistes français en 1986. Je vois la fatalité inscrite sur tous ces visages qui nous gouvernent. La valse qu'ils dansent va de plus en plus vite. La tête leur tourne, ils sont sur le bord de l'évanouissement. La droite qui fait tapisserie les regarde et se demande avec appréhension et modestie s'ils s'arrêteront jamais. Eh oui, ils s'arrêteront. Ils sont déjà à bout de souffle.

M. Rinaldi croit que je dépense « bien du talent » (c'est son mot) à combattre M. Mitterrand qui ne sera « qu'un buste entre M. Méline et M. Viviani ». A quoi je réponds que M. Mitterrand n'est pas autre chose pour moi qu'un sujet d'inspiration, au même titre que Mme Bovary ou Ursule Mirouët. Du reste, je ne m'occupe pas de lui autrement que des personnages de roman qu'il m'est arrivé d'inventer : Edmond du Chaillu, Roberti, Jacques et Jean, Mary Watson. Je l'attends à sa dernière métamorphose. Tant mieux si ce personnage-là intéresse plus de lecteurs que les autres. Chaque page que j'écris sur lui me coûte autant de travail qu'une page de roman. Je n'y passe pas moins de temps. Elle n'a pas moins de ratures. Et c'est cela l'essentiel.

(1er mars.)

L'amitié franco-espagnole

Il n'est pas étonnant que cinquante-cinq pour cent des Espagnols soient hostiles à la France, ainsi que l'indique un récent sondage : c'est que l'Espagne n'a affaire qu'à des Français en vacances. Or le Français en vacances et, qui plus est, en vacances à l'étranger, est un personnage effrayant.

La première vague de vacanciers a été les soldats de Louis XIV, en 1701, qui mirent un Bourbon sur le trône d'Espagne. La seconde vague a été les soldats de Napoléon, cent sept ans plus tard, qui l'en ôtèrent. Cet illogisme choqua les Espagnols à qui l'on avait expliqué que tous les Français étaient cartésiens, et qui s'y étaient, à la longue, habitués.

Les soldats de Napoléon n'ont pas laissé d'excellents

souvenirs. Toutefois, il y avait un recours contre eux : les partisans espagnols les assassinaient dans des ruelles obscures ou dans les embuscades à la campagne. C'était un peu artisanal, sans doute, mais les naturels de la Péninsule en tiraient beaucoup d'agrément.

La troisième vague des vacanciers français a déferlé vers 1950. Ils avaient à peu près les mêmes manières que leurs prédécesseurs de 1808, mais ils avaient omis de se munir de fusils et de canons. Les Espagnols, qui sont chevaleresques, s'abstinrent de les tuer, ce qui est très méritoire de leur part, car dès qu'on rencontre un Français à l'étranger, on a envie de le faire passer de vie à trépas (surtout si on est français soi-même).

Les Français de 1950 avaient quand même un avantage sur ceux de 1808 : ils dépensaient leur propre argent au lieu de voler celui des Espagnols. Peut-être est-ce cette considération qui les a préservés d'être massacrés.

En ce qui concerne la France, les Espagnols ont cessé d'y faire du tourisme vers le milieu du XVIIe siècle. C'est un peu lointain. Nous avons oublié leurs défauts nationaux. A la vérité, nous avons plutôt une bonne impression d'eux. Ils nous fournirent en employés de maison à une époque où il commençait à devenir très difficile de trouver du personnel français. Le seul grief que nous pourrions nourrir à leur égard est de nous avoir à jamais dégoûtés de la paëlla. Mais cela ne suffirait pas, je pense, à inspirer un Goya parisien, si tant est qu'il en existât un actuellement.

(3 mars.)

Lunettes et bourdaloues, panoplie de l'homme moderne

J'ai possédé autrefois, alors que cela ne me servait à rien (mais la vie est ainsi faite), un objet appelé « lunettes de

52

conférence ». Cela se présentait sous la forme de lunettes ordinaires, sauf que les verres n'étaient pas transparents ; ils étaient peints et représentaient des yeux ouverts. Il y avait deux sortes de lunettes, pour gens aux yeux bleus et pour gens aux yeux noirs.

A New York où l'on fait tout mieux qu'ailleurs, j'ai trouvé dans un bazar de la 42e Rue des *Conference specs* perfectionnées, dont les yeux bougeaient grâce à un savant jeu de lamelles de verre. Que n'en ai-je alors acheté deux douzaines de paires ! Mais j'étais jeune, j'ignorais encore que la vie comporte un certain nombre de circonstances où l'on n'a rien de mieux à faire que de dormir. D'ailleurs, en ce temps-là, je n'avais jamais sommeil. Les lunettes de conférence permettent de dormir en ayant l'air attentif.

Que sont devenues mes lunettes de conférence ? Je les cherche depuis dix ans, sans pouvoir remettre la main dessus. Un jour de pluie, vers la fin de l'année dernière, j'ai écumé les boutiques de farces et attrapes qui environnent la place de la République (le lecteur me saura gré de ne pas souligner là quelque symbole facile). On me proposa tout, du plus classique tel que le soulève-plat, le fluide glacial, le coussin pétomane, la fausse crotte, la fausse tache d'encre, jusqu'au plus moderne, comme le paquet de cigarettes électrique qui vous envoie une décharge dans la main quand on veut l'ouvrir. On me vanta des masques en caoutchouc reproduisant des têtes que je vois chaque soir à la télévision, ce qui me paraît très suffisant. On m'offrit de faux doigts à panaris entourés de linges sanglants, des étiquettes à coller dans les chapeaux : « Grande chapellerie des cocus », des cartes de visites à calembours, du genre : « E. Tronsèque, ex-maire de Frèches », etc. Toutes choses fort amusantes, j'en conviens, et pour lesquelles j'ai gardé une inclination attendrie, mais de lunettes de conférence, point. C'est un objet dont la France est désormais privée.

L'URSS en est-elle privée aussi ? A la rigueur, ici, dans nos douces contrées où finalement on ne subit de discours que si on le veut bien, on peut s'en passer, mais là-bas, c'est un accessoire indispensable pour les personnes ayant atteint un certain niveau social et qui, périodiquement, sont conviées à écouter des orateurs dont les harangues durent cinq heures ou davantage. Entre parenthèses, que peuvent-ils bien dire pendant si longtemps qui ne tiendrait en vingt-cinq minutes ? Je suppose qu'il y a là une obligation d'état. A partir d'une certaine élévation, on n'a plus le droit d'être bref. Ou, plutôt, la grandeur de l'homme se mesure à la longueur du propos. M. Gorbatchev, étant le maître, parle cinq heures, comme faisaient Brejnev et Kroutchev, comme fait Fidel Castro à Cuba.

La Russie d'autrefois avait une institution appelée le *tchin*, qui était l'échelle des grades, ainsi que leurs correspondances civile et militaire. Par exemple, un conseiller d'Etat, dans le *tchin*, était l'équivalent d'un général de cavalerie, tandis qu'un « conseiller de collège » n'était que celui d'un capitaine d'infanterie. J'ignore si le *tchin* a subsisté dans l'organisation de l'URSS. Sans doute, car ce pays est très traditionaliste. Le nom a peut-être disparu, mais l'esprit demeure. J'en ai eu le soupçon lorsque M. Brejnev s'est octroyé la dignité de maréchal. Etant au sommet de la hiérarchie civile, il n'y avait pas de raison qu'il ne fût pas aussi, officiellement, au sommet de la hiérarchie militaire. En fait, ce maréchalat constituait un pléonasme. Maréchal, M. Brejnev l'était déjà, implicitement, en tant que secrétaire du PC soviétique, de même que M. Marchais, secrétaire du PC français, est maréchal. D'ailleurs, il a la prérogative du maréchalat, car il parle cinq heures, lui aussi, pas une minute de moins, lors des congrès à La Courneuve.

Il serait intéressant de connaître les temps de parole des membre du Politburo, du Soviet suprême, des directeurs de ministères, des directeurs d'usine. Cela est certainement fixé par des règlements, et il est bien probable qu'un dignitaire parlant deux heures vingt alors qu'il n'a droit qu'à une heure quarante-cinq serait sévèrement blâmé. Pire, il ferait scandale.

C'est dans les congrès soviétiques que les lunettes de conférence seraient précieuses, et il faut espérer que les boutiques de luxe réservées à la Nomenklatura en vendent, fût-ce sous le comptoir. J'en faisais la remarque, l'autre soir, en contemplant à la télévision des images de M. Gorbatchev prononçant son discours de cinq heures. Devant lui, il y avait une assemblée de gens figés, de convives de pierre, qui ne faisaient pas un geste, en état de catalepsie. Il paraît qu'ils ont applaudi quatre-vingts fois, ce qui tendrait à prouver qu'ils ne dormaient pas tout à fait. Beaucoup d'entre eux, cependant, avaient des lunettes, mais tout le monde ne peut pas dormir en même temps, et les applaudissements de ceux qui ne dorment pas réveillent ceux qui dorment, lesquels se mettent à battre des mains de confiance.

Au XVIIᵉ siècle, les dames, quand elles allaient à la messe, se munissaient d'une sorte de pot de chambre portatif appelé un « bourdaloue », du nom du célèbre prédicateur, qui était redouté pour la dimension de ses homélies, quoiqu'elles ne durassent pas cinq heures comme les homélies des athées. Si un petit besoin se faisait sentir, le bourdaloue, caché sous l'ample jupe, était le bienvenu. Vend-on des bourdaloues à Moscou, dans les boutiques de la Nomenklatura ? Les Nomenklaturistes ont tout, des datchas, des domestiques, du caviar à la louche, des autos de huit mètres de long, etc. Dans certaines circonstances, je parie qu'ils échangeraient volontiers ces merveilles contre un bourdaloue et une paire de lunettes de conférence. Comme quoi on n'a jamais ce qu'on veut au moment où on le voudrait.

(8 mars.)

La peau à crédit

La campagne électorale est assommante. La raison en est le mode de scrutin, dit proportionnel. On sait d'avance le nom des deux tiers des députés qui seront élus. Où sont les combats de titans de 1958 ? Les chênes qu'on abattait ne se comptaient plus. Je me souviens de la stupeur du pays lorsqu'il apprit que l'illustre Mendès France avait été égorgé à Louviers par l'obscur Rémy Montagne, que l'on appela pendant quelques semaines « le tombeur de Mendès », comme on aurait dit « le vainqueur de Rocroy ».

Avec le scrutin majoritaire, chaque circonscription était un morceau de terre à conquérir. On touchait du doigt le mystère auguste du suffrage universel. Le peuple se manifestait comme un phénomène de la nature, crue ou séisme, dont on ne savait, jusqu'au dernier jour, quelle force il aurait, ce qu'il détruirait, le nouveau paysage que l'on verrait après lui. En 1986, l'élément d'intérêt est le nombre de députés que M. Le Pen pourra attraper grâce à la proportionnelle. Sera-ce vingt, sera-ce quarante ? Cela ne suffit pas à amuser l'électeur, je le crains.

Tout le monde se demande pourquoi l'opposition actuelle parle tant de sa cohabitation avec M. Mitterrand, au cas où elle gagnerait les élections. Longtemps, j'ai trouvé cette insistance à la fois saugrenue et imprudente. Mais je crois que je comprends à présent : c'est que la cohabitation est la seule chose un peu distrayante de l'affaire, la seule inconnue.

Au fond, l'opposition, contrairement à ce qu'on dit, n'a pas eu tort de supputer avec excès, comme elle l'a fait, ce que deviendrait M. Mitterrand après qu'il n'aurait plus de majorité au Parlement pour soutenir sa politique. Lui-même ne le sait pas mieux que les autres. Rien que par curiosité, ma foi, pour voir ce qui se passera, si le Président sera le plus fort ou si le législatif l'emportera, on voterait pour l'opposition. J'imagine que des gens qui regardent les choses d'un peu haut, qui ne sont pas des fanatiques, le feront.

Comme quoi il n'est pas toujours mauvais de vendre la peau de l'ours avant de l'avoir tué. On arrive quelquefois à trouver des acheteurs. La leçon est si subtile que je ne suis même pas sûr que les trappeurs libéraux qui se livrent à cette opération hasardeuse l'aient comprise.

(14 mars.)

Quel travail !

Les campagnes électorales avaient un sens autrefois, lorsque les gens étaient mal informés ou qu'on supposait qu'ils l'étaient. C'était une occasion de leur ouvrir les yeux. Mais aujourd'hui ? Je trouve même qu'il y a quelque chose d'injurieux envers les citoyens à les pilonner comme on fait de discours, de meetings, de journaux de propagande, d'affiches, à leur répéter continuellement la même chose. C'est implicitement les prendre pour des crétins incapables de se faire une opinion par eux-mêmes et qui ne comprennent que le rabâchage. Piètre idée de l'homme que voilà, et que la gauche, adepte de Rousseau, a tout autant que la droite.

Y a-t-il des enragés de politique qui suivent tous les débats à la télévision, toutes les « Heures de Vérité », qui lisent les canards électoraux et les tracts qu'on leur expédie par la poste, qui ne se lassent pas d'entendre les mêmes arguments et les mêmes invectives ? Depuis belle lurette, je tourne le bouton du poste dès que je vois pointer la frimousse d'un candidat, obscur ou illustre, de mon bord ou de l'autre. Je sais d'avance ce qu'il me racontera, et je n'ai pas envie de l'absorber pour la centième fois, même si cela me caresse dans le sens du poil. Il est impossible que la plupart des électeurs ne soient pas comme moi, et que, comme moi, ils ne considèrent qu'on dépense bien de l'argent et des forces pour convaincre des convaincus.

Car la question est là. En politique comme ailleurs, les hommes n'écoutent que ce qu'ils veulent entendre. Expliquez à un auditoire de droite que la gauche est admirable, vous recevrez des tomates, fussiez-vous une réincarnation de Démosthène, et vice versa. Je suis toujours étonné que les candidats se félicitent d'avoir remporté un triomphe à un meeting de trois mille personnes. Si ces trois mille personnes s'étaient dérangées, c'est qu'elles étaient déjà acquises et il était inutile de se fatiguer.

Une campagne électorale a quelque chose d'académique. Je veux dire qu'elle ne semble réussie à celui qui la fait que si elle est émaillée d'un certain nombre de prouesses traditionnelles. Les candidats, pour se compliquer la besogne et dépenser encore plus d'argent, achètent les services des agences de publicité, qui s'imaginent qu'on lance un politicien comme un fromage et une politique comme une marque.

Comme on n'est jamais complètement à l'abri, il m'arrive d'apercevoir les candidats à la télévision pendant quelques secondes. Ceux que j'ai vus ces derniers temps m'ont semblé harassés : les traits tirés, le teint plombé sous le maquillage, les yeux battus, l'air de n'avoir pas dormi leur soûl depuis des semaines. Ce n'est pas surprenant. Ce qu'ils font, une bête ne le ferait pas, comme disait Guillaumet après son accident d'avion dans les Andes et ses huit jours de marche dans la neige.

Même M. Mitterrand que, par une curiosité morbide, j'ai regardé dix minutes s'entretenir avec M. Mourousi, ne m'a pas fait bonne impression : le visage décharné, les pommettes trop saillantes sur la peau trop tendue des joues, le sourire crispé. Et tout cela pour quoi ? Pour la gloire, si j'ose dire.

On parle sans cesse de supprimer le baccalauréat. Pourquoi pas les campagnes électorales ? Il serait plus moral de juger nos futurs maîtres sur leur carnet scolaire que sur un concours où les examinateurs eux-mêmes sont souvent les plus mécontents. D'ailleurs, c'est sur le carnet scolaire qu'on les juge au bout du compte.

(16 mars.)

Les voilà juridiquement dans leur tort

Un des résultats les plus tangibles des élections est que la droite ne va plus s'appeler la droite, nom par lequel les socialistes la désignaient (avec quelque injustice) depuis cinq ans qu'ils étaient au pouvoir, et qui avait une résonance méprisante dans leur bouche, ce qui montrait bien qu'elle était un parti vaincu. En effet, c'est aux vaincus que l'on colle des étiquettes désobligeantes. La droite va s'appeler désormais « majorité », ce qui fut son nom pendant vingt-trois ans, de De Gaulle à Giscard. La gauche, elle, continuera à s'appeler « la gauche », nom qui reste inexplicablement très chic, quelque coûteuses qu'aient été les sottises qu'il recouvre depuis deux cents ans.

Comme il n'y aura plus de droite, je me demande ce que deviendra « l'extrême droite ». Va-t-elle aussi rétrograder d'un cran et devenir la droite tout court ? Cela se pourrait bien, car M. Le Pen, avec trente-quatre députés, est devenu quelqu'un. J'ai remarqué que lorsqu'on devient quelqu'un et que, par conséquent, on est plus nocif que lorsqu'on n'était personne, on est tout à coup beaucoup mieux traité. M. Le Pen à la tête d'un groupe parlementaire est un tout autre personnage que M. Le Pen simple député européen. Je ne serais pas étonné que, dans trois mois, on parlât avec le plus grand sérieux de « vieille droite traditionnelle » à propos du Front national.

On dit que M. Mitterrand est très habile et qu'il compte bien exploiter les divisions qui ne manqueront pas de naître entre les alliés, car des alliés n'ayant plus à se battre contre un ennemi commun voient soudain tout ce qui les sépare. Si cette manœuvre qu'on lui prête est bien dans son idée, M. Mitterrand oublie qu'il est toujours là, et qu'à lui seul il constitue encore un adversaire assez puissant pour que l'union ne se désagrège pas.

Que des alliés se tirent dans les jambes et même se dressent l'un contre l'autre, cela s'est vu souvent. Le dernier exemple est les Américains et les Russes après la guerre. Mais avant cet épisode, l'Allemagne contre laquelle ils avaient lutté avait été complètement écrasée. A Dieu ne plaise que je compare M. Mitterrand à Hitler, toutefois celui-ci, en 1950, n'avait guère la possibilité d'attiser la guerre froide entre les Etats-Unis et l'URSS, étant mort depuis cinq ans. Il se pourrait que le président de la République connût une pareille déconvenue. Je veux dire qu'il pourrait n'être plus à l'Elysée lorsque se présenterait enfin l'occasion de machiner une jolie brouille. Si j'étais à sa place, je n'aurais pas été trop content de voir, la semaine dernière, sur la couverture d'un magazine, l'Elysée comparé à un bunker, justement. Dire les choses est dangereux : cela les fait arriver.

Il était plaisant, dimanche dernier, lorsque la droite, péniblement, siège par siège, montait jusqu'à la majorité, de voir les mines anxieuses, presque déconfites, de ses électeurs. Ils auraient voulu des écarts gigantesques, des écrabouillades épiques. C'était d'autant plus singulier que j'avais entendu la veille les mêmes gens me confier avec des tremblements dans la voix que rien n'était joué, que les socialistes étaient très coriaces, que M. Mitterrand était la ruse faite homme, etc., et que l'on risquait d'avoir une mauvaise surprise. Mais c'est là, je pense, une inconséquence habituelle. Quand on est vainqueur, la victoire ne nous paraît jamais assez brillante. Au fond, il n'y a que les défaites qui soient satisfaisantes. On s'arrange toujours pour les trouver moins amères qu'elles ne sont. Les électeurs de droite auraient été moins déçus, ma parole, s'ils avaient reçu une petite tape sur la tête au lieu d'en donner une ! Le proverbe qui dit que l'on se plaint que la mariée est trop belle est faux, comme la plupart des proverbes. Elle n'est jamais assez belle, même si elle a toutes les qualités.

Ce qui m'étonne dans les élections n'est pas que les partis les plus étrillés se vantent d'avoir, en dépit des apparences, remporté un succès. Je trouve au contraire ce genre de vantardises tout à fait légitimes, voire nécessaires. Ce qui m'étonne, dis-je, c'est qu'ils tâchent jusqu'à la dernière minute de dissimuler ou de minimiser leur défaite. C'est très net quand ils sont au pouvoir. Le ministre de l'Intérieur est toujours le dernier à donner les vrais résultats. Tout le monde sait à quoi s'en tenir quand il y consent enfin. C'est comme une espèce de baroud d'honneur, comme s'il fallait tenir le plus longtemps possible avant de s'avouer battu. « Encore une minute, Monsieur le bourreau », disait la Du Barry en montant à la guillotine. Tous les ministres de l'Intérieur, à la veille de la chute du gouvernement auquel ils appartiennent, doivent prononcer cette parole déchirante sous leurs lambris. M. Joxe comme les autres.

Les patrons de la droite se sont accordés à déclarer qu'ils auraient le triomphe modeste. Et surtout modéré. C'est très bien et on ne saurait trop les en complimenter. Toutefois, il ne serait pas sans charme d'entendre un député de la nouvelle majorité s'écrier à la tribune de l'Assemblée qu'on a juridiquement tort quand on est politiquement minoritaire. J'espère que l'un d'eux y pensera.

(22 mars.)

Il ne faut pas trop attendre...

En définitive, les gens retournent assez peu leur veste. A la télévision, par exemple, plusieurs personnes dont je n'attendais certes pas des revirements à cent quatre-vingts degrés, mais quelques nuances, quelques glissements vers la droite, ont gardé toute leur morgue marxiste, comme si M. Fabius et M. Fillioud étaient encore là.

J'ai commencé par en être agacé. Cela me semblait une impolitesse, voire une insolence. Où va-t-on, pensais-je, si les fonctionnaires se mettent à garder leur veste à l'endroit ! Faudra-t-il tous les révoquer chaque fois que la politique changera de couleur, comme dans l'impitoyable *spoils system* américain ?

Après quoi j'ai pensé au roi Louis XVIII, ce qui m'a beaucoup éclairé sur la situation présente. En 1815, la Restauration durait depuis un an à peine. Napoléon débarqua de l'île d'Elbe. Le roi se sauva en Belgique, l'armée retourna son dolman et l'administration retourna sa redingote. Trois mois plus tard, le roi revint. Tout ce qui s'était rallié à l'Empereur le paya cher.

M. Chirac s'est évadé de l'Hôtel de Ville comme Napoléon de l'île d'Elbe. Il a traversé la Seine comme l'autre la

Méditerranée. Son nom a volé de bureau de vote en bureau de vote jusqu'à l'hôtel Matignon. Diable, diable ! c'est que sa reconquête pourrait bien ne durer que cent jours, et qu'il y eût un Waterloo au bout ! Le Louis XVIII de maintenant aura d'autant plus de facilité à rentrer à Paris qu'il ne l'a pas quitté. Il ne s'agit pas d'être imprudent ! Le maréchal Ney a été bel et bien fusillé pour son ralliement à l'Empereur, et nombre de sujets brillants ont vu leur carrière sciée pour un intempestif revenez-y bonapartiste.

L'Histoire est un grand mirage. On croit qu'elle se répète, alors qu'elle dit tout autre chose. Napoléon n'est pas revenu de l'île d'Elbe à la suite d'un vote national des Français. L'ennui, quand on fait un raisonnement trop subtil ou trop analogique, est que l'on risque de retourner sa veste un jour trop tard. De la sorte on n'en a que le déshonneur et non le profit.

(27 mars.)

Al Capone et Saint-Just

Etant donné que nous vivons à une époque où le seul choix que nous ayons est d'être rôtis ou d'être bouillis, je me suis demandé, à propos des otages français du Liban, ce qui était le moins fâcheux pour un homme de maintenant : être enlevé par des bandits ou par des terroristes.

Tout bien pesé, il est préférable d'avoir affaire à des brigands qui veulent ramasser un magot plutôt qu'à des idéalistes qui veulent épouvanter l'opinion. Avec des brigands on peut discuter, on peut même, si l'on sait bien parler, faire vibrer une petite corde sensible. Tandis qu'avec des fanatiques, il n'y a rien à faire. S'ils se sont mis dans la tête de vous tuer, vous aurez beau leur dire les plus belles choses du monde, ils vous tueront.

On touche ici du doigt la différence qu'il y a entre primaires et secondaires, entre manuels et intellectuels. Les bandits sont plutôt des primaires, des manuels, c'est-à-dire des gens qui ont une certaine morale du travail, un certain respect du marché conclu, qui voient davantage le profit d'une affaire que sa signification symbolique. Les terroristes sont des secondaires, des intellectuels, qui n'ont aucune tradition, aucune morale, mais une idéologie au nom de laquelle on s'absout des pires horreurs. Tuer un homme n'est pas un crime : c'est une démonstration.

Agir pour soi, égoïstement, pour s'enrichir, c'est mal, certes, mais c'est humain. Humain, cela signifie affreux, bien sûr, mais cela signifie aussi : un peu hésitant, accessible à la pitié ou à la sympathie. Agir pour une cause, c'est inhumain. Je pense que nos pauvres otages, de temps à autre, se disent avec désespoir qu'ils seraient libres depuis longtemps s'ils avaient été enlevés par des truands qui auraient demandé pour les relâcher un ou deux millions en petites coupures. Entre Al Capone et Saint-Just, je choisis à tout coup Al Capone.

(6 avril.)

Le frac

M. Chaban-Delmas, en tant que président de l'Assemblée nationale, va avoir à prendre une grave décision : se remettra-t-il en frac, ainsi qu'il était de règle jusqu'en 1981, ou suivra-t-il l'exemple de M. Mermaz qui inaugura la présidence en complet-veston ?

Je souhaite qu'il rétablisse le frac. Non par conformisme ou par formalisme, mais parce que je pense qu'il faut faire honneur à la fonction que l'on remplit, et qu'on n'a pas trouvé jusqu'ici de meilleur moyen pour cela qu'une certaine pompe vestimentaire. Celle-ci me paraît d'autant plus nécessaire que la chienlit règne partout. Lorsque M. Mermaz monta au perchoir en veston comme n'importe quel péquenot, je pensai : « Encore deux ou trois législatures, et le président de l'Assemblée présidera sans cravate, avec des baskets et un blouson. »

Le peuple ne se trompe pas pour ces choses-là. Il veut que ses maîtres aient l'uniforme du pouvoir qu'il lui a donné, et il est d'autant plus heureux que l'uniforme est compliqué, traditionnel, démodé, difficile à revêtir. Puisqu'il faut avoir des princes pour nous gouverner, qu'ils aient au moins le plumage des princes. C'est la moindre des choses qu'ils puissent faire pour nous être agréables. S'habiller comme tout le monde est une bêtise démagogique. Je suis toujours étonné de constater à quel point les démocrates se font une idée fausse du peuple. Il n'y a plus que les huissiers à chaîne, aujourd'hui, à être mis correctement et qui fassent plaisir à regarder.

La faiblesse la plus ridicule de la droite a été pendant quinze ans de vouloir ressembler à la gauche. Il faut espérer que les cinq ans que sa traversée du désert a duré l'ont un peu débarrassée de son snobisme, et qu'elle sait à présent que la gauche n'a rien qui mérite d'être imité. Le peuple le lui a dit formellement par les dernières élections. Revoir le président de l'Assemblée en frac montrerait à peu de frais qu'il a été entendu par des gens qui ont l'oreille fine.

(8 avril.)

L'ambition

Pendant des années, on s'est demandé, à propos de M. Chirac, s'il était ambitieux pour lui-même ou pour la France. Cette question, que l'on ne se pose plus guère semble-t-il, m'a bien intrigué. Je ne voyais pas ce qu'elle signifiait. En politique, l'ambition personnelle est mêlée au désir sincère du bien public. Il est fort rare de rencontrer des arrivistes tout purs, qui ne veulent le pouvoir que par vanité ou par avidité.

Je ne distingue pas en quoi M. Chirac diffère sur ce point des autres grands personnages de notre régime. M. Giscard d'Estaing, lorsqu'il se présentait à l'élection présidentielle, était-il ambitieux pour la France ou pour lui ? De quelle nature est l'ambition de M. Mitterrand et de M. Marchais ?

Le général de Gaulle se faisait une certaine idée de la France, mais cela ne l'empêchait pas de se faire aussi une certaine idée de lui-même. Il savait qu'il était supérieur par le caractère, l'intelligence politique, la hauteur de vues, l'audace, à tous les hommes d'Etat de son temps. Au nom de quoi n'aurait-il pas mis ces vertus au service de ce qu'il aimait par-dessus tout, son pays, quitte à devenir le plus puissant des Français ?

Il existe un sentiment de ce genre chez tous les politiciens professionnels. Chacun est persuadé que ses idées et ses capacités sont exactement celles dont le pays a besoin, et qu'il le démontrera si on le porte au pouvoir.

On ne peut juger l'ambition d'un homme qu'après coup, c'est-à-dire lorsqu'il a montré s'il était capable ou incapable. Ce sont les incapables qui sont ambitieux pour eux-mêmes. Ils convoitent le pouvoir pour en jouir, non pour en faire quelque chose. D'ailleurs, le pouvoir n'est pas long à se venger de leur imposture. Il leur échappe ou les écrase. Il y a un poids du monde qui n'est pas pour les épaules fragiles, fussent-elles surmontées d'une tête pleine d'orgueil.

(19 avril.)

Simplicité cartésienne

Lorsque le général de Gaulle prononçait un discours ou tenait une conférence de presse, la gauche déclarait avec mépris : « Il n'a rien dit de nouveau. » En revanche, les gaullistes se pâmaient devant son originalité. Aujourd'hui les rôles sont renversés. C'est M. Mitterrand qui est vide et insipide. Comme quoi le rôle de président de la République est bien difficile. On est toujours sifflé par quelqu'un.

Celui qui a le mieux sifflé, et de la façon la plus traditionnelle, est M. Lucotte, des Républicains indépendants. Il a déclaré que, « dans le message du président de la République, il n'y avait rien de nouveau qu'il n'eût déjà dit précédemment ». Celui qui s'est le mieux pâmé est M. Dreyfus-Schmidt, sénateur de Belfort dont les paroles sont si belles qu'il faut les citer textuellement : « Je crois que ce message est d'une simplicité cartésienne qui reflète la force tranquille de nos institutions. »

Quelle joie d'apprendre que M. Dreyfus-Schmidt est, a été et sera gaulliste ! Il le cachait en se faisant élire jusqu'ici sous l'étiquette socialiste, mais il n'y a pas à s'y tromper : l'homme considérant que les institutions de la Ve République ont une force tranquille qui se reflète dans la simplicité cartésienne est un fervent du Général. « Force tranquille », dans la bouche d'un socialiste, c'est la louange suprême. « Simplicité cartésienne », dans la bouche d'un Français, c'est l'admiration absolue. M. Debré doit être jaloux de M. Dreyfus-Schmidt. A moins qu'il ne le contemple avec un sourire attendri, comme on contemple son élève.

J'écris cette chronique avant que M. Chirac ne se soit présenté devant le Parlement pour l'exposé de sa politique. Il sera intéressant d'interroger M. Dreyfus-Schmidt sur ce morceau. Je serais très étonné qu'il lui trouvât une simplicité cartésienne. De telle sorte qu'il ne reflètera pas la force tranquille de nos institutions. M. Chirac n'est évidemment pas assez gaulliste pour M. Dreyfus-Schmidt, ni pour les autres socialistes. Il n'y a aujourd'hui qu'un seul vrai gaulliste, c'est M. Mitterrand. Qui eût soupçonné cela en 1958, en 1965, en 1968, en 1969, en 1973, en 1974, même en 1981, avant le 11 mai ?

(22 avril.)

Bonne nouvelle : nous ne sommes pas fous

Après avoir entendu pendant cinq ans un gouvernement nous affirmer « Vous vous faites des idées » à propos des cambrioleurs qui dévalisent les appartements, des assassins qui en tuent les locataires, des terroristes qui posent des bombes dans les endroits publics, il est extrêmement rafraîchissant, j'ose le dire, d'entendre un autre gouvernement nous déclarer : « Mais non, mes pauvres amis, vous ne vous faites pas d'idées. Vous êtes vraiment tués, bombardés, volés, terrorisés. Nous allons tâcher de vous protéger. »

Ainsi donc nous ne sommes pas fous. Nous ne sommes pas en proie à la névrose appelée « idéologie sécuritaire ». Les cambrioleurs et les assassins ne sont pas des produits de notre imagination : ils existent réellement puisqu'un gouvernement, enfin, le reconnaît. Il est agréable d'apprendre qu'on n'est pas fou.

Une des raisons qui poussent les honnêtes femmes à prendre un amant est que leurs maris haussent les épaules quand elles se plaignent. Ces balourds croient précisément qu'elles se font des idées et que cela passera tout seul. Or les femmes ne sont pas des hommes. Elles sont meurtries par toutes sortes de choses que les hommes ne voient pas ou ne veulent pas voir, occupés qu'ils sont par leur travail, leurs ambitions, leurs grandes et petites manœuvres, leur réalisme, leur goût des compromis, leur répugnance pour ce qui les contrarie. C'est ainsi que, avec la meilleure conscience du monde, ils se retrouvent cocus, et généralement très mécontents de l'être.

L'amant a un rôle en or, qui consiste à plaindre, à donner raison, à se mettre à fond du parti de la dame. Le seul conseil à donner à un garçon qui veut faire carrière dans la séduction est : « Ayez l'air compréhensif. » Après qu'il a bien plaint et bien donné raison, l'adultère n'est plus qu'une formalité. Plus encore que de se sentir comprise, la femme est reconnaissante à l'amant de lui avoir prouvé qu'elle n'était pas folle. Même processus entre parents et enfants. Ceux-ci sont acculés à faire des bêtises parce qu'on ne les prend pas au sérieux dans leur famille.

Même processus avec un peuple et ses princes. Quand ceux-ci disent au peuple : « Comment peux-tu te plaindre, avec tout ce que je fais pour toi ? », le cocuage n'est pas loin. Le gouvernement socialiste, pendant cinq ans, s'est conduit en mari aveugle, faisant bêtement à son épouse des cadeaux qu'il avait choisis lui-même, selon ses propres désirs et ses propres goûts, sans se soucier si l'épouse en avait vraiment envie, et ne lui donnant pas ce qu'elle désirait.

Pis encore, il s'est imprudemment vanté de savoir mieux que le peuple ce qui était bon pour lui. L'affaire de la peine de mort est caractéristique de son infatuation. Plus de soixante-dix pour cent des Français voulaient qu'on la maintînt, pensant qu'il était mal choisi de la supprimer à un moment où le crime connaissait une floraison exceptionnelle. Or, non seulement le gouvernement socialiste a aboli la peine de mort, mais encore, pour être bien assuré qu'on ne la rétablirait pas de sitôt, il a signé un engagement international. Ensuite de quoi, il s'est échiné à expliquer qu'elle n'était pas « dissuasive », c'est-à-dire qu'elle n'intimidait pas les assassins, ce qui est un mensonge, évidemment : la mort fait peur à tout le monde, y compris aux bandits. Surtout aux bandits.

De même qu'une flatterie n'est jamais assez grosse, un mensonge n'est jamais assez fin. Les mensonges qu'a faits le gouvernement socialiste pendant ses cinq ans de pouvoir étaient gros, ce qui a indisposé supplémentairement le peuple. Celui-ci a vu une marque de mépris dans ce refus de chercher, à des actes qu'il désapprouvait, des explications un peu adroites. Non seulement on voulait lui faire croire qu'il était fou, mais encore on le prenait pour un imbécile.

Nous sommes dans les premières semaines de l'adultère. Autrement dit, pour reprendre une expression datant des épousailles de M. Mitterrand avec la République, dans une sorte d'état de grâce : celui des commencements de liaison. Je crois que le gouvernement actuel a compris qu'il faut nous faire plaisir en acceptant de voir la réalité telle que nous la voyons. C'est-à-dire telle qu'elle est. Je crois qu'il l'a compris, mais on n'est jamais sûr de rien avec les politiques. Du moins, la sauvegarde de ceux qui nous gouvernent depuis trois semaines, c'est que l'épouse adultère qu'ils ont séduite n'a pas pu divorcer. Ils sont contraints au ménage à trois. Le mari est toujours là, rageant d'avoir été trompé et méditant de féroces revanches. Ils feront, pour embêter le mari, ce qu'ils n'auraient peut-être pas fait pour nous.

(25 avril.)

Histoire d'un pantalon

M. Sapin, député socialiste des Hauts-de-Seine, a déclaré : « La droite est à la merci de quatre grincheux et de trois malades. » *L'Unité*, petit canard socialiste, reprend cette belle formule et s'en gargarise : elle « résume l'enseignement majeur de la rentrée parlementaire où pagaille et indiscipline caractérisent la majorité ».

Je trouve que la gauche a mauvaise grâce à dauber, comme elle fait, sur la fragilité de la coalition libérale. Cette fragilité est la conséquence de la grosse tricherie de dernière minute, qui a consisté à remplacer le scrutin majoritaire par la proportionnelle. Avec le scrutin majoritaire, la droite aurait eu quatre cents sièges et se serait peu souciée qu'ils fussent occupés par des grincheux, ni qu'il y eût deux douzaines d'enrhumés.

La gauche, en l'occurrence, se conduit comme un voleur qui, ayant dérobé son pantalon à sa victime, fait des gorges chaudes parce qu'elle circule en caleçon dans la rue. Cela n'est pas très élégant. Cela n'est pas non plus très sage. Les voleurs qui se vantent de leurs larcins et invitent les badauds à s'égayer aux dépens des gens qu'ils ont dépouillés sont des imprudents. Un temps finit par arriver où les badauds cessent de rire et prennent le parti du volé contre le voleur.

Surtout si le volé, malgré ce qu'on lui a subtilisé, reste

encore le plus fort, attrape le voleur, lui flanque une danse et récupère son pantalon. C'est ce qui va se passer, semble-t-il, lorsque le gouvernement aura promulgué l'ordonnance rétablissant le scrutin majoritaire à deux tours. On ne voit pas au nom de quels principes prétendument gaullistes le président de la République pourrait refuser de signer cette ordonnance-là.

La droite, alors, ne sera plus à la merci d'un mouvement d'humeur de M. Mitterrand, qui le pousserait à dissoudre l'Assemblée nationale. M. Sapin aurait quelque difficulté à faire des quolibets sur celle qui serait élue à la place. D'ailleurs M. Sapin ne serait peut-être pas député. Il risquerait de devenir grincheux. Malade, qui sait ?

(26 avril.)

Un rempart de mon corps

« Il faudra les protéger », disais-je (avec quelque complaisance) avant le 16 mars. En effet, observant la rancune et la fureur que les socialistes avaient suscitées dans le peuple, je redoutais qu'on ne se livrât à des violences contre eux, après leur chute. Je me rappelais les cris poussés à la Bastille en 1981, quand M. Mitterrand fut élu président de la République. Si M. Elkabbach, par exemple, avait été là, la foule lui aurait fait un mauvais parti, et personne parmi les vainqueurs, je le crains, ne se serait interposé.

Je rêvais des articles que j'écrirais pour défendre M. Lang, M. Max Gallo, voire M. Mauroy et M. Fabius. M. Poperen me serait devenu sacré ! Je faisais un rempart de mon corps à M. Polac, chassé ignominieusement de la télévision. Je recueillais chez moi M. Jospin et sa famille. Je me voyais dans le rôle du shérif des westerns qui empêche les énergumènes de lyncher les prisonniers en tirant des coups de revolver en l'air. Ah ! les exaltantes minutes que j'ai passées dans ces douces rêveries !

C'était le moment, pensais-je, d'avoir sans cesse présente à l'esprit la maxime de Simone Weil dans *La Pesanteur et la Grâce* : « Il faut toujours être prêt à changer de côté comme la justice, cette fugitive du camp des vainqueurs. » Je songeais à Mauriac qui n'hésitait pas à parler de clémence lorsque l'épuration faisait rage, au point que *Le Canard enchaîné*, très amateur de peine de mort, en ce temps-là, l'avait moqueusement surnommé « saint François des Assises ».

Je souffre de tous ces beaux articles que je n'ai pas à écrire, de toute cette grandeur d'âme que je suis obligé de laisser au vestiaire. Les socialistes sont plus triomphants, plus présents, plus menaçants, plus hilares que jamais. Changer de côté comme la justice, fuir le camp des vainqueurs, c'est bientôt dit, mais où est le camp des vainqueurs ? J'ai été dans le camp des vaincus pendant cinq ans. Il me semble que j'y suis encore.

Ce n'est pas désagréable. C'est même d'autant plus enivrant qu'il ne faudra pas compter sur les socialistes pour nous faire, à moi et mes pareils, un rempart de leur corps, si l'occasion s'en présente un jour. Ces abolitionnistes aiment bien couper des têtes. Du moins, c'est ce qu'ils disent.

(27 avril.)

Un candidat idéal

A-t-on pensé que M. Reagan arrivait au bout de son second mandat ? Je veux dire : y a-t-on pensé chez nous ? Après deux mandats de quatre ans, un président des Etats-Unis n'a plus la faculté d'être réélu. Dans le cas d'un homme comme M. Reagan, qui est agréable, énergique, qui ne fait pas son âge, qui ne se laisse pas marcher sur les pieds, c'est bien dommage. Bref, il va être disponible et j'ai pensé que nous pourrions l'attirer chez nous. Deux Français sur trois seraient enchantés de l'avoir comme président de la République, à en juger par le dernier sondage.

M. Reagan, dans ce poste, n'offre que des avantages. D'abord il est étranger, ce qui est toujours bien vu ici. Comme il ne comprend pas le français, il pourra faire une politique sérieuse et efficace sans être influencé par les intellectuels parisiens. Une chose à faire valoir, c'est qu'il pourra se promener dans Paris sans être dépaysé, attendu que la plupart des enseignes des boutiques sont rédigées en anglais.

En deuxième lieu, M. Reagan, bénéficiant de sa retraite de président des Etats-Unis qui doit être confortable, coûtera moins cher qu'un autre. A noter que cette retraite sera payée en dollars, ce qui nous fera des devises.

Troisièmement, ayant été le chef de la nation la plus puissante du monde, il en gardera des habitudes d'indépendance et une manière expéditive d'en user avec ses amis comme avec ses ennemis qui nous sera bien agréable. Déjà les Anglais, les Allemands et les Italiens ont vigoureusement désapprouvé sa dernière opération militaire. Que sera-ce de la prochaine, s'il la décide au nom de la France ! Nous aurons le plaisir d'être détestés comme au bon vieux temps.

Quatrième point, et non le moindre : une quantité d'Américains regretteront M. Reagan et afflueront en France pour le voir, pour admirer un pays ayant le bonheur d'être gouverné par lui. D'où une remontée du tourisme, et peut-être quelques milliardaires qui se feront naturaliser français, afin de continuer à goûter les joies du libéralisme économique.

(28 avril.)

Le style c'est l'homme, non le citoyen

La semaine dernière, à « Apostrophes », M. Pivot me demanda pourquoi je faisais une différence, en littérature, entre le style de gauche et le style de droite, celui-ci étant censé être plus vif, plus nerveux, plus frappant, plus original que celui-là. Comme je manque d'à-propos, je ne répondis pas ce qu'il fallait : à savoir que ce n'est pas moi qui fais cette différence, mais la gauche elle-même. Depuis des dizaines d'années, je l'entends répéter que la droite a tous les vices mais qu'elle écrit bien, que c'est la seule chose qu'on ne puisse pas lui contester. Cela la désole et la scandalise. Elle y voit une sorte d'injustice métaphysique. Elle a un tel complexe d'infériorité dans ce domaine qu'elle n'ose même pas parler de style de gauche. Style de droite est quasiment un pléonasme. Le style c'est la droite, ou, si l'on préfère, la droite c'est le style.

Je me demande s'il n'y a pas là comme un lointain écho de la haine des sans-culottes pour les marquis. Les sans-culottes apportaient au monde les trois trésors inouïs que sont la liberté, l'égalité et la fraternité, mais ils ne savaient pas nouer une cravate et mangeaient le poisson avec un couteau. Les intellectuels de gauche apportent au monde des idées si sublimes qu'ils s'imaginent qu'il est inutile de les enjoliver des grâces de l'écriture. Ils pensent même qu'elles y perdraient, que c'est là frivolités indignes de vrais penseurs.

Au fond, la malédiction des écrivains de gauche, c'est la malédiction de la gauche tout entière : l'esprit de mépris. Le style, entre autres choses, est une politesse ou une marque de considération à l'égard du lecteur, que l'on suppose homme de goût et de culture, comprenant à demi mot, et l'égal à sa façon de celui qui écrit.

J'ai découvert ce mépris de gauche en 1945, lorsque je rencontrai pour la première fois Elsa Triolet. J'étais en ce temps-là un révolutionnaire à trois poils et me gavais de *L'Humanité*. Ce journal publiait chaque jour un billet de Mme Simone Téry, d'une niaiserie telle que je le remarquais, en dépit de mon fanatisme. J'en parlai à Elsa, qui me répondit de sa jolie voix roucoulante : « Il faut voirr pourr qui c'est écrit ! »

Cette parole me foudroya. Je ne l'ai jamais oubliée. Il me fallut quand même encore six ou sept ans pour me détacher tout à fait de la gauche. Nous étions au bar du Pont-Royal qui était déjà un repaire de plumitifs. Je voyais Elsa en clair-obscur. Je regardais ses yeux qui m'avaient tant fait rêver sous l'Occupation. Ils étaient d'un bleu d'émail. Elle avait suprêmement l'air d'une femme du monde.

Tout écrivain de gauche est un peu Simone Téry. Je veux dire par là que, quand il écrit, il pense à ses lecteurs, et qu'il n'y pense pas avec humilité. Il se dit qu'il faut se mettre à leur portée, étant entendu qu'ils sont au-dessous de lui. Ce genre de préoccupation n'est pas seulement mortel pour le style, il n'est pas très bon non plus pour la pensée, qui devient épaisse et banale. Il n'est pas meilleur pour la conscience professionnelle : on finit par bâcler n'importe quoi en vertu du raisonnement que ce sera toujours assez bien pour qui le lira. Que restera-t-il de l'œuvre de Simone de Beauvoir dans un an, dans six mois ? Les clichés ne tiennent pas la distance. Déjà Sartre n'est plus guère lu que dans les écoles, qui sont les pires endroits, à présent, où un auteur puisse s'installer pour sa vie posthume.

Tout ce que j'ai dit ici ne s'applique évidemment pas aux hommes de génie. Il y en a dans tous les coins, à gauche comme à droite, mais quand on a du génie, le coin où l'on est importe peu. Le triomphe du style de droite, c'est Voltaire, Diderot, Rousseau, Stendhal, Hugo, Aragon.

(29 avril.)

Mœurs des bourgeois

Pourquoi les graffitis énormes à la bombe ou au pochoir s'étalent-ils presque toujours sur les belles maisons anciennes, les colonnes, les statues ? Rarement sur les horreurs architecturales qui, pourtant, ne manquent pas à Paris ? Il y a là un instinct infaillible de la part des barbouilleurs, comme si le vandalisme était inséparable de leurs revendications, y ajoutait quelque chose, les mettait spécialement en valeur.

Mercredi dernier, passant quai Saint-Bernard devant la faculté des sciences, bâtiment accablant de laideur et de tristesse, déshonorant pour le peuple qui a osé le bâtir, je faisais la réflexion que nul syndicat d'étudiants ou de professeurs ne demandait sa destruction. Cette faculté était-elle déjà là en 1968 ? Je n'ai lu nulle part, à l'époque, qu'elle offusquât le sens artistique des insurgés. C'est sans doute qu'ils n'en avaient pas. De là mon peu d'enthousiasme pour leurs affaires. Ils cherchaient la plage sous les pavés. C'était exactement le contraire de mes goûts. A la plage, je m'ennuie au bout d'un quart d'heure. Je n'aime que les villes et leurs pavés, ou leurs canaux quand il s'agit de Venise.

(29 avril.)

Degas, ou une autre conception
du ministère de la Culture

Il y a deux ou trois choses à dire à propos des troncs de colonnes que M. Buren a commencé de planter dans la cour du Palais-Royal. La première est que, sans même les avoir vus, il faut les condamner. En effet, c'est un ministre de la Culture (autrement dit un sous-secrétaire d'Etat aux Beaux-Arts) qui a commandé ce semis. Or, depuis la fondation de la IIIᵉ République, les sous-secrétaires d'Etat aux Beaux-Arts ont principalement encouragé les artistes dépourvus de talent, laissant mourir de faim ceux qui en avaient. Pourquoi, tout à coup, cela aurait-il changé ? Pourquoi M. Lang, soudain, aurait-il eu du goût, contrairement à ses prédécesseurs ?

Si quelque chercheur s'amusait à faire le compte des subventions accordées à des fabricants d'horreurs, picturales, sculpturales, musicales, architecturales, entre 1871 et maintenant, soit parce qu'ils étaient à la mode, soit parce que leur manière plaisait à un chef de bureau, on serait abasourdi par les milliards gaspillés de la sorte. Je me demande si un seul des peintres qui, pendant ce temps, ont honoré l'école française, a touché un sou. Tout l'argent allait aux pompiers, aux émules de Flandrin et de Paul Delaroche. Quant à la sculpture, ce n'est pas Rodin ni Maillol qui bénéficiaient des juteuses commandes.

Cela s'explique très bien. On ne saurait exiger d'un brave politicien bourgeois (ou socialiste, mais c'est pareil) et de braves fonctionnaires tout aussi bourgeois (ou tout aussi socialistes) qu'ils s'y connaissent en art. Il n'y a aucune raison pour qu'ils possèdent le don de double vue qui permet de distinguer dans le fatras des productions contemporaines celles qui ont un vrai caractère de nouveauté. N'est beau pour eux que ce à quoi leur œil est habitué, que ce qui reproduit platement non pas les formes traditionnelles, mais l'esprit traditionnel.

Les sous-secrétaires d'Etat aux Beaux-Arts gardèrent une certaine naïveté jusqu'à la fin de la IIIe République. Depuis la guerre, ils ont opéré une révolution à cent quatre-vingts degrés. Comprenant que leurs devanciers s'étaient trompés en favorisant le pompiérisme, ils se sont empressés de couvrir d'or l'avant-garde, ou ce qui se donnait pour tel, parce que c'était à la mode, comme les pompiers jadis, et que cela avait l'avantage sur eux de suggérer que les nouveaux connaisseurs étaient initiés à de profonds mystères ésotériques. Or c'était la même chose, et cela conduisait au même gaspillage. Les artistes probes, les artistes de talent étaient tout aussi oubliés qu'en 1880. Degas a eu là-dessus des paroles définitives : « Les pompiers prennent feu ! » disait-il, quoiqu'il n'eût encore rien vu. C'est vers 1950 que les pompiers ont pris vraiment feu, avec la peinture abstraite, les mobiles de Calder, et la suite. Degas disait encore qu'il fallait « rattacher le budget des Beaux-Arts à l'Assistance publique, au lieu d'encombrer les places publiques et les musées de province par les commandes faites aux artistes ». Je ne vois rien à changer dans cette déclaration. On peut assimiler à une place publique la cour du Palais-Royal, ainsi que celle du Louvre qu'un objet aussi saugrenu que les colonnes de Buren encombrera inexorablement.

Avant les élections du 16 mars, certains journaux s'amusaient à demander à leurs lecteurs de composer le gouvernement qui en sortirait. Quelques personnes eurent la bonté de me nommer ministre de la Culture. Si M. Chirac les avait écoutées et m'avait effectivement confié ce poste, j'aurais suivi le précepte de Degas, c'est-à-dire que j'aurais fait cadeau du budget de mon ministère à l'Assistance publique (ou au Commissariat à l'énergie atomique, pour ennuyer la Nouvelle-Zélande). En quoi j'aurais été le contraire de M. Lang qui, lorsqu'il est entré en fonctions, a obtenu une augmentation de crédits grâce à laquelle il a subventionné, à lui seul, plus de ringards qu'on n'en avait dorlotés entre 1880 et 1910. Il a même fait aménager une Maison pour les écrivains qui ont des difficultés avec leur inspiration.

En tant que ministre de la Culture, j'aurais eu encore une idée, d'autant plus remarquable qu'elle eût été dictée par une double humilité. Humilité quant à notre époque, qui se signale par une abondance d'horreurs jamais vue précédemment, humilité quant à moi qui ne me considère pas comme plus clairvoyant que quiconque (quoique j'aie au moins la qualité de n'être pas snob). Cette idée, que j'oserai qualifier de géniale, est de créer une sorte de lieu maudit, genre réserve de Peaux-Rouges, où l'on eût accumulé toutes les commandes de l'Etat au lieu de les déposer n'importe où dans Paris et dans les musées de province. De préférence à une butte telle que la Défense, j'aurais choisi une cuvette bien encaissée, afin qu'on ne vît rien de l'extérieur. Les amateurs y auraient admiré les colonnes de Buren, la pyramide de la cour du Louvre, les assemblages de pendules de la gare Saint-Lazare, diverses statues de bronze et autres matières, etc. Ce serait évidemment l'endroit rêvé pour y installer la Maison des écrivains et — pourquoi pas ? — le ministère de la Culture. L'entrée serait payante, bien entendu. Cela ferait une recette que l'on pourrait consacrer au salaire des fonctionnaires de la rue de Valois, lesquels descendraient ainsi fort au-dessous des smicards. Il sera juste de dire, alors, qu'ils remplissent un apostolat.

(3 mai.)

Bons baisers de Moscou

Il y a un grand remue-ménage ces temps-ci, à ce qu'il paraît, dans les agences de voyages des Etats-Unis. La plupart des clients qui avaient organisé leurs vacances en Italie, en France, en Espagne, en Allemagne, en Angleterre, ont fait reporter leurs locations sur les pays d'Europe de l'Est. Certes, on ne s'amuse pas beaucoup dans ces coins-là ; c'est même un peu mélancolique ; mais au moins on est en sécurité. On ne risque pas de se faire arracher les deux jambes par une bombe, ou tuer en allant chercher son billet d'avion à la boutique de la TWA. On peut exhiber en toute quiétude ses fourrures et ses bijoux, vu que, là-bas, les riches sont respectés, à l'abri des bandits, et qu'ils ne sont pas exposés à rencontrer des pauvres hargneux. Quelle leçon de tourisme, pour nous autres qui nous croyons des maîtres dans ce domaine !

(3 mai.)

Fiches d'hôtel et contrôles d'identité

M. Poniatowski, lorsqu'il était ministre de l'Intérieur de M. Giscard d'Estaing, supprima les fiches d'hôtel et décida que les gardiens de la paix ne se promèneraient plus dans la rue. Il est peu admis généralement que M. Poniatowski soit un homme de gauche. On peut donc dire que les deux mesures susmentionnées sont des mesures de droite, on peut également en déduire que, si la gauche ne les a pas abolies, c'est qu'elle a oublié de le faire. A moins qu'elle ne considérât que, dans le calamiteux « héritage » de la droite dont elle s'est tant plainte, c'était une agréable surprise. Auquel cas elle aurait dû le dire, ne fût-ce que pour se donner l'air impartiale.

En fait, elle le dit maintenant que le gouvernement Chirac s'apprête à rétablir les fiches d'hôtel et à donner aux policiers le droit de procéder à des contrôles d'identité. Tout à coup, on s'aperçoit qu'elle était très attachée à l'œuvre de M. Poniatowski. C'est celui-ci que l'on devrait interroger, à mon avis. Que pense-t-il de la résurrection de la brigade des garnis ? Que pense-t-il des agents de police qui ressortent de leurs commissariats ? Il a bien son idée là-dessus. Regrette-t-il M. Defferre et M. Joxe qui ont été ses disciples ou bien est-il, à l'égard de M. Pasqua, comme Gide qui exhortait Nathanaël, après avoir lu *Les Nourritures terrestres*, à jeter le livre et à être lui-même ? Voilà des choses intéressantes et sur lesquelles on n'est jamais informé.

Je ne comprends pas très bien l'indignation que la gauche exhale à propos des fiches d'hôtel et des contrôles dans la rue. Un honnête homme n'a pas à craindre que l'on sache qu'il a passé la nuit à l'hôtel Bijou à Pigalle, en compagnie d'une dame. La préfecture de Police, jusqu'à M. Poniatowski, était au courant de ce genre de choses et ne s'en est jamais servi pour faire chanter qui que ce soit. De même, que peut redouter l'honnête homme si un policier en tenue lui demande ses papiers ? A choisir entre les diverses interpellations auxquelles on est exposé de nos jours, je préfère celle du policier en tenue qui me rend ma carte d'identité après en avoir pris connaissance à celle du quidam en civil qui me prend mon portefeuille dans le métro et s'en va sans me le rendre.

Ces considérations paraîtront un peu simplistes, je le crains. Mais tout le monde ne peut pas jouir de la liberté ou des libertés. Si l'on préserve les libertés des malfaiteurs, la liberté des honnêtes gens s'en trouve considérablement diminuée. Malgré les statistiques annuelles sur la criminalité, je crois qu'il reste un peu plus d'honnêtes gens que de malfaiteurs. Autrement dit, ils sont la majorité. Et en démocratie, c'est plutôt la majorité qui fait les lois que la minorité.

(29 avril.)

Le plus heureux des deux

Tout maire du palais rêve de transformer son souverain en roi fainéant. Quelle aubaine lorsque le souverain est réduit à la fainéantise par le suffrage universel ! Il n'y a pas eu de Premier ministre plus heureux que M. Chirac depuis la fondation de la Vᵉ République en 1958. M. Debré, qui voulait faire une Algérie française, a été contraint de s'incliner devant le pragmatisme du général de Gaulle. Cela a été pour lui un grand déchirement, qu'il n'a même pas pu exprimer, par solidarité. M. Pompidou n'a pas été plus gâté. Lui, du moins, est devenu, par la suite, président de la République et a pu faire sentir à M. Chaban-Delmas qu'il était le maître, ne fût-ce qu'en le congédiant.

M. Mauroy et surtout M. Fabius doivent considérer M. Chirac avec envie. Lorsqu'ils étaient à Matignon l'un et l'autre, leur vie n'était pas aussi gaie qu'on pouvait le croire. Le Président les convoquait pour un oui ou pour un non, les faisait pivoter comme des caporaux, téléphonait à deux heures du matin pour demander des explications sur l'affaire Greenpeace, etc., au point que M. Fabius, exaspéré, déclara un soir à la télévision : « Lui, c'est lui, et moi, c'est moi », afin que la planète sût qu'il était autre chose qu'un simple secrétaire ou un commissionnaire de l'Elysée.

Cette « petite phrase », comme disent les journalistes, fit un tapage considérable, et je ne jurerais pas que M. Mitterrand l'ait trouvée à son goût. En effet, lorsque la Constitution marche normalement, c'est-à-dire quand le Président possède la majorité à l'Assemblée, il ne doit exister aucune différence visible entre lui et le Premier ministre. Celui-ci a été nommé pour régler les détails d'une politique décidée par celui-là. S'il n'est pas content, il n'a pas d'autre choix que de se taire ou de s'en aller. M. Chirac, qui n'était pas content de M. Giscard d'Estaing en 1976 et qui n'avait pas un tempérament à se taire, a démissionné.

M. Mitterrand, avant son élection, clamait à tous vents qu'il désirait le retour à la IVe République. Après qu'il eut été élu, il s'est très bien accommodé de la Ve et des pouvoirs de monarque absolu qu'elle lui a conférés. Lorsqu'on le lui reprochait, il avait beau jeu de répondre : « Ce n'est pas moi qui ai fait la Constitution de 1958 ; je l'ai même combattue. Je ne fais rien d'autre aujourd'hui que de l'appliquer puisque vous m'avez institué son gardien. » J'ai entendu souvent dire que la cohabitation entre un Président de gauche et un Premier ministre de droite ressemblait beaucoup à la IVe. Elle lui ressemble, c'est vrai, mais un peu seulement. Il y a une grande différence. Les présidents du Conseil de la IVe étaient instables et éphémères. Tous les deux mois l'Assemblée les renversait. Or M. Chirac, quoiqu'il n'ait que trois voix de majorité au Palais-Bourbon, est aussi solide sur son fauteuil de Matignon que M. Mitterrand sur son trône de l'Elysée. Il a toute la liberté d'un président du Conseil, mais il n'en a pas la fragilité. De ce fait, M. Mitterrand a moins de pouvoir encore que M. Auriol et que M. Coty. C'est à lui de se taire ou de s'en aller s'il n'est pas content.

Il suit de tout cela que la cohabitation est une belle chose, contrairement à ce qu'avait prévu M. Barre. M. Mitterrand n'est plus roi, mais il est toujours président de la République, ce qui est un joli poste, quelles qu'en soient les limites. Il continue à posséder ce qui fait l'agrément du pouvoir : le château, la maison militaire, la pompe officielle, les voyages, etc. Comme il ne fait plus rien et qu'il a un Premier ministre qui donne confiance au pays, les sondages le concernant sont brusquement montés à des altitudes qu'il n'aurait jamais espérées au temps de M. Mauroy et de M. Fabius. Quant à M. Chirac, il est le vrai maître de tout, et il s'offre le plaisir de ne pas le montrer. Du moins pas plus que sa jubilation permanente ne le permet.

(*6 mai.*)

Aucun danger

Une chose que l'on n'a pas dite et qu'il faut quand même dire, c'est que le nucléaire soviétique est absolument inoffensif. Il aura fallu l'accident de la centrale de Tchernobyl pour que nous l'apprenions. Cela change agréablement du nucléaire anglais, français, allemand, américain, qui est terrible. On scrute à la loupe les fissures qui pourraient fendiller les usines qui le produisent. Quoiqu'il y soit hermétiquement enfermé et que jamais la moindre émanation ne s'en échappe, les pacifistes et les écologistes organisent périodiquement des manifestations pour dénoncer l'épouvantable menace qu'il fait planer sur le genre humain. M. Lange, Premier ministre de Nouvelle-Zélande, pousse des cris déchirants chaque fois que nous faisons éclater une bombinette à Mururoa.

Voilà plus d'une semaine, maintenant, que le réacteur de Tchernobyl a grillé et qu'un nuage atomique se promène au-dessus de l'Europe, allant de-ci de-là, tantôt vers le nord, tantôt vers le sud, au gré du vent, et les personnes qui sont généralement si sourcilleuses sur tout ce qui a trait à notre santé et à celle des arbres restent étonnamment coites. Où sont les pathétiques défilés d'antan, où sont les saisissantes pancartes ornées de têtes de mort ? Les héros de Fessenheim seraient-ils fatigués ? Quant à M. Lange, on a beau tendre l'oreille vers l'océan Pacifique, il ne dit pas un mot.

Une preuve supplémentaire que le nucléaire soviétique n'est pas plus dangereux que de la grenadine, c'est que M. Gorbatchev demande de l'aide aux pays qui n'ont pas de réacteurs, et non à ceux qui en ont. C'est une simple affaire de bricolage que n'importe qui peut arranger avec un tournevis et deux mètres de fil électrique.

Les mauvaises langues de l'Occident prétendent que l'explosion de Tchernobyl a fait plusieurs centaines de victimes, mais ce n'est évidemment pas vrai. L'URSS, qui sait à quoi s'en tenir mieux que quiconque, ne parle que de deux morts. Je ne serais pas étonné si l'Agence Tass nous révélait sous peu qu'il s'agit de deux ingénieurs en chef, dévorés de remords parce qu'ils avaient mal surveillé leur usine, qui se sont tiré une balle dans la tête.

(8 mai.)

De normale à la normalisation, ou les chemins du pouvoir

Avant guerre, chez nous, il était très bon de sortir de l'Ecole normale supérieure (lettres) pour faire une belle carrière dans la politique. Herriot fournissait le modèle idéal de l'homme d'Etat français : famille modeste, boursier, agrégé des lettres, prof, militant radical, ministre d'un tas de choses, président du Conseil, président de la Chambre, etc. Ce grand homme avait un talent particulier pour marcher avec son temps. En 1924, chef du Cartel des gauches, il fit évacuer la Ruhr par nos troupes et reconnaître l'URSS par la France. En 1940, il conseilla aux parlementaires de se rallier à Pétain, ce qu'ils firent, sauf quatre-vingts entêtés. En 46, lorsque de Gaulle se retira du gouvernement, il prononça cette parole historique : « Je savais bien qu'il lâcherait à la première difficulté. » La même année, il fut élu à l'Académie. Il fumait la pipe, ce qui donne l'air bon enfant (tandis que le cigare fait poseur), et avait une gouvernante ou une cuisinière prénommée Césarine qui lui mitonnait de bons petits plats. Sa thèse de doctorat (1904) s'intitulait *Mme Récamier et ses amis*. On lui doit également une *Vie de Beethoven*, sans parler de divers autres ouvrages que personne n'aurait l'idée de lire. L'Encyclopédie historique de Bordas, fort mesurée dans ses jugements, note qu'il était « trop enclin à croire à la toute-puissance du verbe ».

Il n'y a plus beaucoup de normaliens, semble-t-il, dans la politique. Les avocats qui l'avaient plus ou moins monopolisée depuis la Révolution ont repris du poil de la bête, mais peut-être pas pour longtemps. Les fonctionnaires, les polytechniciens et les énarques sont arrivés en force avec la Ve République, et on les voit un peu partout à présent dans les endroits où niche le pouvoir. Je ne sais ce qu'ils donneront à longue échéance. En tout cas, cela ne peut pas être pire que ce qu'a donné la république des normaliens qui s'est abîmée dans la défaite de 1940. Il n'est pas mauvais d'avoir une tournure d'esprit littéraire pour gouverner la France. Richelieu était ainsi, et Napoléon et de Gaulle, mais être un professeur de lettres, c'est peut-être beaucoup. Le professeur parle et les élèves sont censés écouter cette voix bienfaisante. Or les Français n'écoutent rien et saisissent toutes les occasions de chahuter.

Cette méditation historique m'a été inspirée par le remplacement de M. Babrak Karmal à la tête de l'Afghanistan par M. Najib Ullah, policier de son état, et même chef des services secrets. On objectera que ce n'est pas le pays qui l'a élu, mais l'occupant qui l'a imposé, parce que, dans un régime où sévissent la guérilla et la résistance, un policier est plus indiqué qu'un avocat ou qu'un professeur. Toutefois, M. Andropov, qui n'était imposé par personne et qui est arrivé par ses seuls mérites à gouverner toutes les Russies, où l'unique résistance se manifeste par les textes dactylographiés du Samizdat, avait été préalablement directeur du KGB.

Le pauvre M. Andropov est mort trop vite pour que l'on sache si la police secrète est un bon apprentissage du pouvoir moderne. Curieusement, il était considéré comme un réformiste. Du moins c'est ce qu'on disait, mais ce n'est peut-être pas vrai, et de toute façon qu'est-ce qu'être réformiste dans un pays qui pratique un conservatisme de fer comme l'URSS ? La moindre réforme risque de flanquer par terre tout l'édifice, qui ne tient que par l'immobilité. M. Andropov en était certainement conscient et, si le ciel lui avait prêté vie, il aurait été aussi prudent que ses prédécesseurs.

Depuis qu'il y a des républiques dans le monde, on a vu mainte fois des militaires prendre le pouvoir, ou se le faire offrir. Peut-on considérer comme une arme, au même titre que l'artillerie ou la cavalerie, la police secrète, qui a pris une telle extension depuis une trentaine d'années ? Après tout, c'est avec elle qu'on fait la guerre à présent. Les militaires au pouvoir ont eu des fortunes diverses. Les uns ont réussi, les autres non. Quant à ces derniers, l'explication de leur échec tient sans doute à ce qu'ils n'ont pas su se mettre au-dessus de leurs habitudes de soldats et devenir de véritables chefs, c'est-à-dire des civils. Cette métamorphose doit être plus facile pour un policier, encore qu'il ait, lui aussi, l'esprit déformé par la guerre secrète, qu'il soit exagérément soupçonneux, qu'il se perde dans des insignifiances, qu'il voie le mal partout, ce qui le rend plus crédule et facile à duper qu'un esprit non prévenu.

Il est à craindre que l'expérience afghane ne soit pas d'un grand enseignement, de quelque manière qu'elle tourne. M. Najib Ullah n'a été investi que pour remédier, s'il se peut, à une situation gênante pour les Soviétiques. On l'a mis là comme on recourt à un « ministre-technicien ». Lorsque l'URSS a entamé la guerre d'Afghanistan, elle ne se doutait pas qu'elle se lançait dans un de ces plans quinquennaux dont elle a le secret et qui durent un peu plus de dix ans. Elle compte sur M. Najib Ullah pour hâter les travaux. Il faut convenir qu'il a l'air férocement compétent. Mais il était peut-être plus facile d'avoir la peau de M. Babrak Karmal qu'il ne le sera d'avoir la peau du peuple afghan dans son entier. Les Anglais, qui, jadis, étaient aussi affamés que les Russes aujourd'hui, s'y sont cassé les dents. Je ne pense pas que l'Armée rouge soit sortie de l'auberge, malgré le nouvel aubergiste.

(15 mai.)

Le triomphe trop modeste

Il y avait une vraie sagesse dans le triomphe des imperators romains. Lorsqu'ils passaient sur leur char, auquel étaient enchaînés les rois et les généraux qu'ils avaient battus, le peuple avait sous les yeux la grandeur de Rome et sa supériorité sur le reste du monde. Les victoires ne doivent pas être discrètes. Je ne demande pas à M. Chirac de défiler aux Champs-Elysées avec M. Fabius ficelé sur le toit de sa CX gouvernementale ; toutefois, il aurait pu offrir un petit spectacle symbolique au peuple de droite qui l'avait porté au pouvoir. Le peuple de droite attendait ce petit spectacle avec d'autant plus de convoitise que le succès avait été acquis de justesse et qu'on n'avait pas le sentiment d'avoir écrasé vraiment l'adversaire.

Les citoyens se sentent frustrés et disent avec amertume que rien n'a changé. C'est injuste, car diverses choses ont changé. Entre autres, le gouvernement de M. Chirac travaille beaucoup et dépense peu, ce que nous n'avions pas vu depuis longtemps. Il veut réaliser aussi vite que possible le programme pour lequel on l'a élu et il va le faire. Dommage que ces choses-là ne se voient pas à l'œil nu !

En revanche, ce qui se voit, et qui n'est pas très important, est exaspérant : la radio et la télévision qui font impavidement de la propagande socialiste, les pierres levées du Palais-Royal qu'on laisse là où elles sont, etc. Il est un peu sot de reprendre à son compte les bêtises des socialistes et qui ont contribué à leur chute. Ceux-ci du moins, en 81, n'ont pas eu le triomphe modeste, et ne se sont pas gênés pour faire la chasse aux sorcières.

La droite devrait méditer sur le plan de Paris. Les rues, avenues, boulevards et places attribués à des hommes de gauche qui, en deux cents ans, n'ont guère gouverné la France qu'une quinzaine d'années en tout, sont innombrables, à croire que c'est eux qui ont fait l'histoire de France. La droite qui a l'œil fixé sur la gauche et qui s'évertue tellement à lui ressembler ne copie pas la seule chose où elle soit remarquable : la vantardise.

(17 mai.)

Dialogue sur l'intérêt et les passions

COTONET. — Jetez-vous quelquefois un coup d'œil aux sondages dans les journaux ? Ils sont très singuliers. Grâce à M. Chirac comme Premier ministre, les Français sont enfin contents de M. Mitterrand comme président de la République. Pour la première fois depuis le commencement de son septennat, sa cote dépasse les cinquante pour cent.

DUPUIS. — Elle les avait dépassé en 81, à son élection.

COTONET. — Oui, mais cela n'a pas duré. Dès qu'il a commencé à appliquer le programme socialiste, il est tombé à des pourcentages lamentables. Et voilà que, miraculeusement, parce que M. Chirac est à Matignon, il remonte, il remonte... On ne sait pas quand il s'arrêtera.

DUPUIS. — Je vous signale que M. Chirac remonte aussi. Du temps qu'il était dans l'opposition, il piétinait dans les trente-cinq pour cent. A présent qu'il est au pouvoir, il passe sur le ventre de tout le monde.

COTONET. — Faut-il en conclure que les Français n'aiment la droite que quand elle gouverne et la gauche que quand elle ne gouverne pas ? Car c'est ainsi que les choses se présentent. M. Tjibaou, chef des Canaques rebelles, a déclaré, non sans quelque nostalgie, l'autre jour : « Tout le monde sait que M. Mitterrand préside, mais ne gouverne pas. » Au fond, le système de la cohabitation a tout pour plaire aux Français. M. Mitterrand, étant à gauche, satisfait leur goût du progressisme et leur tradition révolutionnaire. Il est le symbole, le drapeau. Or, un symbole, comme disent les bonnes gens, cela ne mange pas de pain. Quant au drapeau, tout dépend du guerrier qui le porte. M. Chirac, étant à droite, rassure les citoyens sur le sérieux du travail gouvernemental.

DUPUIS. — Ce que vous dites là est probablement juste. Mais M. Mitterrand et M. Chirac l'ont-ils compris ? Savent-ils qu'ils forment à eux deux le couple idéal de la politique française ?

COTONET. — Ils doivent bien s'en douter, avec les sondages.

DUPUIS. — Ce n'est pas sûr du tout.

COTONET. — Les gens savent en général où est leur intérêt. Ce n'est pas moi qui le dis, mais La Rochefoucauld, dans une maxime célèbre : « Les vertus se perdent dans l'intérêt comme les fleuves dans la mer. »

DUPUIS. — La Rochefoucauld a écrit un tas de bêtises par pessimisme mal placé. L'intérêt mène rarement les hommes. En tout cas, il ne l'emporte jamais sur la passion. Il n'y a que les individus très supérieurs, les surhommes, qui font passer froidement leur intérêt avant leurs passions. La vie serait trop simple, d'une simplicité quasi arithmétique, si les gens n'étaient guidés que par cela. Il est évident que l'intérêt de M. Mitterrand Président est d'avoir M. Chirac pour Premier ministre. Mais il est à craindre qu'il n'ait la passion du socialisme et qu'il ne soit furieux de constater qu'il ne peut se maintenir à l'Elysée qu'en jetant le socialisme par-dessus bord, c'est-à-dire en se reniant.

COTONET. — Allons donc ! M. Mitterrand se fiche bien du socialisme. Il s'en est servi pour être roi. Tout ce qu'il veut c'est rester roi, égoïstement.

DUPUIS. — Mais non. Il a conduit les socialistes à la victoire. Par conséquent, il s'est attaché à eux. Et il est d'autant plus féru de socialisme que c'est une passion qui lui est venue sur le tard. Enfin, il y a l'amour-propre.

COTONET. — Comment cela, l'amour-propre ?

DUPUIS. — Il est vexé, ayant possédé la réalité du pouvoir, de n'en avoir plus que l'apparence. Pour cesser d'être potiche, pour redevenir un vrai roi qui gouverne, il tâchera, par n'importe quel moyen, d'avoir la peau de M. Chirac, qui est si bienfaisant pour lui.

COTONET. — Voulez-vous dire que, s'il avait la possibilité de

88

troquer M. Chirac qui fait grimper sa popularité contre M. Fabius qui la fait descendre, il n'hésiterait pas...

DUPUIS. — Il reprendrait M. Fabius en chantant.

COTONET. — Dites-moi, Dupuis, la politique rend-elle idiot ?

DUPUIS. — Bien sûr. Mais pas plus que toute autre passion. Croyez-vous qu'en amour, par exemple, les gens pensent à leur intérêt ?

COTONET. — La politique n'est pas l'amour.

DUPUIS. — Bah ! C'est bien du même genre.

COTONET. — Et M. Chirac, pensez-vous qu'il veuille la peau de M. Mitterrand ?

DUPUIS. — Naturellement qu'il la veut, mais pas tout de suite. C'est toute la différence. Il attend 1988, avec l'idée de prendre sa place.

COTONET. — S'il continue à le faire grimper dans les sondages, il n'est pas sûr qu'il la prenne. Ah ! La vie n'est pas simple.

DUPUIS. — J'allais le dire.

(22 mai.)

Le langage de la tribu

M. Tjibaou, chef des rebelles canaques, parle aussi mal qu'un intellectuel parisien. Nous l'avons tout à fait assimilé. Qu'aurait-il affaire de liberté ou d'indépendance ? Un homme qui manie comme lui le charabia est un Français à part entière.

Il a déclaré, le cher homme, que M. Mitterrand s'était « investi dans le projet Pisani ». Pour ceux qui ne connaîtraient pas le néo-français, investir ne signifie plus revêtir d'un pouvoir, entourer de troupes un objectif militaire, ou placer des capitaux dans une affaire, mais « croire à quelque chose, y prêter la main ».

Cette acception plaît tant à M. Tjibaou qu'il l'a utilisée

une seconde fois dans son discours : il ne pense pas que M. Mitterrand « va s'investir avec le même poids dans un projet qui remet en cause ce qu'il a cautionné ». S'il y avait quelque logique dans le charabia, cette dernière proposition signifierait que M. Mitterrand travaillera à la conservation de la Nouvelle-Calédonie dans la République, mais avec moins d'ardeur qu'à son indépendance.

D'après les comptes rendus des journaux, il semble que M. Mitterrand et M. Tjibaou, lors de leur entrevue, aient jargonné à qui mieux mieux. « Si ça coince, a dit le Président au chef canaque, revenez me voir. » Pour ma part, j'aurais traduit cela par : « Vous êtes fichus, adieu, je ne veux plus vous voir. » M. Tjibaou pense au contraire que « c'est bon signe ». Après quoi, il a parlé de « dérapage », de « marge pour discuter », de « casse-cou », de « norme », etc.

On se demande ce que M. Tjibaou continue à faire en Nouvelle-Calédonie. Il devrait venir s'installer à Paris. Il possède à fond le langage de la tribu, je veux dire l'intelligentsia. Il s'investirait épatamment dans le quadrilatère de Saint-Germain-des-Prés, où on le comprendrait à demi-mot, ce qui n'est sûrement pas le cas à Nouméa. D'ailleurs, je ne serais pas étonné qu'il ait un livre en tête.

(24 mai.)

Jeux de princes

Il m'a semblé que les Français étaient assez agacés que le trésor du Loto soit échu à deux immigrés. Passe encore de venir manger notre pain, mais empocher trente-deux gros millions, halte-là ! Le Loto, c'est pour nous, pas pour l'étranger. De là à penser que les trente-deux millions on nous les a volés, il n'y a pas loin.

Cela est d'autant plus douloureux que les gagnants sont respectivement magasinier et balayeur. Ils auraient été conseillers d'ambassade, élèves de l'ENA, polytechniciens, on aurait été moins choqué.

En France, le prolétariat n'est plus français. C'est un prolétariat d'importation, à l'égard duquel ce qui était le prolétariat il y a cent ans éprouve des sentiments dédaigneux d'aristocrate. Que ces sous-hommes soient favorisés par la chance au même titre que les citoyens à part entière est un scandale pour l'esprit. D'ailleurs les deux pauvres Noirs se doutaient un peu que leur bonheur ne ferait pas que des heureux : ils ont attendu plusieurs jours avant de se montrer et de palper leur fortune.

Je trouve particulièrement touchant qu'ils aient émis le projet de se faire naturaliser. Ils se disent que, étant riches, ils sont enfin dignes de notre pays de seigneurs. Si la chose aboutit, ils apprendront vite que les Français sont encore plus méchants avec leurs compatriotes qu'avec les immigrés. Leur argent les protégera quand même un peu.

(27 mai.)

Éloge nostalgique de la monarchie

M. Mitterrand nous fournit négativement une illustration des bienfaits de la monarchie héréditaire. Que la vie serait simple pour lui, et qu'elle serait belle pour les Français, s'il était le fils de son père et le père de son fils, s'il avait été couronné à Reims, comme la reine Elisabeth l'a été à Westminster, s'il s'appelait François III, s'il n'était pas chef d'un parti (et par suite ennemi d'un autre parti), s'il ne pensait pas à sa réélection, s'il n'était pas empêtré dans une doctrine qui le pousse, sous peine de passer pour traître à ses amis, à mettre autant de bâtons qu'il le peut dans les roues du gouvernement !

M. Mitterrand, non pas roi de France comme Louis XIV (je n'en demande pas tant), mais roi des Français comme

91

Louis-Philippe, serait un homme libre. N'ayant pas été porté au pouvoir par une élection sur un programme, il n'aurait de fidélité à garder à personne. Ainsi pourrait-il travailler loyalement à la grandeur et à la prospérité de la France avec n'importe quel Premier ministre de droite ou de gauche.

Il est indéniable que M. Chirac est un homme d'Etat très capable, et qu'il s'est entouré de bons ministres. Un roi au-dessus des partis, n'aspirant qu'à servir le pays, sûr de conserver son trône jusqu'à son dernier soupir, serait pour lui un appui inestimable. Mieux encore, comme la confiance régnerait entre les deux personnages, le Premier ministre, sachant qu'on ne médite pas de le faire tomber dans des pièges, y regarderait à deux fois avant d'aller contre les volontés du roi. Il bénéficierait de l'expérience et de la sagesse du souverain au lieu d'en pâtir. Bref, il y aurait entre eux une concertation continuelle d'où sortiraient les meilleures résolutions en vue du bien public. Ah ! quel texte pour Mme Duras, qui écrit comme Voltaire, que « le siècle de François III » !

Au lieu de cela, M. Chirac et M. Mitterrand se font la guerre. Le premier tâche d'appliquer en hâte son programme, malgré les difficultés et les oppositions ; le second, comme on dit, l'attend au tournant, prêt à lui donner le croc-en-jambe fatal. Nous voilà en plein dans le régime des partis que le général de Gaulle vomissait. Deux partis sont au pouvoir : le parti vaincu et le parti vainqueur, qui pensent à eux-mêmes avant de penser à l'Etat. L'un et l'autre veulent assurer leur avenir. Nulle considération n'empêchera le parti vaincu de porter l'estocade au parti vainqueur, pourvu qu'il reprenne le dessus, le pays dût-il en crever.

J'entends bien que chacun des partis pense sincèrement qu'il est le plus apte à faire le bonheur de la France. Il n'en reste pas moins que la politique est devenue un sport. Il faut gagner pour gagner. C'est une question d'honneur. Il faut être plus fort que l'adversaire, le piler, décrocher le trophée Elysée et le trophée Matignon. Et ce sport-là n'observe même pas les règles du marquis de Coubertin. Tous les coups sont permis, y compris les plus bas. On est loin du Mundial et de Roland-Garros. Il est compréhensible que les Français regardent plutôt le foot et le tennis à la télévision que les « Heure de vérité » et les séances de l'Assemblée nationale. Au moins, là, les champions travaillent pour leur patrie.

(14 juin.)

Qui pose les questions ?

Depuis mon adolescence, je me demande qui élabore les sujets d'examen, et singulièrement les sujets du baccalauréat. Cette année, on s'est surpassé à Lyon et Grenoble, où l'on a demandé diverses choses idiotes aux élèves de philosophie. Entre autres « s'il faut aimer pour respecter ». La moindre expérience nous apprend qu'on peut respecter un tas de gens et un tas de choses pour lesquels on n'a pas un soupçon d'amour. Réciproquement, il n'est nullement nécessaire de respecter pour aimer. C'est le thème d'une quantité de romans, où l'on voit un homme plaquer un ange qui a toutes les vertus et se consumer de passion pour une coquine qui a tous les vices. Mais les candidats sont-ils censés avoir lu des romans ? Je n'en jurerais pas.

Autre perle parmi les sujets lyonnais et grenoblois : « Peut-on légitimement instituer une langue universelle ? » Pourquoi légitimement ? Que signifie cet adverbe ? Je ne vois pas en quoi il pourrait être légitime d'empêcher les peuples de parler leur langue maternelle. C'est grâce à cette diversité qu'il y a des littératures, des poètes, et même des philosophes. Une langue universelle ne peut être qu'aristocratique, utilisée par des clercs ou des seigneurs, comme le latin jadis et le français naguère. Sinon c'est une espèce de sabir véhiculaire exprimant en deux cents mots des besoins élémentaires, comme l'anglais à présent.

L'Académie de Paris n'a pas été en reste d'ingénuité. Elle a demandé aux petits garçons et aux petites filles « s'il y a en l'homme des fonctions qu'il ne puisse déléguer aux machines ». Mon confrère M. Bouvard, qui a l'esprit mutin, a aussitôt pensé à des indécences. On peut aussi appeler à la rescousse le singe qui tape à la machine et qui a une chance sur neuf cent milliards de reproduire le premier chant de *L'Iliade*. On peut enfin, si l'on n'a pas froid aux yeux, écrire sur sa copie : « A question idiote, réponse idiote. » Mais c'est un bien mauvais départ dans la vie. Les professeurs de maintenant ont beau se piquer d'anticonformisme, ils ne goûteraient pas cette réflexion plus que les professeurs de mon enfance, qui n'étaient pas le moins du monde anticonformistes.

(19 juin.)

De la difficulté pour les écrivains de faire de la politique

Mon incapacité à faire de la politique active m'a longtemps désolé. J'aurais aimé remuer des auditoires par ma parole. Etre député, être ministre ne m'aurait pas déplu. Mais j'étais arrêté par la maudite barrière du suffrage universel que je n'arrivais pas à franchir. C'était pire que le bac. Et encore, le bac, je l'avais décroché, à la longue. Les électeurs étaient des examinateurs autrement impitoyables que les profs.

Etait-ce ma faculté d'improvisation qui n'était pas fameuse ? Il y avait cela, bien sûr, mais cela se guérit. Enfin, cela se guérit chez les gens qui ne sont pas habitués à écrire. On leur apprend à délayer, à s'accrocher à des mots-patères, à des phrases toutes faites, qui leur permettent de reprendre leur souffle et de repartir pour un quart d'heure de causette. Les écrivains, même les écrivains médiocres, ont une tout autre discipline : ils tâchent de faire court, d'en dire le plus qu'ils peuvent dans le moins d'espace possible.

Deuxième difficulté de l'art politique pour un homme de lettres : la nécessité de répéter les mêmes choses jusqu'à plus soif, car il faut faire entrer certaines notions dans la tête des électeurs. Ceux-ci n'écoutent pas ou n'écoutent qu'à moitié ; ils ne se donnent pas la peine de comprendre, et, quand ils ont enfin compris, ils s'empressent d'oublier. Les murailles de leur entendement ne tombent qu'au trentième ou au quarantième rabâchage.

Outre cela, la vie rabâche, la conjoncture rabâche, l'actualité rabâche. On se trouve constamment dans des situations archiconnues. Qu'en dire d'autre que ce qu'on a déjà dit la veille, la semaine précédente, le mois d'avant ? Et d'ailleurs c'est le rabâchage que les électeurs aiment. Ils sont comme des enfants à qui il faut raconter inlassablement la même histoire et qui ne la goûtent vraiment que s'ils en connaissent d'avance les péripéties. La langue de bois du Parti communiste n'est pas une invention si bête qu'on le dit. Les militants aiment ce conte de fées prolétarien qui a l'air d'être toujours le même, parce qu'on emploie les mêmes mots pour le faire.

Or il n'est pas d'écrivain à ma connaissance qui ne cherche un tant soit peu la nouveauté dans son propos ou dans sa manière. C'est le seul moyen de tirer de l'amusement de l'écriture qui est un métier d'enfer. Le plus épais des feuilletonnistes, le plus mécanique des fabricants de vaudevilles n'est jamais à l'abri du désir de se renouveler. En politique, le renouvellement, c'est la mort.

Un dernier obstacle auquel je n'avais pas pensé vient de m'être dévoilé : c'est l'effronterie. En mars 1984, la marine nationale, sur ordre du gouvernement socialiste, a tiré sur des pêcheurs espagnols. Il y a dix jours, un député socialiste a expliqué au ministre de la Mer, sur un ton aussi moralisant qu'on pouvait le souhaiter, que les bisbilles entre pêcheurs français et pêcheurs espagnols ne se réglaient pas à coups de canon. Aucun écrivain, je l'affirme, n'aurait été capable d'une pareille inconséquence. Ne serait-ce que parce qu'il a appris à ne pas se contredire d'un chapitre à l'autre et qu'il a un certain respect pour la logique.

(*21 juin.*)

Hoffmann revenu et reparti

Il y a certains écrivains dont le génie est si patent que, quoiqu'ils soient vivants, on vit avec eux, avec leur œuvre, dans la même familiarité que s'ils étaient morts. J'ai eu ce sentiment quand j'ai rencontré Borgès en 1951. Il ne s'agissait que d'un recueil de contes fantastiques ou bizarres, intitulé modestement *Fictions*. L'auteur me donna l'impression d'être le dernier des romantiques allemands. C'était très singulier, cet homme qui avait la tête faite comme Hoffmann ou Novalis, qui était né en Amérique du Sud deux siècles après eux, et qui écrivait en espagnol.

A mesure que le temps a passé, j'ai lu de Borgès tout ce qui a été publié chez nous. Je poussai la curiosité jusqu'à chercher les ouvrages de son ami (et parfois collaborateur) Alfredo Bloy Casarès, sur qui il avait eu une grande influence. Un des romans de cet auteur, *L'Invention de Morel*, est tout à fait dans l'esprit de Borgès. Ainsi les romantiques allemands de Buenos Aires étaient au moins deux.

Etre deux, cela fait déjà une école. Mais l'école borgésienne ne se limite pas là. Il sera curieux de constater, dans trente ou quarante ans, que c'est cet écrivain déconcertant, presque hermétique, « élitiste » comme on dit aujourd'hui, qui aura eu le plus de disciples, et pas seulement en Argentine. Je l'ai été moi-même, une fois, à ma manière, comme on pastiche un grand ancêtre, dans une nouvelle intitulée *Ludwig Schnorr ou la Marche de l'Histoire*, dont l'argument, grâce à la méthode de Borgès, avait l'air si vrai qu'André

96

Breton s'y laissa prendre et que cela fit, au moment, un petit scandale littéraire.

Pendant trente ans, on a parlé de Borgès pour le Nobel. Il ne l'eut pas, ce qui est assez naturel en somme. Sa littérature est le contraire de celle qui plaît à l'Académie suédoise. Celle-ci aime les auteurs représentatifs, donnant dans le genre humanitaire, affichant des opinions de gauche, etc. Rien de tel chez Borgès, qui ne représente que lui-même, qui est aux antipodes de la politique, et qui est bien trop subtil pour être humanitaire. Je suppose que le jury Nobel ne le prenait pas au sérieux, ce qui arrive généralement aux hommes de génie.

On compare volontiers Borgès à Homère, parce qu'il était devenu aveugle. Comparaison saugrenue à mon avis. Homère n'était pas du tout un romantique allemand écrivant en grec ancien. Si Borgès ressemble à un auteur de l'Antiquité, ce serait plutôt à Hérodote qui, comme lui, et sous couvert d'exactitude, raconte une foule d'histoires merveilleuses.

(22 juin.)

Deux francs cinquante de récompense

Avant les guerres, quand un paysan avait tué un renard ou un loup, animaux nuisibles, il apportait sa peau à la mairie qui lui donnait deux francs cinquante de récompense. Ce n'était pas le Pérou mais cela faisait plaisir. Tuer le renard qui mangeait les poules et le loup qui s'attaquait aux moutons était une œuvre pie. Il était moral que la municipalité la reconnût comme telle par l'octroi d'une demi-thune.

Les mairies ont-elles toujours un budget pour les tueurs de loups et de renards ? J'en serais étonné ; les écologistes ont dû passer par là et expliquer que c'était un crime de s'en prendre à ces deux espèces en voie de disparition. Néan-

97

moins, je ne crois pas que les paysans soient très sensibles aux exhortations des écologistes. Quand ils entendent du remue-ménage dans leurs poulaillers au milieu de la nuit, ils s'empressent de rejeter leur couette et d'empoigner leur fusil. On n'a pas encore osé décréter que tout paysan tuant un précieux loup ou un précieux renard entré chez lui par effraction serait passible d'une amende ou d'une peine de prison. Ecologie ou non, une décision gouvernementale de ce genre n'aurait pas été bien accueillie dans nos campagnes.

Je songeais à cela à propos du procès de M. Véron, bijoutier à Drancy, qui a été attaqué par quatre loups qui voulaient dévorer ses colliers et ses pendulettes, et qui a abattu l'un d'eux. Il a été acquitté aux assises de Bobigny, et les gens qui étaient dans la salle ont applaudi. Son avocat avait rappelé dans sa plaidoirie que cinquante-quatre confrères de M. Véron avaient été tués en cinq ans. Cela fait beaucoup de victimes des animaux prédateurs citadins.

Il serait sans doute excessif de demander que les mairies parisiennes, lyonnaises, marseillaises, etc., versent deux francs cinquante à chaque bijoutier qui apportera la peau d'un voleur. Cependant, il faut convenir que cette espèce n'est pas en voie de disparition. Elle semble même se reproduire avec une vitesse et une abondance que n'égalent pas les espèces utiles.

Ce n'est pas tous les jours qu'un pauvre homme pillé est acquitté parce qu'il a eu recours à la légitime défense. On en a vu plus d'un condamné, ce qui n'a pas amélioré la moralité publique. Avant de dire aux paysans qu'ils ne devront pas se défendre, on pourrait bien dire aux loups et aux renards qu'il est mal de prendre le bien du prochain. Peut-être va-t-on enfin y penser.

(24 juin.)

Le prix des mots officiels

La Cour des comptes est comme le spectre de Banquo. Au mois de juin, elle se dresse au joyeux festin du pouvoir en brandissant son rapport sur les gaspillages et malhonnêtetés de l'année. Mais Macbeth a fini par s'habituer à ses apparitions : « Pose tes papiers sur la table, dit-il, nous verrons cela plus tard. J'espère que tu n'as pas été trop grincheux. En attendant, bois donc un verre de bordeaux. »

Ordinairement, Macbeth est entouré de ses généraux, qu'il a choisis lui-même, qui l'ont suivi dans ses campagnes, qui ont été à la peine et à la gloire avec lui. Cela fait une famille confiante qui se tient les coudes. Quand les généraux ont beaucoup volé, le roi les gronde un peu et tout finit là. Banquo rentre dans son cimetière pour douze mois. Cette année, les choses se sont passées différemment. En effet, ce n'était plus ses compagnons d'arme que Macbeth avait autour de lui, mais les chefs de l'armée ennemie qui avaient remporté la victoire à la grande bataille du 16 mars, et qui avaient chassé tout le monde, sauf le souverain.

On pense bien que ces gens-là étaient trop heureux d'apprendre que leurs arrogants prédécesseurs n'avaient pas les mains tout à fait nettes, ou, au moins, qu'ils avaient été légers dans l'administration des fonds publics. Grâce à ces auxiliaires, le spectre de Banquo, cette fois-ci, a vraiment fait peur. L'aide de camp du colonel Nucci, marquis de la Coopération, est en fuite, et nul ne sait où il est. Faute de le trouver, on a inculpé l'ancien aide de camp de la générale Roudy de « complicité d'abus de confiance et recel d'abus de confiance ». Ces mots sont très vilains sur le casier judiciaire d'un sous-préfet, et d'autant plus douloureux qu'on n'aurait sans doute rien su si on n'avait pas changé de gouvernement. Ah ! Les guerres sont affreuses, surtout quand on les perd.

Pour un homme comme moi, qui passe son temps à avoir des idées et à trouver des mots justes, grâce à quoi, cahin caha, je parviens à gagner ma vie, il y a un passage du rapport de la Cour des comptes qui me montre à quel point je suis bête ou arriéré. C'est celui qui a trait à la grosse boule de La Villette, dans laquelle on fait je ne sais quoi ; du cinéma, je crois. Une société a reçu la somme de quarante et un mille cinq cent trente francs en 1982 pour lui inventer un nom. Quarante et un mille cinq cent trente francs pour un mot, voilà ce que j'appelle du travail bien rémunéré. Combien de milliers de mots dois-je extraire de ma pauvre cervelle pour arriver à ce total ! Il est vrai que je ne suis pas une société. Je travaille tout seul, dans mon coin, comme un artisan, et l'époque n'est plus aux artisans, accomplissent-ils en deux minutes et pour quelques francs ce qui prend plusieurs semaines à un « bureau d'études » et coûte les yeux de la tête.

Les noms proposés pour la grosse boule témoignent du sérieux et de la persévérance avec lesquels ont travaillé les chercheurs : Bouboule, Irma, Minouchette, Zézette, Double-Zéro. Suis-je d'une autre époque ? Il me semble que, pour accoucher de choses si remarquables, il n'était pas indispensable de s'adresser à une société d'esprits distingués. L'huissier du ministère aurait suffi. Moi-même, sans me vanter, et pour pas cher, j'aurais fait aussi bien.

En fin de compte, la boule s'appelle Géode. C'est un joli nom, et, pour le trouver, il fallait un peu potasser la minéralogie, mais je considère quand même que cela ne vaut pas quarante et un mille cinq cent trente francs. Ou alors je vais sérieusement réviser mes prix. J'ai tout le temps des trouvailles de mots ou d'idées, moi, et mes employeurs pensent que c'est bien naturel, que c'est la moindre des choses. Il ne leur vient jamais à l'idée de m'augmenter, ni même de me téléphoner pour me faire un petit compliment, à part M. Nardonnet, rédacteur en chef de la présente publication, qui me dit quelquefois que mon papier l'a amusé. Visiblement on ne sait pas, dans les journaux, que les écrivains sont vaniteux et que, en les couvrant de louanges, on peut se dispenser de revoir leur salaire.

(5 juillet.)

La statue

Dans l'école française de sculpture du XIXe siècle, il y a dix artistes supérieurs à Bartholdi. Il y a Rodin, il y a Carpeaux, Bourdelle, Pradier, etc. Cependant, aucun n'a laissé une statue aussi célèbre que lui. C'est qu'il a eu une idée géniale : donner à l'Amérique une sorte de tour Eiffel. Et une tour Eiffel améliorée puisqu'elle avait la forme d'une femme, qu'elle était drapée dans une robe et, même, qu'elle avait une signification : c'était *La Liberté éclairant le monde*.

D'ailleurs, l'ingénieur Gustave Eiffel collabora au monument. Il en construisit l'armature d'acier. Bartholdi, qui aimait le colossal, était à son affaire. Il paraît que les Américains, lorsqu'ils reçurent cette énorme surprise, en furent embarrassés et qu'il leur fallut quelques années pour s'y accoutumer. Quoi qu'il en soit, ils la placèrent admirablement, dans une île, faisant face à la mer, regardant l'Europe, non pas avec nostalgie, mais d'un air engageant, lui disant que le Nouveau Monde était synonyme de bonheur.

L'esprit de Bartholdi marchait par allégories toutes simples. Les accessoires de la Liberté, selon lui, étaient un flambeau, qu'elle brandissait dans sa main droite, et les tables de la Loi, qu'elle tenait dans la main gauche. La tête était entourée de rayons. Avec cela, elle est devenue un des rêves de l'humanité.

Il y a quelque chose d'émouvant pour nous dans le fait que deux Français, La Fayette et Bartholdi, à cent ans de distance, ont mis fortement leur empreinte sur ce qui est aujourd'hui la nation la plus puissante du monde, qu'ils ont, chacun à sa manière, modelé son visage.

Le destin de Bartholdi n'est pas moins étonnant que celui de La Fayette que l'on appelait « le héros des deux mondes ». Ce n'était pas des hommes de génie, et pourtant, l'un est à l'entrée de l'histoire des Etats-Unis et l'autre accueille là l'Ancien Monde quand il est trop malheureux.

(10 juillet.)

Excuses

Il y a plusieurs modèles de lettres d'excuses à écrire à
M. Lange, Premier ministre de Nouvelle-Zélande, au sujet de
l'affaire Greenpeace, selon que s'en chargera M. Fabius,
M. Chirac, M. Mitterrand ou moi.

Lettre de M. Fabius :

Cher Camarade,

Je vous présente les plus humbles excuses du gouvernement socialiste et du Parti socialiste français. Nous nous
sommes conduits comme des imbéciles et nous en avons été
bien punis : nos électeurs nous ont flanqué à la porte. Notez
que, d'une certaine façon, ce n'est pas plus mal, car nous
aurions été très embarrassés pour vous payer les sept millions de dollars que vous réclamez. J'espère que cet argent
vous aidera pour votre campagne électorale de l'année prochaine. Si, contrairement à nous, vous êtes réélu, n'oubliez
pas le coup de main que nous vous aurons donné. Salut et
fraternité.

Lettre de M. Chirac :

Monsieur,

Il paraît que je dois vous faire des excuses pour quelque
chose que je n'ai pas cessé moi-même de condamner. Je vous
les fais donc en vous priant de noter que ni la France ni mon
gouvernement n'a quoi que ce soit à voir avec l'affaire
Greenpeace.

Lettre de M. Mitterrand :

Qu'il est triste le spectacle de deux partis frères se déchirant entre eux ! Comment en sommes-nous venus là ? Vous
David, moi François, que tout réunissait, voilà que nous en
sommes à nous crier des malédictions ! Vous voulez des

excuses, vous voulez de l'argent : est-ce là le langage d'un socialiste parlant à un autre socialiste ? Vous aurez tout cela, cher David. Mais il en restera une blessure. A vous, mélancoliquement.

Lettre de moi :

Je suis bien content que vous libériez vos deux otages. Vu que c'est moi qui paie la rançon, Votre Excellence désire-t-elle que je lui envoie les sept millions de dollars en petites coupures usagées ? C'est l'habitude dans ce genre de transaction. Pour ce qui est des excuses, je vous fais toutes celles qui vous plairont. La France de Clovis, de Charlemagne, de Richelieu, de Louis XIV, de Napoléon, du maréchal Foch et du général de Gaulle se joint à moi. Je pense que cela devrait vous suffire.

(*12 juillet.*)

Le socialisme à visage humain

Je trouve qu'il y a quelque chose de sympathique, de rassurant, dans les divers scandales qui ont éclaté ces derniers mois : le Carrefour du Développement, l'appartement de Mme Laignel, les tripotages électoraux de la Haute-Garonne. Souhaitons que d'autres affaires de ce genre soient découvertes. Elles donnent un aspect enfin plaisant aux socialistes qui, pendant cinq ans, nous ont bien effrayés.

Nous les prenions pour des hommes terribles, des Robespierre, des Fouquier-Tinville. Nous nous demandions combien de temps encore notre tête allait tenir sur nos épaules. Pour le moins, nous étions sûrs d'être plumés jusqu'au dernier kopeck. Les banquiers fraîchement nationalisés rasaient les murs. D'autres se suicidaient. Le congrès de Valence, de funeste mémoire, où M. Quilès proféra des menaces dignes des Grands Ancêtres, avait fait passer des frissons glacés sur l'échine des bourgeois.

Nous tremblions pour rien. Ce n'était pas la Terreur qui s'était abattue sur la France : c'était Thermidor. Les Jacobins étaient des profiteurs ; les incorruptibles étaient des affairistes ; les marxistes étaient des chéquards ; Robespierre était Tallien. Que ne l'avons-nous su plus tôt ? Avec des gens de cette sorte on peut toujours s'arranger.

Ils ne sont pas inhumains mais très humains au contraire. Ils ont des désirs, des cupidités, des faiblesses, des goûts de luxe. Ils se servent des fonds publics pour acheter des châteaux extrêmement laids dans lesquels ils font exécuter des chefs-d'œuvre de plomberie. C'est une autre « échelle humaine » que celle à laquelle songeait Léon Blum en intitulant ainsi un de ses livres, et qui n'est pas sans commodité.

Tout cela est encourageant pour l'avenir. Si les socialistes reviennent au pouvoir — pourquoi pas, mon Dieu ! —, nous saurons que ce sont de joyeux camarades dont la devise est « Par ici la bonne soupe », ou encore, « Nous avons juridiquement les dents longues parce que nous sommes politiquement majoritaires ».

Avec des personnages qui veulent le pouvoir pour avoir de l'argent, rien n'est jamais perdu, si j'ose dire.

(17 juillet.)

Le point sur les bavures

Les guerres non déclarées officiellement ont un inconvénient : c'est que la plupart des gens ne savent pas qu'ils sont en guerre. Voilà une quinzaine d'années à présent que la France est en état de guerre. Il serait peut-être utile qu'on l'en informât. En particulier, cela éviterait ce qu'on appelle les « bavures ».

Il y a deux armées en présence. L'une porte un uniforme,

l'autre n'en porte pas. Il s'ensuit que l'armée sans uniforme possède plusieurs avantages sur l'armée qui en a un. L'uniforme désigne la cible ou permet de s'enfuir à temps. Autrement dit, la guerre est inégale. L'armée en uniforme, si elle n'était pas composée de braves garçons qui croient plus au bien qu'au mal, pourrait voir en tout individu habillé en civil un ennemi possible.

La seule façon de montrer à l'armée en uniforme qu'on est de son bord, qu'on fait partie de la population pacifique qu'elle est chargée de protéger, est de ne pas adopter à son égard une attitude hostile ou effrayée. Je sais que c'est difficile, après quarante ans de calomnies, de formules ingénieuses du genre « CRS = SS », de niaiseries sur les répressions policières, je sais que cela ne fait pas distingué ni intellectuel, mais dans les guerres, il faut prendre parti. Ou l'on est avec les siens, ou l'on est avec l'ennemi.

J'ignore tout des deux jeunes gens qui ont été abattus récemment par des CRS. On dit que l'un était un repris de justice et l'autre non. A mon avis, ils ont été victimes d'un manque d'information. S'enfuir devant les militaires en temps de guerre, c'est proclamer qu'on est leur adversaire. Il est injuste de parler de bavure si le fuyard trouve la mort dans sa fuite. Les choses étant ce qu'elles sont, cette mort, il en a pris lui-même la responsabilité.

En 1950, en 1960, il n'y avait pas de « bavures ». C'est que la guerre, alors, n'existait pas. La police et la gendarmerie ne comptaient pas dans leurs rangs cinquante morts par an ou davantage dont on ne dit jamais qu'ils ont été l'objet de bavures de la part de leurs assassins. Elles n'étaient pas constamment sur le qui-vive. Dans les guerres, il faut un peu d'indulgence pour ceux qui vous défendent. Il faut également expliquer aux gens n'ayant rien à se reprocher qu'il est devenu périlleux de jouer au coupable.

(7 août.)

Les Grands Ancêtres

Xavier Marmier, auteur de plusieurs romans et membre de l'Académie française (je suis assis sur le fauteuil qu'il occupait, à savoir le trente et unième), avait quarante ans en 1848. Dans son journal, qui est aussi vif et piquant que ses romans sont fades, on trouve des renseignements uniques sur les gens qui prirent le pouvoir après l'abdication de Louis-Philippe.

Ledru-Rollin, en particulier, n'a pas tout à fait la figure que suggère l'immense avenue qui porte son nom. D'après Marmier, qui est malveillant mais bien renseigné, il était couvert de dettes et sur le point d'être mis en prison. Son changement de condition est très parlant. En février 1848, il n'a pas le sou. En avril, il offre à l'actrice Rachel une parure de douze mille francs (or), payée par le Trésor public.

Les autres membres du gouvernement, éblouis par tout l'argent qu'on peut avoir quand on n'a qu'à le prendre dans les caisses de l'Etat, et par la splendeur qui s'attache au pouvoir, mènent un train d'empereur. Les superbes salons du palais du Luxembourg où s'est installée la commission, exécutive, dit Marmier, ont paru trop mal meublés aux nouveaux princes. Ils ont fait venir les plus belles choses des Tuileries et de l'appartement du duc de Montpensier. Cette « magnifique résidence » ne dispense pas les représentants du pouvoir et leurs dames de goûter les charmes des châteaux de la monarchie. Mme Flocon a choisi pour son agrément le pavillon de Breteuil à Saint-Cloud. Les ministres touchent quatre-vingt mille francs (toujours or) par an. M. Arago, nommé ambassadeur à Berlin, s'est fait adjuger cent mille francs d'appointements, non compris les frais de voyage. Il avait déjà encaissé cinq cent mille francs sans en indiquer l'emploi.

Louis Blanc « organise des rendez-vous qui rappellent le XVIIIe siècle ». On part dans les carrosses royaux avec des comédiennes du Théâtre-Français. On va « dîner et folâtrer à Trianon ; le soir on revient à cheval avec une escorte de cavaliers à ceinture rouge ». Pour commémorer je ne sais quoi, le ministère décrète une fête païenne qui coûte plus d'un million. Pendant ce temps, le chômage, qui fut une des raisons de la chute de Louis-Philippe, ne baisse pas. Rien qu'à Paris, il y a cent cinquante mille malheureux dans les Ateliers nationaux (préfiguration des TUC) qui ne font à peu près rien et qui engloutissent une fortune.

Sur les trente ou quarante détails que donne Marmier, il doit bien y en avoir le tiers de vrais. On ne lit pas cette partie de son Journal sans curiosité. « Du passé faisons table rase », chante fièrement la gauche. Avec les diverses informations que nous avons ces temps-ci sur les gens qui ont gouverné la France de 1981 à 1986, on constate qu'il y a quand même quelques traditions qui ne se perdent pas.

(14 août.)

Le miracle au musée

La Sainte Vierge ne s'est pas seulement montrée à de petits bergers dont les sceptiques n'ont pas manqué de dire qu'ils étaient idiots, qu'ils avaient des hallucinations ou qu'on les avait abusés avec des mascarades. Elle est apparue à une foule d'hommes de génie dont il est difficile de mettre en doute la force spirituelle : Giotto, Vinci, Raphaël, Botticelli, Michel-Ange, Vélasquez, Holbein, Rubens, Ingres. Elle a parlé à Bach, à Haydn, à Mozart, à César Franck. Elle a enchanté le ciseau des tailleurs de pierre du Moyen Age qui ont bâti les belles cathédrales de France appelées « Notre-Dame ».

Ce miracle ne cesse de se renouveler depuis mille ans et davantage. Car c'en est un. Et c'est un miracle que tout le monde peut constater. Il suffit d'entrer dans un musée, d'entendre le « Magnificat » de Haendel ; de regarder le porche de Chartres et de Reims. La Sainte Vierge est la grande

107

inspiratrice des artistes de l'Occident. Ils l'ont vue, ils l'ont entendue avec les yeux et les oreilles de l'âme et ils ont fait ce que font les artistes : ils ont reproduit ce qu'ils voyaient, répété ce qu'ils entendaient.

Leur témoignage est irréfutable. Cette figure sublime et charmante qui illumine l'histoire de la peinture est bien celle de Marie, mère du Christ, et non le portrait de quelque dame d'autrefois ou de naguère. Chaque artiste a eu son apparition comme la petite Bernadette de Lourdes. Il est singulier que nul n'ait conscience de cela, ni que cette continuité dans le miracle fournisse une des plus fortes preuves de l'existence de Dieu.

Je crois que les Parisiens ont été contents de voir la Sainte Vierge se promener dans Paris vendredi dernier. Même ceux qui ne savent pas que le roi Louis XIII lui a voué la France il y a trois cent cinquante ans, éprouvaient quelque chose comme l'impression de retrouver une personne de leur famille, une protectrice plus proche d'eux peut-être que des autres peuples de la terre. Je me demande même si l'humble revue du 15 août n'a pas eu, dans son genre, plus de succès que la coûteuse revue du 14 Juillet.

(19 août.)

L'idole des Lumières

A vingt ans, j'étais fou d'amour pour le roi de Prusse Frédéric II, au point de donner son prénom à mon fils. Tout, dans sa vie, me paraissait le comble de la supériorité et du romanesque. J'avais même écrit les deux tiers d'une pièce dans le goût de *Clara Gazul* dont il était le héros.

J'étais également enchanté par sa sœur Wilhelmine, épouse du margrave de Bayreuth (ou Bareith, comme on disait en français dans ce temps-là) qui a laissé des

Mémoires très amusants, que je finis par trouver sur les quais après les avoir cherchés pendant plus d'un an.

L'amitié entre Frédéric et Wilhelmine ressemble à celle de Balzac avec sa sœur Laure. C'était deux enfants de génie dans une famille de rustres. Leur père, Frédéric-Guillaume Iᵉʳ, dit le Roi-Sergent, les tyrannisait tant qu'ils formèrent une espèce de complot idiot, où un pauvre garçon fasciné par Frédéric, le lieutenant von Katte, paya pour tout le monde.

Le Roi-Sergent avait de grandes vertus d'administrateur. Il fit de son petit Etat arriéré une vraie nation du XVIIIᵉ siècle. En outre, il était fort avare, ce qui ne gâte rien chez un monarque. Une des choses admirables de Frédéric II est que, après avoir si fort haï son père, il reconnut sans rechigner tout cela après sa mort et gouverna tout à fait à sa manière, avec, en plus, la hauteur de vue, l'audace, la fourberie politique et la propagande.

Il était normal qu'un pareil personnage ensorcelât les intellectuels français qui n'aiment et n'admirent que les étrangers. Avec lui et l'impératrice Catherine de Russie, les « philosophes » étaient à leur affaire. Ces deux « despotes éclairés », comme ils disaient, leur paraissaient les deux merveilles du monde. Frédéric composait de la musique, jouait de la flûte, écrivait des vers et ne parlait à peu près que français.

En vieillissant, il tourna à l'idole crasseuse, comme Léautaud, sauf que ses chats étaient des grenadiers. Voltaire parle quelque part des « cent mille moustaches du roi de Prusse ». Casanova, qui n'avait pas peur de grand-chose, ayant sollicité une audience pour un projet de loterie, fut glacé par son « ton effrayant » et remarqua son « vieux chapeau ». Frédéric fumait la pipe et mangeait avec le terrible appétit des maigres. Il semble que cet excès de mangeaille ait hâté sa mort, en 1786, il y a tout juste deux cents ans. Ainsi ne vit-il pas la Révolution française. Il l'aurait sûrement combattue, tout comme l'auraient combattue ses amis les philosophes des Lumières, s'ils avaient été encore de ce monde.

(*21 août.*)

109

Un bon souvenir ?

S'en aller est un art difficile. Il faut le faire un peu avant qu'on ne vous ait assez vu. Ainsi laisse-t-on un bon souvenir. Ceux qui vous aimaient vous regrettent et ceux que vous irritiez se disent avec satisfaction que ce n'est pas trop tôt. En quoi ils sont optimistes, car on peut avoir des idées de revenez-y. Moi, par exemple, qui me mêle depuis dix ans de ce qui ne me regarde pas, et qui y ai pris goût, je sais que, de temps à autre, j'aurai envie de mettre mon grain de sel sur la politique, et que je n'aurai pas le courage de m'en empêcher.

Combien de représentations d'adieu a données Maurice Chevalier ? Une quinzaine au moins. Cela se comprend : il aimait chanter, il aimait les lumières de la rampe, il aimait la rumeur du public. Je suis tout à fait comme cela, et je ne serais pas étonné si je revenais saluer par-ci, par-là, pour le plaisir de revoir mes plaisanteries imprimées dans le journal.

Car je m'en vais, mes bons amis. C'est une décision que j'ai prise tout seul et dont *France-Soir* a la bonté d'être affligé. Je me suis aperçu qu'à force de parler politique je finissais par ne plus penser qu'à cela, que je n'écrivais plus de romans d'amour ni de sonnets, qu'au lieu d'avoir dans la tête Julien Sorel, Manon Lescaut, le baron Hulot, le prince Muichkine et le petit Olivier Twist j'avais M. Mauroy, M. Mitterrand, au mieux Mme Cresson. J'entendais la voix de ma conscience qui me disait avec de plus en plus d'insistance : Jean, que fais-tu de ta vieillesse ?

A partir de septembre donc, je ne serai plus là, mes enfants. Ce qui me ferait plaisir, c'est que vous n'en fussiez pas fâchés et que vous mettiez en pratique la seule leçon que je vous ai donnée dans cette chronique : que dans tout il y a matière à rire. Et puis, pensez à Maurice Chevalier : quand un chanteur dit adieu, il faut entendre au revoir.

(*28 août.*)

Déclin de la chlorophylle

J'ai toujours entendu faire des gorges chaudes sur l'hygiène à Versailles au temps de Louis XIV. Les personnes délicates de notre temps (c'est-à-dire tout le monde) s'écrient qu'elles n'auraient pu vivre dans cet endroit délétère, où l'on ne se lavait pas et où l'on se soulageait dans les escaliers. Ces évocations se terminent invitablement par l'exclamation : « Ce que ça devait sentir mauvais ! »

Bon. Peut-être y avait-il quelques remugles un peu puissants. Mais, en compensation, quel bonheur de vivre dans le plus bel endroit de la terre, au milieu de la société la plus spirituelle d'Europe, sous un roi qui était beaucoup moins féroce que Staline et qui avait un goût parfait en littérature ! N'étant point invité à l'Elysée, je ne sais quels parfums on y respire ni quelles conversations on y entend. Je crois toutefois que je me serais plu davantage à Versailles.

Seconde observation. Au XVIIe siècle, l'homme était sale, peut-être. Mais la nature était propre. Aujourd'hui, c'est le contraire. L'homme est d'une merveilleuse propreté. Il prend son bain ou sa douche tous les jours, il use des millions de tonnes de savon, il s'asperge d'eau de toilette et d'« aftershave », mais la nature est souillée, polluée, défigurée, immonde. Les nez distingués du XXe siècle ne sont plus offusqués par des odeurs de pipi ; en revanche, ils respirent sans arrêt les puanteurs modernes qui sont beaucoup plus nombreuses et beaucoup plus infectes. Cela ne les gêne pas, à ce qu'on dirait. De même que les oreilles ne sont point déchirées par le vacarme incessant des rues des villes. Ni les yeux attristés par les infamies architecturales qu'on a répandues partout.

Un des détails de la pollution actuelle qui m'a le plus frappé est celui-ci : les citadins, qui ont d'innombrables résidences secondaires à la campagne, y ont transporté leurs funestes habitudes d'hygiène. Moyennant quoi, leurs eaux de toilette, lorsqu'elles s'écoulent, vont se perdre dans la terre des prés, l'empoisonnent et les vaches en crèvent.

Ces réflexions me sont venues pendant quelques jours de vacances que j'ai pris. J'étais dans un endroit agreste où la municipalité invitait ses administrés à planter des arbres, afin de protester contre les centrales atomiques. C'est très gentil de planter des arbres, très bucolique, très décrispant, et ce n'est certes pas moi quoi m'en plaindrai. Je crains, hélas ! que ce ne soit quelque peu futile, la situation du monde étant ce qu'elle est. Le progrès avance comme Attila. L'herbe ne pousse plus après son passage. Il faudrait autre autre pour arrêter le fléau qu'un peu de chlorophylle.

(7 septembre.)

Hommes de lettres et d'État

Dans la lettre qu'il envoya à Balzac en 1840 pour le remercier de l'article que celui-ci avait consacré à *La Chartreuse de Parme*, Stendhal écrit : « Je vous avouerai que je place mon orgueil à avoir un peu de renom en 1880 ; alors on parlera peu de M. de Metternich et encore moins du petit prince. La mort nous fait changer de rôle avec ces gens-là ; ils peuvent tout sur nos corps pendant leur vie, mais, à peine morts, le silence les envahit. Qui parle encore de M. de Villèle, de Louis XVIII ? De Charles X un peu plus : il s'est fait chasser. » Le « petit prince » est sans doute le comte de Paris, âgé de deux ans, fils du duc d'Orléans.

Je me suis souvenu de la réflexion de Stendhal à propos du dixième anniversaire de la mort de Mao Tsé-Toung qui, de son vivant, pouvait tout sur un milliard de corps chinois et qui, à présent, a été « envahi par le silence ». On a déboulonné à peu près toutes ses statues, et il y en avait, Dieu sait ! Autant que de statues de Staline, lesquelles étaient innombrables et ressemblantes. Il ne reste que sa momie dans un mausolée sur la place Tien-An-Men et une photo à la porte de la Cité interdite. Qui eût prévu pareille disgrâce en 1975

112

quand le monde entier s'extasiait de le voir nager dans le fleuve Jaune ? Le culte de la personnalité, à la longue, n'est pas une bonne affaire.

Il est bien connu que les dieux s'offensent qu'un simple mortel reçoive des adorations réservées à eux seuls ; alors ils le rattrapent au tournant, c'est-à-dire quand il rend le dernier soupir. « Tu as été plus honoré que tu ne le méritais, disent les dieux. Comme il faut des comptes justes, tu seras d'autant plus abaissé. »

Nous observons cela en petit avec les écrivains et les artistes. Leur purgatoire est d'autant plus long qu'ils ont accumulé plus de célébrité et d'honneurs que leur talent ne le justifiait. La postérité a des vengeances terribles. Le pauvre Paul Bourget, par exemple, m'a toujours fait rêver. Il a tout eu, toutes les distinctions possibles, sa gloire s'étendait sur les deux hémisphères. Aujourd'hui, il n'est pas même au purgatoire, il est tombé dans le néant. Il est peu probable qu'il en sorte jamais.

Quoi qu'en dise Stendhal, les tyrans, hommes d'Etat et politiciens, ont un avantage sur les paisibles hommes de lettres : quand ils font mourir les gens, ce n'est pas d'ennui ; ils les envoient réellement à la boucherie. Cela attache beaucoup les peuples qui gardent une pensée nostalgique pour leur vieux bourreau et parlent de lui avec attendrissement.

(14 septembre.)

Il faut quand même se soigner...

Les mesures annoncées par le garde des Sceaux pour lutter contre la toxicomanie ont soulevé des protestations. On les trouve trop sévères. Les Français sont ainsi, à croire qu'ils désirent conserver leurs maladies pour avoir le plaisir de se plaindre indéfiniment. Chaque fois que quelqu'un propose

113

un expédient intelligent ou efficace pour nous tirer d'une situation intolérable, il déchaîne la fureur.

Les penseurs actuels, si prompts à dénoncer la « répression » de l'Etat, oublient un détail dans leurs polémiques : c'est qu'un vice n'est pas une chose grave quand seuls quelque individus s'y adonnent, mais une calamité s'il affecte la population. Il devient un « phénomène de société », comme on dit pudiquement. C'est alors qu'on a besoin d'une loi pour le combattre. Autrement dit, il est sans importance pour la survie d'une nation que les grands seigneurs se damnent, mais la nation meurt quand le peuple les imite.

Nous avons présentement deux exemples de cette contagion, la drogue et l'anglomanie (ou l'américomanie). Qui se droguait avant la guerre en France ? Quelques femmes du monde, quelques esthètes, quelques poètes, d'anciens coloniaux qui avaient l'habitude de « tirer sur le bambou » aux jours de leur splendeur à Saigon. Ces gens-là ne mettaient pas le pays en danger, et il n'y avait aucune raison de les empêcher de se tuer.

De même, qui affectait de parler anglais ? Une poignée de mondains. D'ailleurs c'était là une anglomanie bénigne. Ceux qui savaient réellement l'anglais l'avaient appris d'une « miss », et avaient un bon accent. Quant aux autres, ils ne connaissaient guère plus de douze mots, du genre *five o'clock* ou *how do you do*, qu'ils plaçaient dans la conversation, pour faire chic.

A présent, la drogue est partout. L'anglomanie aussi. D'honnêtes prolétaires, d'innocents écoliers, des garçons bouchers, des soudeurs à l'arc, des demoiselles de magasin, usent de l'une et de l'autre comme les raffinés ou les snobs d'autrefois. Il est évident qu'il faut une loi ou deux lois. Une pour empêcher les Français de se suicider. Une autre pour les empêcher de transformer notre langue en jargon cosmopolite. Incompréhensible aux Américains, d'ailleurs.

(28 septembre.)

114

Désarmement unilatéral

Aucune nation ne prendrait le risque de détruire ses canons, ses missiles, ses sous-marins atomiques, pour donner le bon exemple, pour montrer sa grandeur d'âme, alors que les autres nations, moins idéalistes, conserveraient ou augmenteraient leur arsenal. Dans ce domaine, on en est resté à la vieille maxime romaine : *Si vis pacem, para bellum.* Il est admis que la bombe thermonucléaire est un instrument « dissuasif », c'est-à-dire qui dissuade les malfaisants de vous chercher noise. L'URSS est convaincue que les Etats-Unis ne feraient qu'une bouchée d'elle si elle n'était pas armée jusqu'aux dents, et vice versa.

Il s'ensuit que les conférences sur le désarmement sont de féroces et sordides marchandages aux termes desquels chacun se retire derrière ses fortifications sans avoir cédé une cartouche. Les écologistes, les pacifistes, les idéalistes ont beau exiger à cor et à cri le désarmement unilatéral, ce n'est pas demain qu'ils l'obtiendront.

Les hommes d'Etat n'ont aucune confiance dans leurs confrères étrangers, censés être d'honnêtes gens, ils les soupçonnent des desseins les plus noirs ; en revanche, ils ont une confiance absolue dans les coquins, assassins, terroristes et crapules diverses qui meublent leur propre pays. En effet, s'ils n'ont pas réalisé le désarmement unilatéral à l'extérieur, ils l'ont réussi à l'intérieur en abolissant la peine de mort. En ce qui nous concerne, nous autres Français, nous avons même pris l'engagement international (que nul ne nous demandait et pour lequel nous n'avons récolté que des compliments sur notre belle âme) de ne pas la rétablir avant je ne sais combien d'années.

Le peuple n'est pas fou ou irresponsable, ainsi que les démocraties pourraient parfois le laisser penser. En tout cas, il a du bon sens et, en l'occurrence, il se demande pourquoi la bombe thermonucléaire est « dissuasive », alors que la guillotine ne l'est pas. A son avis, la guillotine le serait plutôt davantage, car les assassins sont des lâches qu'on effraie facilement, tandis que les citoyens qui font la guerre sont des braves, sûrs de leur bon droit, et qui meurent en chantant.

Une des raisons de la chute du gouvernement socialiste est certainement cette malencontreuse abolition de la peine de mort en 1981, et aussi la libération, en don de joyeux avènement, de quelques centaines de brutes toutes prêtes à se remettre à poser des bombes ou à assassiner des retraités pour leur voler vingt-cinq francs. Le bon peuple s'est dit qu'il y avait là quelque chose d'imprudent ou d'irrationnel, comme par exemple de nommer ministre de la Guerre un objecteur de conscience. Car en 1981, c'était déjà la guerre.

(12 octobre.)

L'autre pollution

Je suis plein de respect, et je dirai même de sympathie, pour les écologistes, mais je n'arrive pas bien à saisir leur philosophie. C'est peut-être qu'ils n'en ont pas. Par exemple, je comprends tout à fait qu'ils se désolent parce que les baleines sont en voie de disparition. Moi aussi, je pleure sur les baleines, quoique je n'aie guère eu l'occasion d'en voir ailleurs que dans des livres. La baleine est indissociable de l'histoire de la terre, de l'histoire des hommes, et même du plan de Dieu, puisqu'il condamna Jonas à passer trois jours dans le ventre de l'une d'elles.

De même, je ne me réjouis nullement de l'affaire de Tchernobyl, de celle de Seveso, de celle qui eut lieu en Inde et dont j'ai oublié le nom. Je n'ai aucun goût pour les ignobles masses de béton qui défigurent les paysages. Les mille tonnes de pesticide et les trois mille tonnes de mercure déversées dans le Rhin par un laboratoire suisse, ce qui a empoisonné ce grand fleuve et tué cinquante mille anguilles, me désespèrent.

Bref, je pense comme les écologistes que ce qui détruit la

116

« qualité de la vie » détruit la civilisation. Mais où je diffère d'eux, c'est que je considère que la qualité de la vie ne se borne pas à ce que l'on voit, à ce qui risque de porter atteinte à la santé, à ce qui abîme la nature. Elle s'étend à l'esprit. Il me semble que si j'étais écologiste professionnel, je m'affligerais autant pour la langue française (et pour la langue allemande d'ailleurs) que pour le Rhin, la ville de Kiev et la Méditerranée.

La langue française est aussi polluée que ces lieux historiques par les barbarismes, les pédantismes, les faux américanismes fabriqués par des gens qui ne savent pas l'anglais, les redondances du genre « au niveau de », les charabias administratif et publicitaire, et nul ne s'en soucie, à part quelques malheureux qui n'arrivent pas à se faire à l'idée que ce chef-d'œuvre de la civilisation qu'est notre langue puisse disparaître comme les baleines. Dans aucun manifeste écologiste je n'ai lu le moindre paragraphe concernant la pollution du français. Nul ministre n'a fait de déclaration comme quoi il était urgent de « classer » le français, au même titre que les quelques monuments historiques sans lesquels la France ne serait pas la France, de le protéger contre les vandales, de l'entourer de gardiens assermentés et impitoyables.

On m'objectera que la langue française n'intéresse que les Français et non pas l'humanité. D'abord ce n'est pas vrai. Le français est une pièce essentielle de la civilisation sur laquelle vit l'humanité de maintenant. En outre, c'est la langue la plus précise du monde. Lorsqu'on s'en servait pour établir les traités entre nations, cette précision a quelquefois évité des guerres. J'ose à peine rappeler qu'en quatre cents ans elle a produit une littérature qui éclipse toutes les autres. L'homme ne vit pas que de l'air qu'il respire et de l'eau qu'il boit, chers écologistes, il lui faut aussi se nourrir l'esprit. Laisser crever le français sous l'action des pesticides qui l'attaquent de toutes parts, c'est contribuer à la crétinisation du monde, qui est déjà bien en train.

(20 octobre.)

Le petit lion

Daumier a sculpté deux ou trois cents terres cuites représentant les gens célèbres de son temps, principalement les politiciens. Elles sont saisissantes ; c'est l'art poussé au paroxysme. Les nez sont immenses, couverts de pustules, carrés comme des groins de porc, tortillés en tire-bouchon ; les mentons rentrent dans les cols de chemise, les bouches sont lippues comme des saucisses ou minces comme des meurtrières, les oreilles en disent autant qu'elles sont censées en entendre. Tout cela fait des portraits d'une exactitude foudroyante. Il n'est rien de tel que la caricature pour arriver à la vérité. Les grands artistes le savent, qu'ils soient écrivains ou peintres. Balzac, Dickens, Proust font sans cesse de la caricature, tout comme Rubens ou Léonard de Vinci. La caricature, qui accentue un trait au détriment des autres, fait ressortir tout à coup l'essentiel d'un individu ou d'un événement.

Quelquefois, quand j'écris un roman, où je m'applique, moi aussi, à caricaturer, à l'instar des maîtres, je me surprends à froncer le sourcil, à rouler des yeux féroces, à rentrer la bouche, à faire des sourires béats, comme si le fait de me modeler le visage sur celui de mon personnage m'aidait à le peindre. Cela est presque instinctif, et je suis sûr que Daumier en sculptant ses terribles santons faisait une foule de grimaces.

Thierry Le Luron me fait penser à Daumier. Ce n'était pas seulement le timbre de voix des gens qu'il imitait, leurs tics de langage, leurs diverses manies, mais encore, pendant qu'il le faisait, il se mettait à leur ressembler physiquement. C'était un phénomène admirable et même émouvant que ces métamorphoses. Quand je le voyais, j'avais le sentiment, non pas qu'il se glissait dans la peau de ses modèles, mais qu'il s'emparait d'eux, comme un artiste, et les reproduisait sur lui-même. Il était sa propre glaise.

Comme tout artiste authentique, il avait horreur du genre artiste. Je crois ne l'avoir jamais vu sans cravate, ce qui est presque une originalité aujourd'hui. Au contraire, toujours tiré à quatre épingles, avec des costumes noirs ou bleus qui venaient de chez un excellent tailleur. Du reste, il était trop moqueur, il avait l'œil trop prompt à saisir les ridicules pour se donner à lui-même le ridicule d'être « dans le vent ».

Les artistes ne sont pas méchants, même lorsqu'ils sont féroces. S'ils mordent, c'est comme des lions, non comme des serpents. Ainsi mordait Thierry Le Luron. Et ce qui est remarquable, c'est que son gibier unanime le regrette. Un lion qui meurt, c'est un deuil national. La race n'est pas si répandue. Tandis que des serpents, il en grouille.

(*27 octobre.*)

1987

La langue universelle du bruit

Il y a quelques années, lorsqu'on me demandait à la radio si je préférais la chanson française à la chanson étrangère, je répondais par manière de plaisanterie :

— La chanson étrangère, parce qu'on ne comprend pas les paroles.

La plaisanterie ne passait pas la barrière des ondes : chaque fois, ma déclaration faisait scandale, je recevais des lettres d'injures et j'étais traité de fossoyeur des variétés nationales dans des petits journaux rédigés en charabia franglais. Jusque vers 1975, peut-être un peu plus tard, la chanson française était une sorte de tabou ; elle faisait partie de notre « culture ». Il fallait automatiquement dire qu'elle était remarquable, irremplaçable, pleine de pensée et de philosophie ; il était obligatoire de s'extasier sur les pires niaiseries où amour rimait avec toujours, comme au siècle dernier ou celui d'avant.

Tout ce qu'on dit arrive, prétendait Cocteau. Hélas ! c'est vrai. Il n'y a presque plus de chansons françaises : les petits poètes qui les fabriquent écrivent directement en américain, ou traduisent leurs élucubrations avant de les faire interpréter par quelque tapageur de chez nous qui se donne une peine du diable pour mettre l'accent. Il paraît que les marchands de disques et les organisateurs de galas n'acceptent à présent que les bruits étrangers. Les bruits français ne se vendent plus.

Il s'est passé avec la chanson l'inverse de ce qui s'est passé avec le latin liturgique. Un récent concile a décrété que les fidèles, ne le comprenant pas, on dirait désormais la messe en français, en italien, en espagnol, en japonais, etc. En fait, les fidèles comprennent très bien le latin d'Eglise, et ils aiment cette langue universelle qui apporte aux sacrifices religieux une magie supplémentaire. Je crois que beaucoup d'entre eux ont été malheureux qu'on l'abandonnât. Par une singulière contradiction, les évêques n'avaient jamais autant parlé d'œcuménisme.

L'œcuménisme est dans la chanson. L'américain est devenu la langue universelle des romances, ou plutôt la langue universelle du bruit, car les romances d'aujourd'hui sont des aboiements sauvages accompagnés d'un vacarme assourdissant.

Il y a là, encore, une chose étrange à observer : à savoir que le bruit qui était un luxe dans un monde silencieux (tel qu'était le monde jusqu'à l'invention de la radio et du moteur à explosion) continue à être un luxe, un signe extérieur de richesse, maintenant que le monde est devenu bruyant. La langue officielle du bruit est un objet de snobisme, et il faut faire semblant de la connaître pour épater des gens qui ne la connaissent pas plus que vous. Ainsi va la vie.

(4 janvier.)

Le doge réformiste

La nuit du 4 août 1789, un certain nombre de membres de la noblesse et du clergé, réunis à Versailles, décidèrent d'abandonner leurs privilèges. Cela se fit dans un grand mouvement d'enthousiasme. Il faut observer toutefois que, trois semaines plus tôt, le peuple avait pris la Bastille, que la tête de son gouverneur avait été promenée sur une pique et que les paysans commençaient à brûler les châteaux. Je ne mets nullement en doute la générosité des aristocrates, mais je ne puis me retenir de penser que la nuit du 4 Août n'aurait pas eu lieu, si l'on peut dire, le 4 juin, c'est-à-dire à une époque où la Révolution n'avait pas éclaté et où il n'était pas nécessaire de donner un peu au peuple dans l'espoir d'éviter qu'il ne prenne tout.

Ce qui me semble hasardé dans la politique de M. Gorbatchev, c'est qu'il propose une nuit du 4 Août à la Nomenklatura, qui est la noblesse soviétique, alors que rien ne la menace et qu'il n'y a pas de raison pour qu'elle abandonne le moindre de ses privilèges. Mardi dernier, devant le plenum du Comité central, il a invité des gens qui profitent de père en fils du communisme à se soumettre à des formes démocratiques qui risquent de les priver du pouvoir et des prébendes, telles que candidatures multiples, votes à bulletins secrets, élections par la base des directeurs d'entreprises nommés jusqu'ici par le gouvernement, et diverses autres mesures similaires.

L'URSS est une oligarchie dont l'organisation ressemble, en plus grand, à celle de la république de Venise autrefois. Cette oligarchie élit un doge sous le nom de Secrétaire général, mais elle se garde, sans doute, de lui déléguer tous les pouvoirs. On a vu en effet deux doges qu'elle a déposés, à savoir Malenkov et Kroutchev. Les doges qu'elle a laissés en place étaient ceux qui lui convenaient, à moins que, comme Staline, ils ne fussent plus puissants qu'elle, et cruels à proportion. Du reste, Staline faisait l'affaire de la Nomenklatura, dont il tuait quelques membres par-ci par-là, mais aux privilèges de laquelle il ne touchait pas. Quant à Brejnev, c'était, à ce qu'il semble, le doge idéal. D'où la féroce attaque de M. Gorbatchev qui l'a accusé d'avoir encouragé la corruption et dépravé la société soviétique par diverses malversations, sans parler de son goût pour le culte de la personnalité.

Un doge réformiste est la pire chose qui puisse arriver à une oligarchie. Voilà déjà que M. Gorbatchev a permis à Sakharov de revenir à Moscou. Ira-t-il jusqu'à arrêter la guerre d'Afghanistan ? Il doit bien y penser, et la Nomenklatura sait certainement qu'il y pense. Peut-être est-ce à ce tournant-là qu'elle l'attend.

(*1er février*.)

De la négritude

Faut-il que la littérature soit chez nous un objet d'idolâtrie pour que la seule révélation que M. Sulitzer fait écrire ses romans par des nègres cause une espèce de petit scandale ! Il n'y a rien là pourtant que de naturel. M. Sulitzer a une certaine idée du commerce de la librairie, ce qui est bien son droit. Il considère que le livre est un produit de consommation au même titre que des paquets de biscottes ou des chaussures de basket. Moyennant quoi il possède, dit-on, une petite entreprise de trente-cinq personnes à qui il assure leur pain quotidien. On féliciterait n'importe quel industriel de faire vivre trois douzaines de braves gens. Pas lui. C'est tout juste si on ne l'accuse pas de commettre un sacrilège.

Après enquête, M. Sulitzer, à ce qu'il paraît, n'a qu'un seul nègre, appelé Lou Durand, avec qui il partage ses gains par moitié. M. Sulitzer fait des plans, donne des idées, M. Durand écrit. M. Sulitzer signe. Je ne vois pas là de quoi fouetter un chat. Cela me semble même un excellent partage des tâches. « Durand » n'est pas un nom qui accroche le public. En revanche, « Sulitzer », qui évoque un peu l'Alka-Seltzer qui facilite la digestion, est excellent. D'après ce que j'ai compris, M. Durand est très content de M. Sulitzer et vice versa. Ce n'est pas étonnant : l'un, sans doute, n'a pas d'idées, et l'autre ne sait pas écrire. Moi, qui œuvre tout seul dans mon coin, qui suis obligé de tout fournir, imagination, style, péripéties, personnages, vues profondes, philosophie, etc., je ne serais pas fâché, certains jours, que quelqu'un m'aidât dans ce travail de titan.

Chose curieuse, il n'y a qu'en littérature que l'opinion vous condamne à l'artisanat. Rubens, Michel-Ange, Véronèse, cent autres avaient de vastes ateliers où leurs élèves préparaient les toiles, dégrossissaient la glaise, peignaient même de grands tableaux sous la directive du maître, qui terminait l'ouvrage de quelques coups de pinceau inimitables et signait sans complexe.

Ce qui irrite les gens, c'est qu'un auteur en cache un autre. Car il y a bien des exemples de collaboration dans la littérature : Flers était-il le nègre de Caillavet, Edmond de Goncourt celui de Jules, Erckmann celui de Chatrian, Jérôme Tharaud celui de Jean, etc. ? Le lecteur veut savoir exactement qui il aime (ou qui il déteste). Celui qui signe un livre qu'il n'a pas entièrement écrit lui-même lui fait un peu l'impression d'un faussaire. Mais il faut toujours en revenir à Durand qui n'est pas un nom alléchant et à Sulitzer qui en est un.

Dernière remarque. M. Sulitzer n'a jamais prétendu au génie. Il veut seulement gagner des sous. Il est assez réconfortant qu'il ait choisi la littérature pour cela. Moi, qui n'ai pas son talent, j'aurais bêtement choisi la banque ou la pub.

(15 avril.)

La lettre au successeur

Je ne désire pas particulièrement que M. Léotard quitte le ministère de la Culture, mais, s'il le fait, son successeur répondra peut-être à la lettre que je lui ai envoyée le 21 avril dernier. Les successeurs, ai-je remarqué, aiment bien faire le travail que leurs prédécesseurs n'ont pas fait. Je l'ai observé

127

il y a quelques années ; j'avais écrit à un ministre pour demander la Légion d'honneur pour un de mes amis. Ma lettre était plutôt destinée à l'ami qu'au ministre, afin qu'il vît que j'avais œuvré pour lui. Le ministre ne s'y trompa point et m'expédia une réponse prometteuse quoique évasive, destinée à être montrée à l'impétrant.

Quelques mois se passèrent ; il y eut un remaniement ministériel, mon Excellence fut remplacée et je pensai : « Adieu, ruban ! » Quelle ne fut pas ma stupeur en recevant du nouveau ministre une missive débordant de bonté et d'affection où l'on avait « le plaisir de m'informer » que la personne à laquelle « je m'intéressais » serait décorée à la prochaine promotion et que l'on m'en félicitait « personnellement ».

La leçon que je tirai de cette anecdote est que, lorsqu'on écrit à un ministre, on s'adresse en réalité à celui qui, dans un proche ou lointain avenir, lui prendra son maroquin et qui, avant de commencer à appliquer son programme, se fera un point d'honneur de régler les affaires en cours.

Ce que j'avais demandé à M. Léotard était peu de chose : que le ministère de la Culture débloquât quelque argent afin d'envoyer un secours à un écrivain de talent qui se trouve en ce moment dans une position bien pénible : pas le sou, une opération qui l'a laissé exsangue, des frais qui achèvent de le ruiner. Ma supplique, j'ose le dire, était touchante. « La France de 1987 ne peut pas laisser mourir Nerval », disais-je. Il est possible, après tout, que M. Léotard ait communiqué ma lettre à un service afin qu'on lui fasse une note sur ce Nerval dont il n'avait pas entendu parler jusqu'ici, et que les services n'aient pas encore trouvé de renseignements.

Dernière chose. Le successeur de M. Léotard, désireux d'acquérir un peu de popularité, peut avoir l'idée de faire déterrer les colonnes zébrées qui encombrent la cour du Palais-Royal.

(*7 mai.*)

La mort de Venise

Les « sommets » avaient ceci d'heureux jusqu'à présent, c'est qu'ils se bornaient à être inutiles. Les maîtres du monde se réunissaient de temps à autre sous le vain prétexte de telle ou telle grande question qu'il était, paraît-il, urgent d'examiner. Ils causaient agréablement, banquetaient, se donnaient des spectacles magnifiques. L'une des hautes personnalités, généralement, faisait la tête ; cela pimentait la réunion.

Nous autres, bons peuples, nous nous réjouissions de ces fêtes. Les puissants seigneurs qui y prennent part se déplacent avec un arroi superbe et une suite nombreuse, que nous payons, certes, mais nous payons tant de choses qu'il n'y a pas de raison pour que nous ne payions pas cela. Nous nous disons avec la sagesse des humbles qu'un prince nous fait assez de bien quand il ne nous fait pas de mal. Tant que les princes causent entre eux, se font des politesses, se gobergent, bâillent poliment à des opéras ennuyeux, nous sommes à peu près sûrs d'être tranquilles.

Il en est des sommets comme de tous les pique-nique : ils laissent des papiers gras. Des équipes de nettoyeurs passent après les cérémonies et deux jours plus tard il n'y paraît plus. Les sommets sont inutiles mais ils ne sont pas nuisibles.

Du moins, ils ne l'étaient pas jusqu'à ce que l'idée germât dans une cervelle particulièrement malfaisante (ou simplement idiote) d'organiser le dernier à Venise. Il en est résulté une épouvantable dégradation du Palais des Doges, à cause des hélicoptères de carabiniers qui faisaient des raids au-dessus de lui, ainsi qu'un ébranlement général de la ville dû aux vedettes à moteur sillonnant sans arrêt les canaux et provoquant un flux aquatique inédit.

Tout cela est bien cher, je trouve, pour une réunion sans importance. Il est étonnant que personne n'ait songé que Venise était plus précieuse que quelques parlotes entre potentats, oubliées par tout le monde la semaine suivante. Outre cela, quel plaisir ont eu les potentats à contempler le Rialto et la Salute ? Ils s'en fichent bien. Ils préfèrent le spectacle exaltant de leurs armées et de leurs usines. Mais nous autres, pauvres gens, qui aimons les belles choses, nous souffrons dans notre chair quand on abîme les quelques murs qui nous restent des temps fabuleux où l'homme ne connaissait rien de la Science ni de l'Industrie.

(*21 juin.*)

Un désarmement à tout casser

Les Etats dits du pacte de Varsovie ne sont pas moins affolés que ceux de l'OTAN par les pourparlers de désarmement qui ont lieu entre les Etats-Unis et l'URSS. Ce n'est pas tant les pourparlers eux-mêmes qui leur font peur, mais l'espèce d'allégresse, pour ne pas dire d'enthousiasme, que les deux superpuissances manifestent à ce propos. On dirait que M. Gorbatchev et M. Reagan ont soudain découvert un jouet, qu'ils en sont éblouis, et qu'ils n'arrêteront de s'en servir que lorsqu'ils auront tout cassé.

Il faut comprendre les petits. Ils ont beau faire des vœux hypocrites pour que les grands cessent de se quereller, que la concorde règne dans le monde, que tous les peuples soient amis (ou frères) sans arrière-pensées, etc., ils savent bien que leur survie ne tient qu'à l'antagonisme des grands. Que ceux-ci, par malheur, viennent à s'entendre, ce sera inévitablement eux, les petits, qui en feront les frais.

D'autant plus que voilà plus de quarante ans que les deux superpuissances leur serinent avoir en face d'eux des ogres implacables qui ne songent qu'à les manger. Quand on constate à quel degré de méfiance, de crainte, d'horreur, les Etats-Unis, par leur propagande antisoviétique, sont parvenus à amener le bloc occidental, on imagine aisément que l'URSS en a fait autant de son côté. Quarante ans de bourrage de crâne ne s'annulent pas en quelques semaines.

L'avantage du mensonge sur la vérité (surtout s'il est du

130

genre apocalyptique) est qu'on le croit plus facilement. L'opinion occidentale est persuadée que l'URSS et ses alliés sont le diable sur terre et que la seule façon de l'exorciser consiste à braquer sur lui une foule de missiles. Je suppose que les pays de l'Est ont la même idée de nous. Si l'on nous raconte maintenant qu'il n'y a plus de diable, nous allons nous sentir bien seuls et bien vulnérables.

Dieu merci, on entend parler de désarmement depuis un peu plus de dix mille ans, et cela n'aboutit jamais à rien. Il serait fâcheux que, pour une fois, ce ne soit pas une galéjade. Et peut-être y a-t-il au Sénat de Washington un « lobby » des fabricants de missiles à moyenne portée qui veille...

(*27 juin.*)

Il n'est pas démagogue

Il y a une chose au moins dont les gens qui n'aiment pas M. Jack Lang ne peuvent l'accuser : c'est de démagogie. Pendant son « Heure de vérité », mercredi soir, il n'a flatté que « les jeunes », allant jusqu'à dire que ceux-ci l'aimaient parce qu'il avait « comme eux, le goût des belles choses ». Je n'ai pas remarqué que ce qui est beau plût particulièrement à la jeunesse. Il me semble au contraire que ce goût-là s'affine avec l'âge et qu'à vingt ans on n'a pas beaucoup de discernement. Mais passons. Là n'est pas mon sujet.

Mon sujet est que M. Lang n'a pas eu un seul mot aimable pour les vieux, ce qui, de sa part, quoiqu'il ait été ministre cinq ans, montre qu'il est bien novice. A quoi sert d'être aimé de la jeunesse, en France, en 1987 ? C'est un électorat limité et versatile, sans moyen d'expression, sans tribune, généralement peu attiré par la politique. Tandis que les vieux, à la bonne heure ! D'abord ils sont cinq ou dix fois plus nombreux que les gamins ; ensuite ils sont oisifs et bavards, donc influents. Tout vieillard est une commère, ou,

131

si l'on préfère, un agent de propagande. Les requins de la politique, contrairement à M. Lang, savent très bien cela et travaillent tant qu'ils peuvent à se concilier d'aussi précieux partisans. Dans les périodes électorales, les candidats passent leur vie dans les maisons de repos et les homes du troisième âge.

C'est chez les vieux qu'il y a des passions, cher monsieur Lang, et singulièrement des passions politiques. Cela se comprend : ils n'ont plus guère de distractions amoureuses, les pauvres, et il leur faut bien utiliser leur énergie à quelque chose. La religion et les jeux de cartes sont d'assez bons substituts à l'amour mais cela ne vaut pas la politique. Celle-ci donne l'illusion que l'on a encore de l'influence sur la marche du monde. Telle est la merveille de la démocratie : elle fait oublier que l'on est à la retraite. On a toujours besoin de vous pour voter.

Mon confrère de l'Institut, M. Jacques Gernet, dans une récente communication à l'Académie des inscriptions et belles lettres, cite un texte chinois daté de décembre 1588, mentionnant la création à Hang-Tchéou d'un cénacle de poésie dénommé « Association pour la réjouissance de la vieillesse ». Cette compagnie, composée de dix-neuf membres, âgés de soixante et onze à quatre-vingt-dix ans, se réunissait quatre fois par an, dans un joli coin, pour un banquet offert par l'un d'eux ; chacun faisait ce qui lui plaisait, composait des poésies pour le plaisir, buvait, mangeait, sifflait, chantait, restait assis ou déambulait selon son humeur. M. Gernet décrit cela si bien que l'on a soudain l'impression du bonheur sur terre, et que l'on se dit que ce n'est pas le payer trop cher que d'avoir quatre-vingts hivers sur l'échine.

Il est dommage que les ministres ou ci-devant ministres de la Culture ne lisent pas les brochures de l'Institut et ne s'en inspirent pas. Les innombrables électeurs ayant de soixante et onze à quatre-vingt-dix ans auraient peut-être le sentiment que ce ministère est moins inutile qu'il n'en a l'air.

(4 juillet.)

L'île de la Sonde

La leçon à tirer des derniers sondages est que la vie n'est pas simple. Les sondés considèrent que les Français ne travaillent pas assez et que, comparés aux Allemands, nous sommes des flemmards. Néanmoins, ils pensent qu'il n'y a pas trop de jours fériés, et ils se déclarent fort attachés aux cinq semaines de congé annuel. Les aiguilleurs aériens sont mal jugés car ils « abusent du droit de grève ». Toutefois, on ne veut pas que les grèves de fonctionnaires soient punies par des retenues de salaires.

Pour ce qui est de l'avenir, les chers sondés prévoient que l'on écourtera la semaine de trente-neuf heures. Il est regrettable qu'on ait oublié de leur demander à quel palier ils désireraient que l'on s'arrêtât : trente heures ? vingt heures ? une demi-heure ? dix minutes ? En revanche, ils sont fâchés que la retraite sonne inexorablement à soixante ans. Ils seraient très contents si c'était un peu plus tard. Là aussi on a omis de leur faire préciser à quel âge : soixante-dix, quatre-vingts, quatre-vingt-dix ans ? En somme, l'ancêtre des sondés est l'illustre M. Prudhomme déclarant, lorsqu'on lui remit son sabre de garde national, que cet instrument lui servirait à défendre la liberté et, au besoin, à la combattre.

Le sondage le plus amusant est celui qui a trait au président de la République. Depuis que les élections de 1986 l'ont transformé en soliveau, il grimpe à la vitesse d'une fusée. Le voici à cinquante-cinq pour cent d'avis favorables, alors que, quand il gouvernait réellement, il se traînait autour de trente pour cent. On est si accoutumé à ce que les hommes politiques et les hommes d'Etat n'aient pas de cervelle que l'on se demande si M. Mitterrand a un peu médité sur son succès. Le peuple ne peut vraiment pas lui dire plus clairement qu'il veut bien de lui à condition qu'il ne s'occupe pas de politique et qu'il ne s'encombre pas de ministres socialistes. Un homme sérieux ne se le ferait pas répéter deux fois. Mais le Président est-il un homme sérieux ? Je veux dire un homme qui attache plus d'importance à la réalité qu'à ses chimères ?

Il était ainsi, autrefois. Il faut espérer que sa longue fréquentation des socialistes ne l'a pas rendu idéaliste.

(*18 juillet.*)

La névrose du XXᵉ siècle

Dans l'affaire du sieur Abrivard, chiffreur au Quai d'Orsay, qui trahissait au profit du KGB, il y a un détail rafraîchissant : c'est que le bonhomme accomplissait sa besogne pour de l'argent et non par conviction morale ou politique. Le journal où j'ai lu son histoire dit expressément : « Pour arrondir ses fins de mois. » A notre époque de fanatiques déguenillés qui font tant de ravages par idéalisme, un traître pragmatique, vendant des renseignements comme une botte de radis, a quelque chose d'humain, d'anachronique, qui fait plaisir. Le négoce du sieur Abrivard a duré dix ans, ce qui a dû lui faire une jolie pelote. L'excellent homme, malheureusement, n'a pas pu en profiter, car il est mort à cinquante-sept ans, peu de temps avant de prendre sa retraite. Quels beaux voyages il se serait offerts, quelles créatures ravissantes, auxquelles il a sans doute rêvé plus d'une fois !

Abrivard avec son artisanat m'a rappelé une histoire d'espionnage datant d'une vingtaine d'années. Deux journalistes américains, MM. Wise et Ross, eurent l'idée de passer quelques mois à Londres. A leur retour aux Etats-Unis, ils publièrent un livre qui plongea l'Angleterre dans la consternation. Il y était écrit en toutes lettres que le grand patron de l'espionnage britannique s'appelait sir Richard Goldsmith White, né en 1906 et titulaire d'une demi-douzaine de décorations. Son bureau se trouvait dans une maison de Queen Ann's Gate, dont la porte était peinte en noir et ornée d'un marteau représentant un poisson. MM. Wise et Ross fournissaient jusqu'au numéro de téléphone.

Selon les mêmes auteurs, le chef du contre-espionnage

s'appelait sir Martin Furnival Jones, dit « M » ; ses bureaux étaient installés à Curzon Street ; il était inscrit au club United University, etc.

Tous ces renseignements étaient parfaitement exacts. MM. Wise et Ross les avaient obtenus en se promenant dans la rue, en posant des questions ici et là, en interviewant untel et untel, en donnant quelques coups de téléphone, bref, en faisant le travail de deux journalistes moyens.

Le plus beau est que, pendant toute la durée de leur séjour à Londres, aucun service d'espionnage ou de contre-espionnage n'eut le soupçon de leur activité, ni même vent de leur présence.

Il serait intéressant de savoir combien les Etats dépensent pour payer leurs espions et les renseignements que ceux-ci leur apportent. Naturellement, ils ne le diront jamais. Le bon peuple serait horrifié par tout cet argent gaspillé. En effet, l'espionnage se conçoit en temps de guerre, mais l'Europe et l'Occident sont en paix grosso modo depuis quarante ans. Outre cela, c'est une activité qui ressemble au tonneau des Danaïdes : tout est sans cesse à recommencer vu que le matériel militaire change complètement avant d'avoir servi ; et quant à la politique, le monde n'a pas bougé depuis le partage de Yalta.

L'espionnage est une névrose des temps modernes, c'est le péché de curiosité porté à son paroxysme. Il faut tout savoir de tout le monde, même si cela ne sert à rien. C'est également, d'après ce que je crois comprendre, une question de *standing* pour les nations. Avoir beaucoup d'espions qui regardent ce qui se passe chez les autres est un brevet de puissance, comme d'avoir un bon PNB ou une encaisse-or de premier ordre.

Il paraît que les Russes ont truffé de micros la nouvelle ambassade des Etats-Unis que l'on a construite récemment à Moscou. Cela doit leur avoir coûté une fortune, de quoi acheter des escadrons de tracteurs pour l'Ukraine. Tout cela pour entendre des révélations passionnantes telles que : « Je demande petit chelem à carreau » ; ou : « Herbert, voulez-vous du soda ou de l'eau plate dans votre whisky ? » Car ce sont ces propos qui résonnent principalement dans les ambassades. Quant aux choses sérieuses (à supposer qu'il y en ait), le KGB et la CIA sont pareils à deux agences de presse qui ont des correspondants partout — et qui ont à peu près les mêmes informations (quand ce n'est pas les mêmes informateurs).

Au fond, les seuls pays sages, aujourd'hui, sur notre planète, sont ceux qui n'ont aucune ambition d'hégémonie. Ils ne jettent pas leur argent par les fenêtres pour entretenir des milliers d'espions qui cherchent des secrets éventés au bout de quinze jours, et ils ne se ruinent pas à fabriquer des avions et des missiles qui ne serviront jamais à rien. Mais il est probable qu'ils le regrettent.

(21 juillet.)

Voyage sentimental en Iran

Vers 1760, le révérend Sterne, prêtre anglican, fit en France un voyage qu'il qualifia de « sentimental ». En effet, tout ce qu'il vit dans notre pays l'attendrit ou l'enchanta. Cela était d'autant plus méritoire que nous étions en guerre avec les Anglais et que, pour compliquer les choses, il avait oublié de se munir d'un passeport.

Le Voyage sentimental de Sterne eut un succès immense. Grâce à ce livre charmant, à ce chef-d'œuvre de sensibilité cocasse, les Anglais, qui nous détestaient traditionnellement, apprirent que les Français étaient aussi gentils qu'eux, sinon davantage, car Sterne était partial. Je suppose qu'ils furent abasourdis en constatant ce que devint cet aimable peuple quarante ans plus tard. Devant les Français de Robespierre et de Napoléon, ils devaient se dire avec désolation : « Mais où sont les délicieux Français du révérend Sterne ? »

Il nous arrive quelque chose de semblable avec l'Iran. Depuis le XVIIIe siècle, nous regardons les Persans avec les yeux de Montesquieu, et, depuis le XIXe, avec ceux de Gobineau. Pour nous, être persan, c'est être plein de sagesse et d'humour, c'est regarder les choses avec un détachement philosophique ; c'est s'amuser des inconséquences humaines, c'est le dire avec la suprême élégance du style Louis XV. Quant à Gobineau, il aimait les Persans comme Stendhal aimait les Italiens. Il trouvait tout admirable chez eux, aussi bien la « tyrannie du premier mouvement » que leur « esprit romanesque » et leurs passions amoureuses. Les *Nouvelles asiatiques* qui racontent cela sont un enchantement : elles nous donnent les Persans comme ce que la vieille Asie a produit de plus civilisé et de plus exquis.

Plus encore que furieux contre les Persans d'aujourd'hui qui nous donnent tant de souci, nous sommes déconcertés par eux. Nous ne reconnaissons plus des gens qui nous étaient parfaitement familiers. Qui a raison ? Gobineau ou l'ayatollah Khomeiny ? Le poète Saadi né à Chiraz au début de XIIIe siècle, immortel auteur du *Gulistan* ou « Jardin des roses », ou les gardiens de la Révolution qui ne savent que proférer des imprécations ?

Rien ne change comme un peuple. Et les vieux peuples changent encore plus vite que les jeunes. Lorsque les Anglais regardaient avec horreur la Révolution française qui coupait des têtes, ils dînaient avec des Français de l'Ancien Régime qui avaient émigré à Londres. Puis les émigrés, un beau jour, rentrèrent à Paris, où ils rendirent leurs dîners à leurs amis anglais. Les Persans de Gobineau, à présent, sont à Neuilly-sur-Seine.

(*25 juillet.*)

Le tunnel

C'est au XVIIIe siècle que le tunnel sous la Manche aurait été utile aux voyageurs. Ceux-ci, pour aller de Paris à

Londres, par la diligence et les bateaux à voile, mettaient deux jours. Au XIXᵉ siècle, malgré les chemins de fer et les bateaux à vapeur, c'était encore une expédition. Mais l'Angleterre ne craignait rien tant alors que de ne plus être une île. Elle était fière de cette singularité, qui l'avait quelquefois préservée des invasions étrangères.

Quoiqu'il fût peu probable qu'une armée ennemie osât s'engager dans un tunnel de cinquante kilomètres de long, où elle eût risqué à tout coup d'être anéantie, l'Angleterre ne voulait entendre parler de rien qui pût la relier physiquement au Continent. Elle voulait être entourée d'eau de mer, comme certaines vieilles filles sont entourées de leur virginité. Les autres nations d'Europe vivaient dans une promiscuité répugnante. Elle regardait avec dédain cette chienlit du haut de ses falaises blanches. Elle restait intouchable. Elle ne faisait la guerre que par corps expéditionnaires interposés. Elle avait été violée en 1066 par un rouquin normand et en avait gardé, comme on dit de nos jours, un « traumatisme ».

Le côté amusant du progrès est qu'il se marche constamment sur les pieds. A quoi sert un tunnel sous la Manche à présent ? Je ne cesse de me le demander depuis que l'Angleterre a enfin consenti à ce qu'on le perçât. Il fera gagner trois heures aux voyageurs, dit-on, mais s'ils sont pressés, ne gagnent-ils pas davantage à prendre l'avion ?

Au fond, toute la question est là. A cause des avions, l'Angleterre n'est plus une île. L'industrie aéronautique en cinquante ans est venue à bout de neuf siècles de tranquillité marine. Depuis 1940, on sait qu'à tout instant Guillaume le Conquérant peut tomber du ciel. Alors, qu'importe un pauvre tunnel ? Cela ne changera rien aux dangers de l'horrible monde actuel.

Quand même, ce tunnel est un sacré symbole ! Et il doit y avoir bien des gentlemen qui, aujourd'hui, pleurent dans leur chapeau melon. Le courrier des lecteurs du *Times* (mais existe-t-il encore un *Times* et des lecteurs qui lui écrivent ?) doit recevoir des milliers d'appels de détresse.

(*14 août.*)

Les Américains à Paris

Les professionnels du tourisme sont comme la plupart des hommes : ils n'ont pas de philosophie ; c'est-à-dire qu'ils n'ont pas réfléchi sur leur métier. En particulier, ils ne se sont jamais demandé pourquoi les gens voyageaient, pourquoi ils quittaient leur maison et leur pays, pourquoi ils se ruinaient en transports éreintants et en hôtels où ils sont moins bien que chez eux.

Ce n'est pourtant pas sorcier à deviner : ils veulent voir des choses inconnues, contempler des paysages qui ne sont pas les leurs, entendre un langage qu'ils ne comprennent pas, être intimidés par des peuples ayant une autre histoire, d'autres traditions, d'autres préjugés. Un peu de méfiance et d'intolérance ne leur fait pas peur. Il leur est agréable de se plier aux coutumes des pays où ils villégiaturent, de se concilier les autochtones par des amabilités exceptionnelles.

Il suit de ces quelques notations que les aubergistes hexagonaux devraient prendre leur parti de ne plus voir un seul citoyen des Etats-Unis venir chez nous dans ces prochaines années. J'en ai été frappé l'autre soir en regardant un film américain à la télévision. Cela se passait en Arkansas ou dans le Connecticut (je n'ai pas fait trop attention). Les héros du film circulaient beaucoup. On voyait sans arrêt des *snacks*, des *motels*, des *Holiday Inns*, des *drugstores*, des patelins lugubres, des tours de quarante étages, des gens habillés de *blue-jeans* et de *T-shirts*, qui mangeaient des *hamburgers* et qui écoutaient de la *country music*. Bref, on se serait cru en France. Pour que l'illusion fût complète, il y avait quelques enseignes de boutiques ou de restaurants en français. Très peu. Comme ici.

Je ne vois pas bien pourquoi les Américains feraient six ou sept mille kilomètres pour retrouver le cadre dans lequel ils vivent. Evidemment, il nous reste du passé quelques petits trucs qu'ils n'ont pas : le Louvre, le Pont-Neuf, une douzaine de cathédrales qui battent de l'aile, divers chefs-d'œuvre en péril, l'Académie française, les châteaux de la Loire. Mais cela suffit-il à attirer le touriste moyen ? Les boulangers français ne lui donnent même plus de la bonne baguette.

(*29 août.*)

Les enfants de la veuve

« Qui aimes-tu mieux, ton papa ou ta maman ? » On pose souvent cette question idiote ou perverse aux enfants. On me l'a posée jadis, quand j'avais cinq ou six ans. Ne sachant quoi répondre, je disais « Mon papa », parce qu'il était du sexe masculin et que cette supériorité, me semblait-il, lui donnait droit à la première place dans la hiérarchie de mes affections.

Depuis le 4 septembre 1870, on ne cesse de demander au peuple français s'il préfère son père ou sa mère, c'est-à-dire s'il est royaliste ou républicain, tout en lui expliquant que le roi son père était un vieux scélérat qui l'a rendu très malheureux pendant huit cents ans, et que maman république a bien fait de l'assassiner. D'ailleurs, non seulement elle a été acquittée au tribunal de l'Histoire, mais encore elle a hérité du défunt.

Les enfants français avaient deux oncles du côté maternel, MM. Malet et Isaac, qui consacrèrent leur vie à chanter les louanges de la veuve, digne femme pleine de vertus et d'amour. Elle avait peut-être été un peu sanguinaire vers la fin du XVIIIᵉ siècle, mais c'était pour notre bien ; pour nous faire un présent inestimable, grâce auquel nous serions toujours libres, heureux, prospères, tolérants, délivrés des superstitions obscurantistes : à savoir la démocratie. Notre histoire était le contraire de celle des Atrides : Clytemnestre avait eu raison de poignarder Agamemnon, même si c'était pour coucher avec une douzaine d'Egisthes septuagénaires tels que Thiers, Jules Grévy, Fallières, Gaston Doumergue. Tout valait mieux que le père Capet.

140

Etre les fils d'une veuve n'est pas un état de tout repos, surtout d'une veuve meurtrière, encore moins quand une foule de gens s'échinent à vous dépeindre votre pauvre père sous les traits d'un monstre. Naturellement, les enfants sont crédules et impressionnables, et il y a beaucoup plus de Français républicains que de monarchistes. Mais enfin, il faudrait prendre en considération que papa aurait mille ans aujourd'hui et que maman en a deux cents. Ils sont bien vieux l'un et l'autre. Peut-être serait-il temps de les réconcilier.

(5 septembre.)

Funestes briques

M. Bouygues, constructeur d'immeubles et propriétaire de TF1, a fait à M. Polac, son employé, la pire chose qu'on puisse faire à un Français : il a révélé son salaire. Le salaire, chez nous, est le dernier refuge de la pudeur, surtout s'il est gros. On préférerait montrer son derrière. D'ailleurs on le montre. Un derrière ne cause aucun tort à son possesseur, fût-il des plus disgracieux, tandis que cent mille francs par mois (dix millions de centimes, comme on dit au Loto, ou dix briques, comme on dit au ciné) signifient que l'on est un grand seigneur, crime majeur en République.

Il me semble que, jusqu'à présent, M. Polac était sympathique à tout le monde. Le samedi soir, les spectateurs de son émission avaient l'illusion d'assister à des travaux pratiques de chimie. Le professeur Polac, entouré de becs Bunsen et d'éprouvettes, fabriquait des précipités, obtenait des réactions à l'acide, faisait virer au rouge le papier tournesol. Quelquefois, il avait la main un peu lourde dans ses dosages et les cornues lui explosaient à la figure. C'étaient de grands moments pédagogiques. Comme dans toutes les classes de TP, les élèves chahutaient. Le petit Jean-François Kahn était le plus dissipé.

M. Polac était sympathique, dis-je, parce que l'on croyait naïvement qu'il n'était pas plus payé qu'un humble universitaire titulaire de l'agrégation et du doctorat. En quoi nous étions naïfs, car les gens à petit salaire sont prudents. Leur pauvre emploi qui leur permet de subsister maigrement leur paraît une chose infiniment précieuse ; ils ne se mettraient jamais dans le cas d'être flanqués à la porte pour un propos inconsidéré. Si M. Polac n'avait gagné que le dixième de ce qu'il touchait, il aurait proclamé que les maisons construites par M. Bouygues ressemblaient (en mieux) au château de Versailles et que TF1 sentait la rose.

La grande chance de M. Polac est que tout se passe comme s'il était mort. Du moins la gauche l'exploite-t-elle comme un cadavre. Elle lui prépare un enterrement grandiose, avec des montagnes de couronnes et un cortège de cent mille pleureurs. Il a été assassiné par la droite. Il y a longtemps que cette pauvre gauche ne s'était pas rendue au Panthéon. Occasion à profiter de suite.

L'inconvénient est que ce diable d'homme ne veut pas mourir. Il s'agite, il donne des conférences de presse, il se met sur le marché de la télévision. De toute façon, il pourra dans quelques mois être candidat à la présidence de la République. A condition, évidemment, qu'il n'ait pas fricassé déjà les largesses de son maçon.

(*19 septembre.*)

Le feuilleton interrompu

L'URSS est le dernier refuge du romanesque. Comme elle donne le ton à ce qu'on appelle globalement l'Est, il s'ensuit qu'il y a aussi du romanesque dans les autres nations communistes. On dira ce qu'on voudra, M. Ceaucescu, qui joue au souverain roumain, successeur par la main gauche de S.M. la reine Carmen Sylva, est plus pittoresque que

M. Mitterrand, M. Kohl, voire M. Reagan. La Chine est encore plus mystérieuse, à présent qu'elle est une démocratie, qu'au XVᵉ siècle, sous les Ming. Toutefois, elle ne produit pas d'aussi jolies potiches qu'en ce temps-là.

Imagine-t-on un potentat occidental disparaissant du 7 août au 29 septembre, c'est-à-dire près de huit semaines ? Toute la presse camperait autour de sa thébaïde, munie de téléobjectifs, les radios enverraient des régiments de reporters et les télévisions des escadres de camions preneurs de son.

Rien de tel en URSS. M. Gorbatchev se volatilise, nul ne souffle mot. L'Occident se perd en contes de fées et en romans noirs : il a été empoisonné par des champignons que lui a fait manger la Nomenklatura inquiète de sa manie réformiste, il est atteint d'une maladie rare, il a eu une « double » crise cardiaque, il se terre, qui sait s'il n'est pas déjà mort ? Oui, oui, c'est cela, il est mort et on cache la nouvelle. Pourquoi ? Parce qu'on cache tout en Russie, par principe, pour le plaisir de faire des mystères. C'est comme ça depuis Ivan le Terrible, et ce n'est pas près de changer.

La déconvenue de l'Occident en voyant M. Gorbatchev réapparaître est comique. Nous avions là un beau feuilleton, nous nous attendions à des rebondissements épatants, à un combat shakespearien autour du trône, à des procès, à des « liquidations », au couronnement inopiné de quelque tsar obscurantiste, militariste et septuagénaire. Rien de cela n'a eu lieu, ô tristesse ! Le cher Michel (ou Mikhaïl, comme on dit en français) est arrivé avec une mine superbe au Kremlin, gai comme un pinson, bronzé comme Giscard.

Comble de prosaïsme, son premier visiteur a été M. Mauroy, flanqué de MM. Estier, Mermaz, Léo Hamon, Anicet Le Pors et divers autres bourgeois hexagonaux. « S'il y a un secret, a déclaré M. Mauroy en sortant du Kremlin, je n'ai pas réussi à le percer. » Cette dernière phrase est plutôt encourageante, car M. Mauroy, depuis une trentaine d'années, n'a guère manifesté de facultés de percement.

(*3 octobre.*)

143

C'est qui, la France ?

Je suis un peu agacé lorsque je lis dans le journal que le tribunal international de La Haye a condamné « la France » à verser huit millions de dollars à l'organisation Greenpeace. Je suis agacé parce que « la France », c'est moi. Je n'ai jamais coulé le bateau appelé *Rainbow Warrior*, ni même demandé à tel ou tel de mes amis de le faire.

Je n'ai jamais mis non plus les pieds en Nouvelle-Zélande. C'est un projet qui, en cent ans, ne me viendrait pas à l'esprit. A tant faire que de voyager, Venise, Vienne, Tolède, Saint-Pétersbourg m'attirent, je ne sais pourquoi, plus que la ville d'Auckland. J'ai tort, sans doute, mais je suis comme je suis. D'ailleurs, je n'ai pas si tort que cela : les séjours à Auckland sont hors de prix. Deux de nos compatriotes y ont demeuré quelques mois et cela a coûté à la France, c'est-à-dire à moi, je ne sais plus combien de millions de dollars (car, en plus, là-bas, on ne veut pas de nos francs).

Nos compatriotes avaient été pris en charge par l'Etat néozélandais qui subvenait à leur nourriture et à leur logement. D'après leurs récits, le logement était exigu et la nourriture des plus frugale. Une villégiature de six mois à l'hôtel Excelsior à Rome, au Sacher à Vienne, où l'on a des appartements royaux et où l'on mange comme quatre, eût coûté beaucoup moins cher. Puisqu'il me fallait payer, j'aurais payé les hôteliers italiens et autrichiens de meilleur cœur que M. Lange, aubergiste en chef de la Nouvelle-Zélande.

Quand je dis que la France, c'est moi, je suis un peu rapide. Ce n'est pas seulement moi, c'est aussi un certain nombre de personnes qui sont nées chez nous et qui ne sont pas plus contentes que moi de donner des millions de dollars à des gens qui, d'après ce que j'ai compris, ne nous aiment guère. La France, c'est aussi Montaigne, Louis XIV, Victor Hugo, Clemenceau, de Gaulle, c'est la cathédrale de Reims, c'est Carmen, etc. Cela commence à Pépin le Bref, cela commence à Clovis. Je donnerais ma tête à couper que Clovis aurait eu horreur de payer des millions de dollars pour un voyage raté.

Bref, j'aimerais que l'on cessât d'imprimer que la France a été condamnée par le tribunal de La Haye, même si l'argent sort de ma poche. Ce qui a été condamné, c'est ce que de Gaulle appelait, dans d'autres circonstances, « un gouvernement de rencontre », qui n'est même plus là.

(10 octobre.)

Vive Pétun !

Les femmes sont bienfaisantes, c'est là leur principal défaut. Elles désirent que nous soyons polis, sobres, sains de corps, moraux, monogames, cadres si possible, raffinés dans nos mœurs et nos habitudes. Bref, elles veulent notre bonheur. L'inconvénient est qu'elles le veulent à leur manière et non à la nôtre. L'homme, l'animal masculin, fût-il septuagénaire ou octogénaire, leur apparaît comme un moutard inconséquent qu'on n'a jamais fini d'éduquer. Elles ne cessent de lui donner des ordres, de le reprendre, de le quereller, de l'envoyer au coin, de le priver de dessert. Toute femme est une maîtresse d'école.

J'ai fait ces réflexions (ou d'analogues) il y a une dizaine d'années, lorsque Mme Simone Veil, qui était ministre de la Santé, se mit en tête d'expliquer au pays que le tabac était nocif et qu'il ne fallait plus fumer. Sur le plan strictement politique, ce n'était pas une mauvaise idée, car les gens sont généralement heureux lorsqu'on interdit quelque chose. Les dociles obéissent voluptueusement, les indociles désobéissent par esprit sportif. Bref, la campagne de Mme Veil eut du succès, surtout auprès des gens qui ne fumaient pas, et qui purent ainsi faire la leçon à ceux qui fumaient, prendre des airs dégoûtés, se pincer le nez, lever les yeux au ciel, etc. Les

145

Français adorent faire la leçon. Quand ils ont derrière eux l'autorité de l'Etat, de la sacro-sainte Santé, ils sont terribles.

Mme Barzach, étant femme comme Mme Veil, veut notre bien. Je la trouvais mignonne, je voyais en elle la Cresson du RPR, bref, j'étais un peu attendri par cette charmante personne ministérielle. Hélas ! C'est une maîtresse d'école comme ses congénères. Elle veut aussi empêcher la France de fumer, et avec plus d'ardeur que maman Simone. Périsse la Seita plutôt qu'un principe ! Je me demande ce que M. Balladur, à qui le tabac rapporte quelques recettes non négligeables, pense des initiatives de son aimable collègue. Et que fera-t-on, si on ne fume plus, des majors de Polytechnique qui entraient traditionnellement dans les Tabacs ?

Le grand argument des gens qui ne fument pas est que la fumée des autres entre dans leurs chers poumons. Il faudrait quand même leur dire qu'elle n'y entre guère, et que, de toute façon, elle est moins corrosive que les pots d'échappement des voitures qui ont tant rongé les chevaux de Marly qu'on a été obligé de les refaire en polyester bichromé.

Tout le monde devrait lire Molière, et spécialement les ministres de la Santé. Le monologue de Sganarelle qui ouvre *Dom Juan* me paraît un assez bon texte pour eux : « Quoi que puisse dire Aristote et toute la philosophie, il n'est rien d'égal au tabac : c'est la passion des honnêtes gens et qui vit sans tabac n'est pas digne de vivre. » Sganarelle observe que, dès que l'on pétune, « on en use de manière obligeante avec tout le monde... tant il est vrai que le tabac inspire des sentiments d'honneur et de vertu à tous ceux qui en prennent ». Mon Dieu, les Français fumeurs ne sont déjà pas très obligeants, que sera-ce quand ils ne fumeront plus du tout !

(*12 octobre.*)

Moscou en novembre

Le calendrier orthodoxe ayant quelques jours d'avance sur le calendrier grégorien, l'URSS célèbre l'anniversaire de la révolution d'octobre 1917 au début du mois de novembre. La télévision ne manque pas de nous offrir chaque année des images de cet événement, qui sont d'ailleurs toujours les mêmes. Les hauts dignitaires soviétiques sont exposés en brochette au-dessus du mausolée de Lénine. Comme ils ont devant eux une espèce de parapet, on ne voit à peu près que leurs têtes. Cela me fait songer invariablement à M. Thiers qui était si petit que, quand il prononçait un discours à la Chambre des députés, on avait l'impression que son visage était posé sur le bord de la tribune.

Cette rangée de maréchaux à casquettes plates et de ministres en chapeaux mous, dominée par un bonhomme qui, selon le mot d'Orwell, a l'air plus égal que les autres, à savoir le Secrétaire général du Parti communiste soviétique et empereur de toutes les Russies, a l'aspect d'une photo de famille. Les têtes changent au fil des années, mais point la composition du cliché.

Longtemps Staline apporta une touche pittoresque au tableau. Le monde savait que c'était un ogre, et l'on tâchait de deviner quel chapeau mou ou quelle casquette plate de son entourage il aurait envie de manger le lendemain au petit déjeuner. Du reste, si mes souvenirs sont exacts, il était plus animé que les autres, il se levait, se rasseyait, faisait ses sourires de carnassier sous sa moustache de bon-papa, il se penchait pour chuchoter des choses insignifiantes et secrètes dans une oreille extasiée et craintive. Les moujiks pressés comme des harengs sur la place Rouge contemplaient avec tendresse le vieux mangeur d'hommes, dont la silhouette n'avait pas varié depuis trente ans.

En 1953, *exit* Staline. En 1964, apparaît Brejnev, qui s'évapore à son tour et qui est remplacé par des vieillards de plus en plus branlants. La photo de famille tourne à la galerie d'ancêtres. L'Occident se plaît à croire que l'URSS devient une sorte de Vatican athée, où l'on élit comme pape un patriarche à moitié mort, afin de pouvoir le remplacer plus souvent. Chateaubriand aurait été inspiré par l'immuable commémoration de la révolution de 1917. Tout alignement de grands personnages évoque un jeu de massacre, mais c'est le Temps ou c'est Dieu qui jette les boules et fait basculer les figurines dans la trappe. Et voici enfin M. Gorbatchev et la jolie Mme Gorbatcheva, coiffée d'une toque blanche comme Marlène dans *L'Impératrice rouge*. Combien de novembres cet aimable couple restera-t-il sur scène ? Qui sait quand l'implacable joueur le prendra pour cible ?

Comme pour le 14 Juillet en France, le clou des réjouissances commémoratives est une revue militaire qui est fort ennuyeuse, ressemblant à toutes les revues militaires du monde, lesquelles sont devenues des expositions de machines, à peu près aussi exaltantes que le Salon du matériel agricole. Cette année-ci, toutefois, il y avait des chevaux, car c'était le soixante-dixième anniversaire d'octobre 17, et l'on avait exhumé des uniformes de cette lointaine époque, ainsi que quelques vieilles mitrailleuses. A part cela, M. Gorbatchev et Madame ont contemplé les mêmes chars, les mêmes camions, les mêmes missiles que leurs prédécesseurs, les mêmes bataillons marchant au pas de l'oie, kalachnikov à la hanche. Malgré les grands mots de progrès, d'avenir, de mutations, de réformes, rien ne change jamais. On ne trouve pas autre chose dans la patrie du prolétariat, pour distraire le peuple, pour entretenir périodiquement sa fierté nationale, que de faire défiler des soldats, comme au temps des tsars, des empereurs romains, des pharaons.

Pourquoi le soldat est-il le seul personnage pour lequel le peuple consent à se déranger ? Il n'est même plus vêtu de plumes, de cuirasses, de dolmans, de grandes bottes, zébré de brandebourgs, orné de passementeries et de buffleteries comme autrefois ; il ne monte plus de fringants destriers dont les sabots martelant le pavé faisaient entendre une musique héroïque. Il est devenu un manœuvre, un mécanicien en salopette ; il actionne des mécaniques à tuer absolument dépourvues de poésie ou de panache. Néanmoins, il fait toujours recette.

Imaginez un défilé d'artistes-peintres, par exemple, portant leurs tableaux à bout de bras, de boulangers la baguette sur l'épaule droite, d'électriciens, d'ébénistes, d'horlogers, de soudeurs à l'arc, de cultivateurs sur leurs moissonneuses-lieuses : il n'y aurait pas un spectateur ou tout juste quelques titis lançant des quolibets. Pourtant, ce serait là une revue plus morale, plus progressiste, plus symbolique, plus dans le véritable esprit de la Révolution que les sempiternels grenadiers munis de leurs fusils à douze cents coups par minute. Elle aurait même ce côté édifiant, un peu rasoir, que semblent tant apprécier les pays socialistes. *L'Internationale*, où il est dit que « nos premières balles seront pour nos généraux », n'aurait pas l'air déplacée, au moins, pour accompagner ces paisibles travailleurs.

L'URSS est la seule chose au monde à propos de laquelle on ne prononce jamais le mot de « papa ». Il y avait naguère « l'Algérie de papa », il y a « la France de papa » (remplacée par l'Hexagone), l'université de papa (où l'on n'appelait pas les professeurs par leur prénom), etc. M. Mitterrand, à présent qu'il a des loisirs, pense peut-être qu'il est hébergé à « L'Elysée de papa ». En revanche, je n'ai jamais entendu parler de « l'URSS de papa ». Serait-ce parce qu'il n'y a pas d'avenir pour « l'URSS de fiston » ?

L'URSS a soixante-dix ans. Elle nous offre le spectacle étonnant d'une révolution figée, d'un pays immobile qui ne remet plus rien en question, qui a installé une société totalement fossilisée, avec ses maîtres et ses esclaves. Un seul homme, eût-il tous les pouvoirs, peut-il y modifier quelque chose ? Kroutchev a essayé, et on l'a très vite chassé. Il faudrait Pierre le Grand, qui était aussi féroce que Staline, et qui ne dédaignait pas de couper les têtes personnellement. M. Gorbatchev me semble un peu trop réformiste pour être vraiment un novateur. Les vieillards ne se laissent éliminer que par d'autres vieillards, encore plus conservateurs qu'eux.

(*18 octobre.*)

149

La gnôle des poilus

Mlle Jeannie Longo, grande championne de bicyclette, que l'on accuse d'avoir grignoté des amphétamines afin de gagner une course aux Etats-Unis, devrait, pour sa défense, parler du 11 Novembre. Nous a-t-on assez raconté qu'avant les offensives, entre 1914 et 1918, les officiers « dopaient » les Poilus en leur faisant distribuer des rations de gnôle ; étant à moitié ivres, les troupes avaient davantage de « mordant », selon le mot de l'époque. Il n'est rapporté nulle part que l'état-major allemand ait protesté contre cette pratique, ni qu'il ait demandé à quelque jury d'honneur de disqualifier l'infanterie française.

Le sport aujourd'hui, tout au moins dans les compétitions internationales, est une espèce de guerre où il s'agit de faire triompher son drapeau. On ne court plus aux frontières mais aux stades. C'est frappant aux jeux Olympiques, qui sont devenus une arène où s'affrontent d'irréductibles nationalismes, où résonnent sans arrêt des hymnes patriotiques et où il s'agit d'humilier les autres pays en exhibant les plus gros biceps.

Quant aux athlètes professionnels, ce ne sont point des gens qui exercent leur corps pour être plus beaux, plus forts, plus sains, mais des comédiens, des phénomènes de foire dont la seule fonction est de battre des records, c'est-à-dire de développer monstrueusement une certaine aptitude physique. Ils sont l'équivalent humain de ces poireaux géants et de ces pommes grosses comme des melons que les horticulteurs s'amusent à « pousser » pour remporter des prix dans les expositions, mais qui n'ont aucune saveur, aucune utilité.

Bref, je ne vois pas pourquoi on empêche les champions de se doper. Comme ce sont des gens hors du commun, des héros, des prodiges, qu'importe qu'ils atteignent au chef-d'œuvre d'une manière ou d'une autre ? Balzac buvait trente tasses de café par nuit, grâce à quoi il a écrit *La Comédie humaine*. Baudelaire a mangé du haschich pour donner à ses lecteurs des frissons nouveaux. Voilà bien du dopage, non ?

La Société des gens de lettres ne les a pas condamnés à cesser d'écrire pendant six mois par souci de moralité littéraire. Au nom de quelle morale interdit-on à Mlle Jeannie Longo d'absorber de l'éphédrine si elle en a envie ? Mlle Longo, dans son genre, est aussi rare que Baudelaire.

Un champion, qui gagne les cachets d'une vedette de cinéma et qui est célèbre, a les meilleures raisons de se droguer afin de conserver sa situation et sa gloire. Ce n'est pas lui qu'il faut punir : c'est la vaste organisation mondiale qui a créé de toutes pièces cet être bizarre, absolument antinaturel, qu'est l'athlète professionnel.

(*14 novembre.*)

Les têtes à chapeau

Le pauvre M. Hernu n'apparaît plus dans les dessins des caricaturistes que coiffé d'un immense chapeau qui lui descend sur les yeux. Je ne sais quel sentiment il éprouve à se voir coiffé de la sorte. Si j'étais lui, je serais assez content. Cela montre que tout le monde a compris que ses « amis » socialistes l'ont pris comme bouc émissaire et s'évertuent à rejeter sur lui leurs péchés, qui sont peut-être nombreux. Encore deux ou trois chapeaux et M. Hernu tournera au souffre-douleur, c'est-à-dire au martyr. Il serait farce que, seul dans tout le PS, après avoir tant été accablé, il sortît indemne des diverses horreurs que l'on révèle au public chaque semaine.

Au temps des modistes, les femmes s'enorgueillissaient d'avoir « une tête à chapeau », c'est-à-dire d'être encore plus jolies avec un chapeau que sans. Dans mon enfance, les élégantes portaient « d'adorables petits bibis » qui coûtaient extrêmement cher aux contribuables, c'est-à-dire à leurs maris. Ces merveilles étaient faites avec rien ; les doigts de fée des modistes les avaient transformées en œuvres d'art.

151

Certains ministres ont une tête à chapeau ; M. Hernu, malheureusement pour lui, en a une. Ses bonnes joues, son expression cordiale, sa barbiche en sont des preuves terribles. Outre cela, il s'est fait une réputation détestable comme ministre de la Guerre. Il aimait l'armée et le disait imprudemment. On voyait que le métier lui plaisait, qu'il se sentait à l'aise parmi les généraux et les soldats. Il assistait aux manœuvres avec, sur le dos, quelque chose qui ressemblait à un uniforme. Les journaux satiriques se moquaient de lui chaque semaine. Quant à ses collègues du gouvernement, je mettrais « ma main au feu », comme dit le président de la République, qu'ils étaient consternés qu'un des leurs, à qui l'on avait donné la rue Saint-Dominique, n'eût pas l'élégance élémentaire d'être antimilitariste.

Il faut avouer que M. Hernu porte les chapeaux dont on le coiffe avec un chic suprême. Il n'a pas un mot de reproche, il ne daigne pas se justifier, il se tait avec orgueil, il a un air mélancolique du meilleur effet. Il n'est pas possible qu'une attitude aussi parfaite ne paie, à la longue.

J'aimerais savoir — mais je ne le saurai évidemment jamais — si M. Hernu, dans le secret de son cœur, se dit parfois qu'il est un peu dérisoire de se sacrifier à une chose telle que le Parti socialiste. Peut-être pense-t-il qu'on meurt pour la France comme on peut. Ce n'est pas sa faute s'il vit maintenant plutôt qu'au XVIIᵉ siècle.

(24 novembre.)

Le Président, son fils et les ânes

Jadis, nos politiciens étaient des carnassiers, des fauves, qui n'avaient pas honte de montrer leurs longues dents et de croquer les Petits Chaperons rouges. De ce fait, ils inspiraient confiance. Les électeurs étaient sûrs que de tels gaillards ne laisseraient échapper aucune occasion de faire gagner leur parti, quitte à passer pour des monstres. En 1900, la politique était comme la guerre. On ne s'embarrassait pas de considérations humanitaires lorsque la victoire était en jeu.

A présent, le cynisme a été remplacé par la morale. Tartuffe a succédé à Attila. On ne saurait nier que Tartuffe soit un homme supérieur en matière d'imposture, mais ce n'est pas un meneur d'hommes, ce n'est pas un chef. Avec lui on a toujours à redouter qu'il ne préfère donner à l'opinion le spectacle de sa belle âme plutôt que de faire sans vain scrupule ce qui serait efficace. Il s'ensuit que les électeurs n'ont jamais un instant de tranquillité. Ils se demandent sans cesse quelle bêtise va faire l'honorable Tartuffe dans le seul but de plaire aux intellectuels parisiens.

Le chef-d'œuvre politique du septennat de M. Mitterrand est l'invention de M. Le Pen. Il fallait une extrême sagacité pour jeter dans les jambes de la droite honteuse un parti de droite arrogant auquel elle n'oserait jamais s'allier par crainte d'avoir l'air de mauvais ton. Il a compris cela, le cher Président, ce qui montre qu'il est encore plus malin qu'on ne le dit. Il connaît son époque. Il sait qu'il n'y a plus de cynisme nulle part, que le cynisme est très mal vu, et qu'on peut faire tout ce qu'on veut à condition de mettre les choses sur le terrain de la morale.

Les résultats sont parlants. Aux élections cantonales de Tourcoing, la droite était en tête ; c'est la gauche qui l'a emporté grâce aux abstentions des électeurs du Front national. La même mésaventure va peut-être lui arriver à Marseille. Que se passera-t-il aux élections présidentielles ? Normalement, M. Le Pen devrait faire réélire M. Mitterrand si celui-ci se présente. Ne serait-ce que par piété filiale, vu qu'il s'agit, en quelque sorte, de son père.

Il n'y a pas que des nigauds, je pense, à l'UDF et au RPR. M. Toubon et M. Léotard auraient intérêt à méditer sur le mot cynisme. Dans le secret, évidemment. Je ne leur demande pas de raconter cela à tout le monde. Le cynisme consisterait à se servir sans vergogne de M. Le Pen, puisqu'il existe, et à le laisser tomber après usage. Que ce soit moi, paisible homme de lettres, qui leur donne ce conseil, à eux, grands loups du Parlement et du ministère, montre dans quelle absurdité la morale nous fait vivre.

(*28 novembre.*)

Nul n'est parfait

Il est irritant de voir les personnes qui ne vous sont pas sympathiques réussir. A ce point de vue, M. Pasqua désole la gauche qui, je ne sais pourquoi, a horreur des gens compétents. Lorsqu'il fut nommé ministre de l'Intérieur, elle fit une campagne terrible contre lui, dont le principal argument était qu'il n'avait pas l'air gentil.

Cette accusation me parut singulière, relativement à quelqu'un dont la fonction est de commander à la police, de pourchasser les criminels, d'anéantir les terroristes, de remettre de l'ordre dans la rue, c'est-à-dire dans les mœurs. Qui donc la gauche aurait-elle voulu que M. Chirac installât place Beauvau ? L'abbé Pierre, je suppose, ou Mgr Decourtray, archevêque de Lyon. Et encore, elle aurait trouvé à redire, elle les aurait jugés trop à cheval sur la morale, calotins, qui sait ? bien que Mgr Decourtray ne le soit pas tout à fait autant, à mon goût, qu'un prélat devrait l'être. Mon Dieu qu'il est difficile de plaire à la gauche ! Je ne comprends pas que la droite, depuis vingt ans qu'elle s'y échine, n'y ait pas renoncé.

En 1986, quelques jours après la constitution du gouvernement de M. Chirac, il se trouva que je participai à une émission de radio, à cause d'un livre que je venais de publier, dans lequel il n'était nulle part question de politique. Cela n'empêcha pas les intellectuels qui s'occupaient de moi de me quereller sur M. Pasqua, comme si c'était moi qui l'avais nommé, et de me sommer de le désavouer toute affaire cessante (au nom de M. Pierre Joxe, sans doute). Je dois dire à mon honneur que je tins bon sous ce pilonnage. Je défendis M. Pasqua ; je déclarai qu'il me paraissait avoir toutes les qualités requises pour être un bon ministre de l'Intérieur ; j'ajoutai que Clemenceau, quand il occupa ce poste, dut, comme lui, faire pousser des cris de douleur aux belles âmes de 1906. Il est heureux que les intellectuels aient « moins de courage physique que de courage civique », comme disait Clemenceau justement, sinon j'aurais été rossé à la sortie du studio.

Il faut convenir aujourd'hui que M. Pasqua a réussi. Il est auréolé de cent victoires, il est une des étoiles du gouvernement. Ni l'abbé Pierre ni Mgr Decourtray n'auraient, j'en suis sûr, aussi bien fait que lui. M. Pierre Joxe lui-même, qui pourtant ne ruisselait pas d'onction ecclésiastique, a l'air, auprès de lui, d'un aimable dilettante. Enfin, aimable, on voit ce que je veux dire.

La seule chose qui manque à M. Pasqua pour être un grand ministre de l'Intérieur est de n'être pas de gauche. Il a préféré être gaulliste. Nul n'est parfait.

(*5 décembre.*)

Une poignée de dollars

Il est toujours surprenant de constater comme les gouvernements manquent de psychologie. Est-ce particulier à la France ? Avec M. Lange, Premier ministre de la Nouvelle-Zélande, nous nous y prenons aussi maladroitement que possible. Nous savons bien, pourtant, quel est le faible de cet aimable homme. Il nous l'a fait savoir avec insistance.

Le faible de M. Lange est l'argent. C'est une passion qu'il a en commun avec une certaine catégorie d'hommes d'affaires dont l'industrie consiste à capturer des gens et à demander quelques millions de francs pour les remettre en liberté. Nous connaissons les tarifs de M. Lange : quand on lui allonge quelques millions de dollars, il devient aussitôt très gentil, très accommodant.

Que ne lui a-t-on expédié un émissaire pour lui apporter cinq ou dix millions de dollars dans un cabas ! Il n'aurait certainement pas protesté contre le retour du commandant Mafart à Paris. Si on était allé jusqu'à quinze millions, peut-être aurait-il poussé la complaisance jusqu'à déclarer qu'il était enchanté que l'on hospitalisât ledit commandant au Val-de-Grâce, et que, pour un peu, il nous l'aurait conseillé.

Le coup du médecin néo-zélandais envoyé à Paris pour vérifier que notre infortuné compatriote est réellement malade et le téléphoner séance tenante à M. Lange (aux frais de la Sécu sans doute, elle en a vu d'autres) est une touche de génie, destinée à bien nous persuader que nous n'avons pas affaire à une quelconque organisation, mais à des personnes sérieuses, avec lesquelles on traite dans l'honneur et dans la dignité.

Nous avons la chance de posséder dans le gouvernement actuel un ministre qui a une grande habitude des mœurs néo-zélandaises et qui a remporté de nombreux succès dans des affaires aussi délicates que celle qui est évoquée ici. Il s'agit de M. Pasqua. A mon avis, on devrait lui remettre le dossier de M. Lange. Il est le seul qui saurait le clore une bonne fois pour toutes. L'inconvénient serait qu'il confondît l'ONU avec Interpol, par réflexe professionnel.

(*19 décembre.*)

L'artiste se consomme gratis

Pourquoi donc blâme-t-on tellement M. Montand d'avoir exigé (et reçu) huit cent mille francs de TF1 pour se laisser interroger chez lui par Mme Sinclair et M. Colombani ? TF1 était libre de ne pas accepter ce marché. Si elle a topé, c'est qu'elle a pensé que M. Montand valait la dépense.

156

J'ai une tout autre expérience de la télévision et de la radio. Lorsque par hasard on me demande mon avis sur quelque chose, lorsqu'on vient me filmer à domicile (cela arrive de temps à autre), lorsqu'on me fait exposer mes idées (à supposer que j'en aie), on ne m'octroie pas un sou. Si j'objecte timidement que j'offre à la station une demi-heure ou une heure d'émission gratis, on me répond avec hauteur que cela me fait une admirable réclame, que je devrais me confondre en remerciements et, à la rigueur, que ce serait plutôt à moi de payer.

Au tarif de M. Montand, j'ai donné à la radio et à la télévision, depuis une trentaine d'années, plusieurs millions de francs. Personne, à ma connaissance, n'a écrit d'articles moqueurs sur ces organismes, qui sont beaucoup plus riches que moi, alors qu'on ne cesse de taper sur l'avidité de M. Montand, qui est probablement moins riche qu'eux.

L'inconvénient d'être écrivain ou artiste, c'est que l'on vous traite automatiquement en grand seigneur, fussiez-vous pauvre comme un rat. Vous devez tout donner et ne rien recevoir. Notez qu'une telle situation n'est pas sans charme ; je dirai même qu'elle est le comble du chic. Du reste, les intéressés (si j'ose dire !) ne s'y trompent pas : ils prodiguent sans compter leur temps et leur esprit à des commerçants qui ont la chance de n'être pas des grands seigneurs — et qui, soyons équitable, disent merci quelquefois.

Ce qui m'intéresserait, c'est ce que vont dire les confrères de M. Bouygues, patron de TF1, qui se met sur le pied de payer ce qu'on a ordinairement pour rien : qu'il gâche le métier, sans doute, qu'il ne joue pas le jeu, qu'il donne le mauvais exemple. Ils n'auraient pas tort. D'ailleurs, M. Montand n'a pas été fameux dans son interprétation du *Temps des cerises*. Je chante *La Petite Emilie* pour moins cher.

(26 décembre.)

1988

Gloire au tréponème !

La panoplie du petit cosmonaute se compose d'un casque en plexiglas (avec antenne extérieure pour faire la conversation aux collègues), d'une combinaison spatiale (ressemblant grosso modo à un survêtement sportif), d'un pistolet à laser pour tenir les Martiens en respect. Cet accoutrement plaît aux gamins d'aujourd'hui ; ils le préfèrent de beaucoup aux vieilles panoplies de pompier, de cow-boy, de gardien de la paix, dans lesquelles les enfants d'autrefois cherchaient les symboles de la puissance ou de l'héroïsme.

Que vont faire les marchands de jouets depuis que M. Romanenko, cosmonaute soviétique, est rentré de voyage ? Continueront-ils à flatter les illusions des bambins ou fabriqueront-ils des panoplies réalistes ? Celles-ci auraient le mérite d'être philosophiques, mais ne seraient guère exaltantes. Elles consisteraient en une paire de cannes anglaises, un fauteuil roulant, des pilules de calcium, un oreiller moelleux et des pantoufles en feutre.

En effet, le pauvre M. Romanenko, qui a passé trois cent vingt-six jours sur orbite, est dans un bien triste état. Ses os sont devenus cassants « comme du verre » (style officiel) et sa colonne vertébrale s'est allongée de dix centimètres. Tels sont les méfaits que l'espace, pour peu que l'on y reste un

161

moment, cause à l'organisme des terriens. On lui a recommandé de ne pas sauter de joie en émergeant de son « vaisseau spatial » (style science-fiction) car, dans ce mouvement spontané, il eût risqué de tomber en morceaux.

« Rien n'est bon pour la santé comme les voyages », s'écriait Flaubert en rentrant d'Egypte où il avait attrapé une vérole effrayante qui, entre autres désagréments, le rendit chauve. Il survécut quand même une trentaine d'années, écrivit *Madame Bovary*, et finalement garda un assez bon souvenir des pyramides.

Il est fâcheux que personne n'ait l'idée de demander à M. Romanenko, dans l'état où il est, s'il ne préférerait pas le tréponème à la décalcification. Mais on ne pose jamais de questions intéressantes, ai-je remarqué. Rien que des questions idiotes, qui amènent des réponses idiotes. Si M. Romanenko peut encore parler, je parie qu'il déclarera qu'il a vécu une expérience extraordinaire et qu'il est heureux de s'être sacrifié à son pays et à la science. En tout cas, c'est ce que diffusera l'Agence Tass.

(2 janvier.)

Titus et Bérénice

M. Mitterrand et M. Chirac ne se pressent pas de dire qu'ils sont candidats à la présidence de la République parce qu'ils n'ont jamais été aussi heureux que depuis que l'un est le Premier ministre de l'autre. L'idée que cet « état de grâce » (tellement plus réussi que celui de 1981) va finir, inéluctablement, par la faute d'une stupide échéance électorale, les plonge dans la tristesse. Chacun pense, à la manière de Montherlant : « Encore un instant de bonheur ! » Ils ne bougent pas. Ils font mine de rien, comme si la félicité présente devait durer indéfiniment.

Lorsque M. Chirac était Premier ministre de M. Giscard,

celui-ci était constamment sur son dos, le contrecarrait, lui imposait ses vues, lui faisait sentir le joug. M. Chirac n'était pas content et cela se voyait. Il avait le sourcil froncé, le visage contracté, il était brusque, il était irritable.

Aujourd'hui, il offre l'image d'un homme comblé, toujours gai, toujours souriant, le mot aimable pour chacun. Cette bonne humeur ne trompe pas. Et elle se comprend : il fait ce qu'il veut ; c'est lui qui a le pouvoir, c'est lui qui est le vrai maître. Si le chef de l'État désapprouve telle ou telle de ses décisions, il n'en a cure. Il est dans la situation délicieuse de maire du Palais d'un roi mérovingien — ou d'un président du Conseil de la IVᵉ République.

M. Mitterrand, de son côté, a tout lieu de se réjouir. Depuis que M. Chirac gouverne à sa place, sa popularité a grimpé dans des proportions inespérées. Quand il travaillait, on le trouvait exécrable ; maintenant qu'il ne fait plus rien, on le trouve épatant. En outre, n'étant d'accord sur aucun point avec le gouvernement, il a le plaisir de le critiquer, de le fronder, de le désavouer, de se moquer de lui, attitude qui ne manque jamais de plaire aux Français. Etre à la fois à l'Elysée et dans l'opposition est une aubaine rare, une sorte de perfection politique, dont on voudrait qu'elle durât toute la vie. Hélas ! rien ne dure en démocratie.

M. Mitterrand et M. Chirac se rendent certainement compte que, quoi qu'il arrive aux présidentielles de 1988, cela ne sera jamais aussi bien que ce qui est arrivé aux législatives de 1986. Leur drame est qu'ils ne peuvent le dire à personne. M. Mitterrand doit faire semblant de souhaiter une grande victoire socialiste, en priant tout bas que le ciel ne lui inflige pas l'épreuve de le remettre en ménage avec M. Mauroy ou M. Fabius ; et M. Chirac est obligé de déclarer qu'il se désistera pour M. Barre si celui-ci arrive en tête au premier tour. C'est à peu de chose près l'intrigue de *Bérénice* de Racine : *Invitus invitam dimisit* : ils se séparèrent malgré leur amour.

(9 janvier.)

163

Mauvais présage

Les Romains de l'Antiquité, qui étaient beaucoup plus intelligents que nous en matière de politique, croyaient aux présages. Ce n'était pas superstition de leur part, mais plutôt qu'ils avaient l'esprit aux aguets, qu'ils tâchaient de déchiffrer les messages ambigus du destin, de repérer les impondérables à cause desquels leurs entreprises risquaient d'échouer. Aujourd'hui, si vous parlez de présage heureux ou funeste aux grands hommes qui gouvernent le monde, ils haussent les épaules. Ils ne s'occupent pas de ces bêtises-là. Ce sont des rationalistes. Ils n'ont plus d'instinct. Moyennant quoi, il leur arrive toutes sortes de catastrophes dont la plus douce est d'être renversés.

Il n'y a pas de raison pour que M. Gorbatchev soit moins rationaliste qu'un autre potentat moderne. Il y a même toutes les raisons pour qu'il le soit davantage, étant communiste et athée. Il n'aura sans doute pas accordé la moindre attention aux propos de M. Dubcek, selon quoi ce qu'il fait en ce moment, lui Gorbatchev, ressemble à s'y méprendre aux réformes tchèques de 1968 et à ce qu'on a appelé le « printemps de Prague ».

A l'époque, M. Brejnev, occupé avant tout de la sécurité et de la puissance de son empire, avait jugé les idées de M. Dubcek incompatibles avec les siennes propres et le Printemps de Prague avec l'hiver de Moscou. Il envoya trois ou quatre divisions de chars en Tchécoslovaquie et mit M. Dubcek en prison. Ce qui montre que M. Brejnev n'était pas un mauvais homme dans le fond, c'est que M. Dubcek est toujours de ce monde et donne des interviews à *L'Unità*.

Un homme d'Etat qui rate son coup, quelle qu'en soit la cause (et fût-elle des plus honorable) est un paria, un épouvantail, un lépreux. Du moins devrait-il l'être pour ses confrères, et toute assimilation avec lui leur faire horreur : c'est comme s'il leur passait subrepticement un peu de sa guigne.

Que M. Dubcek ait osé déclarer que M. Gorbatchev est

une sorte de Dubcek russe a quelque chose de prémonitoire et de sinistre, dont je serais épouvanté, moi, si j'étais ledit Gorbatchev. Après les diverses fantaisies auxquelles celui-ci s'est livré depuis qu'il est au pouvoir et que la Nomenklatura n'apprécie guère, sans doute, cette caution, soudain, c'est trop. C'est l'oiseau de mauvais augure qui s'envole sur la gauche.

(16 janvier.)

Pas de Nobel pour Swift

Tout le monde connaît l'histoire du télégramme à George Bernard Shaw : une célèbre danseuse lui proposait d'avoir un enfant avec lui, parce qu'il était l'homme le plus intelligent et elle la plus belle femme du monde. Shaw répondit que l'enfant risquait d'avoir l'intelligence de la mère et la beauté du père.

Je ne sais pourquoi, la conférence des prix Nobel à Paris m'a fait songer à cette anecdote. L'enfant que les soixante-quinze lauréats ont donné à M. Mitterrand, si j'ose dire, n'est pas d'une beauté inattendue ni d'une intelligence exceptionnelle. Il me semble avoir déjà lu mille fois les vœux que ces bonnes gens ont pieusement exhalés, à savoir qu'il faut être tolérant, respecter la nature, ne pas croire à toutes les bêtises de la télé, combattre le sida, aider le tiers monde, pratiquer le désarmement, envoyer les enfants à l'école, etc. Ma foi, je crois que j'aurais trouvé cela tout seul, sans l'aide des soixante-quinze lumières allumées à Stockholm au cours de ces dernières années.

Il est fâcheux que Swift ne soit pas un auteur contemporain couronné par l'Académie suédoise. Il aurait apporté un peu de fantaisie dans la déclaration en seize points qui a clôturé le conclave nobélesque. Dans un opuscule traitant du paupérisme en Irlande, il préconise de manger les petits

165

Irlandais que leurs malheureux parents ne parviennent pas à élever. D'après un Américain « fort compétent » qu'il a connu à Londres, un bébé sain et bien nourri constitue à l'âge d'un an « un plat délicieux, riche en calories », qu'il soit préparé « à l'étouffée, au four ou en pot-au-feu ». Il ajoute : « J'ai tout lieu de croire qu'il fournit de même d'excellentes fricassées et ragoûts. »

Swift est mort en 1745. On peut bien dire que, depuis cette date, personne n'a donné un seul bon conseil aux peuples ou aux personnes en détresse. Ainsi, ce jeune papa et cette jeune maman qui cherchent désespérément à offrir à quelqu'un le nourrisson qui leur est né et qui les embarrasse. Pourquoi l'offrir ? Pourquoi ne pas le vendre ? Cela rapporterait au jeune couple de quoi vivre le temps de faire un autre enfant, qu'ils vendraient à son tour. Ils pourraient de la sorte, de naissance en naissance, subsister jusqu'à l'âge de la retraite, ou presque.

Il est peu probable que Swift, aujourd'hui, obtiendrait le prix Nobel de littérature. Il est très difficile, même à des académiciens suédois, de comprendre du premier coup un auteur qui dit noir lorsqu'il veut faire comprendre qu'il n'aime que le blanc. Cela s'appelle l'humour, et cela s'exporte assez mal, en dépit de la traditionnelle maîtrise des mers par la Royal Navy.

(23 janvier.)

1788

J'en ai par-dessus la tête de 1789, et ce n'est pas fini, hélas ! Nous allons avoir le droit l'année prochaine à une foule de commémorations assommantes, de discours encore plus assommants, de bouquins exaltant Robespierre, Desmoulins, Saint-Just, Couthon et consorts. Que le président de la République soit de gauche ou de droite, ce sera la même chose. La Révolution fait partie des « figures imposées » à tous les politiciens français. Il faut absolument qu'ils exécutent quelques entrechats en son honneur, qu'ils se réclament d'elle, pour avoir l'air de farouches républicains.

C'est d'autant plus ridicule que rien aujourd'hui, chez nous, ne ressemble à l'esprit de ce temps, qui était belliqueux, patriote, hégémonique. Les Français de maintenant sont pacifistes ; leur hégémonie se limite à un hexagone ; quant à leur patrie, ce n'est pas la France, mais, selon leur goût, les Etats-Unis, l'URSS, Israël ou l'Islam. Si le citoyen Robespierre, par l'opération du Saint-Esprit, revenait à Paris en 1989, il se dirait que le Grand Ancêtre, ce n'est décidément pas lui, mais Tallien ou Barras.

Il est surprenant qu'aucun parti royaliste (nous en avons au moins deux : l'un qui soutient le comte de Paris, l'autre qui se recommande du duc d'Anjou) n'ait eu l'idée de parler de l'année 1788, qui mérite vraiment, elle, qu'on la regrette, qu'on la commémore, que l'on verse à son propos des larmes de nostalgie. C'est la dernière année de la douceur de vivre, de la politesse, de l'esprit, du grand goût français, de l'Europe française, de la splendeur architecturale.

En 1788, la France était le plus beau royaume du monde. Il ne lui manquait qu'un peu de souplesse en politique intérieure, c'est-à-dire un roi qui aurait fait lui-même la révolution et aurait substitué avec douceur une monarchie constitutionnelle à la monarchie absolue. Louis XVI, qui était fort intelligent et qui avait des vues profondes, contrairement à ce qu'on raconte depuis deux cents ans, aurait pu être ce roi. Il ne lui a manqué qu'un peu de dureté.

Il se pourrait bien que le bonheur de la France ait fini en 1788. Les sans-culottes ont démoli les œuvres d'art et brûlé les châteaux ; la « bande noire » a ravagé le territoire en spéculant sur les biens nationaux ; la Convention a fait autrement de morts que la Saint-Barthélemy, et l'Empire a tué un million de jeunes gens. Le XIXe siècle a été un chaos politique tel que l'on se demande comment il a pu être aussi riche en artistes et en poètes. Rien de tout cela ne fait le poids devant la prise de la Bastille, dont Rivarol disait : « Les Français y tiennent comme au passage du Rhin, qui ne coûta de peine qu'à Boileau. »

(25 janvier.)

Plus fort que l'atome : l'âme

La nouveauté de la guerre moderne, c'est que Dieu a changé de camp. Il n'est plus du côté des gros bataillons, mais des francs-tireurs, des partisans, des braconniers, des bricoleurs de mitrailleuses fourbues. Les gros bataillons américains ont été boutés hors de la péninsule indochinoise par de petits Vietnamiens qui se servaient de pièges à loup et d'essaims d'abeilles. Les gros bataillons soviétiques songent sérieusement à évacuer l'Afghanistan où l'on démolit impitoyablement le beau matériel de l'Armée rouge avec des bazoukas hors d'usage.

En fait, Dieu a toujours eu un faible pour les guérillas. Cela commence avec David, tout nu, tout maigre, qui flanque par terre le géant Goliath armé de pied en cap en lui envoyant un caillou dans l'œil. Tout au long de l'Histoire, il y a des exemples de ce genre. Le David espagnol a terrassé le Goliath-Napoléon en égorgeant les grenadiers d'Austerlitz et les cuirassiers de Wagram au coin des rues et au coin des bois.

Goliath n'a jamais été aussi fort qu'à présent. Il dispose de tout ce qui lui permet de détruire ses ennemis ; il peut même anéantir la planète si cette lubie lui germe sous le casque. Néanmoins, il se fait crever l'œil chaque fois qu'il s'attaque à un malingre, à un sous-développé qui a ce curieux désir de persévérer dans son être. Goliath n'a de chances que contre un autre Goliath aussi lourd et aussi bardé de missiles que lui. Mais il recule devant cette grande bagarre. Il se dit qu'il risque d'y perdre la vie et non pas seulement un œil, même si, en même temps, il tue son adversaire.

Il est amer de posséder deux ou trois mille têtes nucléaires et de battre en retraite devant de vieux fusils. Pourtant, il faut en prendre son parti : c'est ainsi que les choses se passent maintenant. Goliath a une armure si pesante, si perfectionnée, si compliquée qu'il ne peut plus bouger. Le guerrier heureux de notre temps n'a que des sandales et un pagne ; il voltige comme un moustique.

Un moustique qui a une âme, évidemment. L'âme est tout dans ces sortes d'affaires. Est-ce que l'Europe a autant d'âme que l'Afghanistan ? Voilà ce qu'il serait utile de savoir.

(13 février.)

L'avenir du lieutenant

La vraie question que pose le cas de M. Waldheim, et que personne, à ma connaissance, n'a traitée, est celle-ci : quel peut être l'avenir d'un lieutenant de l'armée allemande ? Les faits pourtant y ont répondu. Un lieutenant de la Wehrmacht est parfaitement à sa place dans le poste de Secrétaire général de l'ONU, mais pas dans celui du président de la République autrichienne.

Je n'ai jamais entendu un mot contre M. Waldheim du temps qu'il était à New York le grand prêtre du temple de la Morale planétaire. Au contraire, on le dépeignait comme une noble conscience, un homme de bonne volonté, qui n'hésitait pas à veiller des nuits entières auprès du fleuve Hudson pour sauver la paix. M. Waldheim avait au plus haut point le genre grisâtre et rasoir qui est le chic suprême des hauts fonctionnaires internationaux. S'il y avait quelqu'un que nous autres, les populations du globe, nous respections, c'était bien cet inoffensif et souriant échalas. Nul n'aurait eu, alors, le mauvais goût de raconter qu'il avait porté l'uniforme nazi orné de deux ficelles.

Si l'infortuné M. Waldheim, après s'être tant agité pendant les années qu'il régnait sur l'ONU, avait l'espoir de prendre une retraite agréable en se faisant élire président de l'Autriche, il doit être bien déçu. Voilà tout à coup qu'il est traîné dans la boue, qu'on lui ressort un passé qu'il avait autant oublié que nous, sinon davantage ; qu'on nomme une commission d'historiens (parmi lesquels se trouve, ô dérision ! un certain Messerschmidt) afin d'établir s'il a commis des crimes de guerre ; que son chancelier menace de démissionner, etc. Bref, tout va aussi mal que possible.

Il est à craindre qu'il ne soit forcé d'abdiquer un de ces jours. Quand on vous ressort une vieille histoire que personne n'avait déterrée en quarante ans, il y a peu d'apparence que l'on en réchappe, surtout si l'on est à peu près innocent.

Au fond, la grande faute de M. Waldheim a été d'être *oberleutnant*. Quand on n'est que caporal, comme Hitler, par exemple, on est moins contesté après que l'on est devenu chef d'Etat. Il est vrai qu'on n'a guère de chances d'être Secrétaire général de l'ONU. L'ennui dans la vie est qu'on ne peut pas tout avoir. Il faut toujours en revenir à la réflexion profonde de M. Prudhomme : « Si Bonaparte était resté lieutenant d'artillerie, il serait encore sur le trône. »

(20 février.)

Bonnet blanc et blanc bonnet

M. Duclos, à l'élection présidentielle de 1969, disait des deux candidats, MM. Pompidou et Poher, que c'était « bonnet blanc et blanc bonnet », entendant ainsi que l'un et l'autre, à d'infimes nuances près, représentaient la droite, et que les électeurs de gauche n'en avaient rien à faire.

On pourrait dire exactement la même chose de MM. Barre et Chirac, mais on ne le dit pas. Pourquoi ? D'abord parce que cela serait vrai, et ensuite parce que cela leur serait utile. En effet, les électeurs barristes et les électeurs chiraquiens ont de la chance : quel que soit celui des deux candidats qui reste en piste au second tour, ils auront le plaisir, si rare en démocratie, de ne pas voter « contre » quelque chose, mais pour quelqu'un qui a à peu près les mêmes idées qu'eux. Comme quoi, selon les circonstances, l'expression « bonnet blanc, blanc bonnet » a un sens péjoratif ou un sens promet-teur.

Il s'ensuit que les électeurs chiraquiens et barristes ont tort de se faire du mauvais sang, de se ronger en pensant que le loup socialiste va surgir du bois élyséen et croquer les suf-frages de tout le monde. Ils n'ont qu'à prendre en eux-mêmes la résolution de voter pour M. Chirac, même s'ils pré-fèrent les gros aux maigres, et pour M. Barre, même s'ils préfèrent les maigres aux gros. Rien n'est plus simple.

Rien n'est plus simple, mais rien n'est plus difficile, car s'il est relativement aisé de trancher entre le socialisme et le libéralisme, c'est-à-dire entre deux idées ou deux formes de gouvernement, il est beaucoup plus épineux d'éprouver de la sympathie pour un homme maigre si l'on a une inclination pour un gros et vice versa. Il faut de la force d'âme pour ne pas préférer la politique du pire à celle de la résignation.

Ce qui arrangerait tout, évidemment, est une déclaration solennelle de M. Barre s'engageant, s'il est élu président de la République, à prendre M. Chirac comme Premier ministre, et une déclaration tout aussi solennelle de M. Chirac en faveur de M. Barre si c'est lui qui gagne. Suis-je un esprit exagérément simpliste ? Il me semble qu'avec un document de ce genre la majorité serait soudée en un clin d'œil et qu'elle cesserait de pousser des cris d'effroi, comme elle fait depuis deux trimestres, ce qui finit par être lassant.

(25 février.)

La blague sérieuse

Il est déjà éreintant d'élire un président de la République tous les sept ans : que sera-ce s'il faut le faire tous les cinq ans, ainsi qu'on nous en menace périodiquement ! Ce n'est pas tant les antagonismes, les fureurs partisanes, l'atmosphère de guerre civile qui me gênent — au contraire, cela serait plutôt distrayant —, mais le féroce ennui que dégage la campagne électorale. Je sais bien que c'est notre destin qui se joue, et qu'il ne sera pas tout à fait le même si c'est le candidat de gauche ou le candidat de droite qui est élu, mais, ma foi, il est des moments où l'on se fiche de son destin, où l'on se dit que c'est le payer trop cher que d'endurer six mois de harangues, de rabâchages ou, comme disait Flaubert, de « blague sérieuse ».

On me répète sans cesse que la démocratie est le meilleur des régimes. Je n'oserais jamais contredire une opinion aussi répandue ; toutefois, je vois un avantage à la monarchie : c'est qu'on n'élit pas le roi tous les sept ans (ou tous les cinq ans). On le pose sur le trône à sa naissance, et le bon peuple ne dépense son argent que pour le sacre, qui est une fête en l'honneur de laquelle on ressort des carrosses dorés et des chevaux.

Le système impérial romain n'était pas mal non plus. Lorsqu'on avait soupé d'un empereur, parce qu'il avait fait égorger trop de sénateurs ou s'était livré à des débauches excessives, on le tuait. Les prétoriens, c'est-à-dire l'Armée, imposait comme souverain un vieux général borné et assez honnête, que l'on tuait à son tour, après qu'on avait constaté qu'il était tout à fait incapable.

Je trouve blessante pour nous cette pose des présidents successifs qui déclarent que sept ans de pouvoir, c'est trop, que cinq ans c'est bien assez pour leur petite nature. Eh quoi ! mes bons seigneurs, quand on reçoit un cadeau, il ne faut pas chipoter, susurrer qu'on ne le mérite pas, qu'on ne tiendra pas le coup, etc. C'est de la mauvaise éducation. Le peuple aime non seulement qu'on lui dise des mercis francs et mas-

172

sifs, mais encore qu'on en redemande. Il élit son président comme s'il l'invitait à partager son repas : il veut qu'il se bourre, qu'il ne laisse rien dans son assiette. Il a un faible pour les gros mangeurs qui honorent sa table.

Bref, j'espère que le président que nous allons fabriquer ne nous parlera pas de quinquennat. Remettre cela en 1993 serait une épreuve dont, vraiment, notre malheureux pays n'a pas besoin.

(5 mars.)

Pasqua, c'est Van Gogh

En 1860, en 1880, les esthètes, les esprits distingués et les bourgeois se moquaient des peintres impressionnistes. Meissonnier était milliardaire comme Picasso, tandis qu'on traitait Manet de pornographe. Le pauvre Van Gogh mourait de faim, alors que M. Bouguereau croulait sous les commandes. Depuis la Révolution, les Français ont un flair infaillible pour méconnaître (ou persécuter) les grands hommes et porter aux nues la camelote. A présent la moindre toile impressionniste fait des fortunes chez Sotheby's. Qui a l'air bête ? Les musées nationaux qui auraient pu avoir des Van Gogh pour quarante francs et les paient cent millions aujourd'hui.

M. Pasqua me fait songer aux peintres impressionnistes. Les critiques d'art n'ont pas cessé de l'abreuver de sarcasmes et d'injures depuis qu'il est apparu dans la politique. Nul ne prévoyait que, lorsqu'on le mettrait aux enchères, c'est-à-dire lorsqu'il serait ministre, il atteindrait des cotes vertigineuses, qu'en deux ans il deviendrait une des valeurs les plus sûres de l'Ecole française. La gazette officielle des Beaux-Arts en est à imprimer qu'il pourrait bien être Premier ministre si M. Chirac est élu Président.

Voir le mérite triompher à la longue, constater qu'un homme de talent finit par en imposer aux malins qui se

173

moquaient de lui, a quelque chose de délicieux. C'est la revanche de l'intelligence sur l'aveuglement et la partisanerie. Bref, je suis spécialement heureux que M. Pasqua ait été un grand ministre. Cela console tous les injuriés et tous les piétinés de la vie politique, artistique et intellectuelle française.

Ce qu'il y a encore de beau avec lui, c'est qu'il est pareil dans les grandeurs à ce qu'il était auparavant. Il n'a pas changé. J'ai même l'impression que son accent du Midi a augmenté. Quant à ses opinions, ses goûts, son gaullisme, sa façon d'écarter les inutilités, d'aller à l'essentiel, de ne pas s'en laisser conter, sa malice, ses sous-entendus, tout cela est intact après deux ans de gouvernement.

A la réflexion, il a quand même un peu changé. Il a pris une sorte de lourdeur, de tranquillité, presque de laconisme, qui me paraissent du meilleur augure pour son avenir d'homme d'Etat. Vous verrez que, dans dix ou quinze ans, on dira qu'il est un sphinx, ce qui est, en politique, la louange suprême. La seule chose que je lui reprocherai est de dire « un plus » pour un supplément ou un avantage. S'il se corrige de cette manie, il sera parfait.

(12 mars.)

Nous ne sommes pas en guerre

Il se pourrait que M. Barre, refusant la cohabitation en 1986, se fût trompé. Dans la politique, il faut quelquefois résister à la tentation de l'intransigeance, qui a beaucoup d'attraits, j'en conviens. M. Chirac, en acceptant modestement d'être Premier ministre de l'ennemi commun de la droite, a peut-être été plus sage, et peut-être en sera-t-il récompensé.

La démocratie est un régime exténuant, car on est tout le temps en guerre. Pour peu qu'il y ait alternance des partis au pouvoir, chaque élection prend l'allure d'une reconquête. Nous autres, pauvres mobilisés, nous aimerions bien l'armistice. Au lieu de cela, on nous accorde chichement quelques permissions, au cours desquelles, d'ailleurs, on continue à nous intoxiquer avec les nouvelles du front, à nous rappeler que la guerre ne finira jamais et à nous faire miroiter comme une grande gâterie la prochaine offensive.

Au risque de choquer certains fanatiques, je dirai que Mitterrand n'est pas Pétain et que la France, pendant cinq ans, n'a pas été occupée par une sorte de Wehrmacht socialiste. Je crois tout à fait au gaullisme de M. Barre ; mais la situation en 1986 n'était pas la même qu'en 1944, lorsque la 2e DB est arrivée à Paris. Un changement de majorité à l'Assemblée n'est pas une libération.

(19 mars.)

L'événement de la semaine

Je passe ma vie à donner de l'argent pour des choses tristes : misères à soulager, maladies à combattre, vieillards à secourir, bêtes à sauver, etc. Je ne dis pas que je le donne tristement. Au contraire. Mais, en le donnant, j'ai l'impression de ne faire que mon devoir. Le devoir accompli vous met en paix avec votre âme, cependant il faut bien avouer qu'on ne s'amuse pas en l'accomplissant. Quelquefois je songe avec nostalgie aux sacripants qui se ruinent pour des danseuses.

M. Chevrillon, directeur des Musées nationaux, m'offre enfin ma danseuse, et elle est belle comme le jour. C'est un tableau de Georges de La Tour (1593-1652) représentant l'apôtre saint Thomas sous les traits d'un vieux paysan aux petits yeux et aux grosses mains. Il appartient à l'ordre de Malte qui a besoin d'argent pour faire la charité et le propose au Louvre pour trente-deux millions, geste méritoire de sa part, car l'étranger paierait bien davantage.

175

Les musées français n'ont pas trente-deux millions, car chez nous les gros budgets ne vont pas à ce qui est beau ou utile. Alors M. Chevrillon a eu l'idée remarquable de demander à tous les Français d'acheter le La Tour, de le payer de leurs sous, d'être propriétaires de ce tableau. Il suffit d'envoyer un mandat à « Fondation de France — La Tour, BP 100, 75363 Paris Cedex 08 ». Vingt francs par ci, cent francs par là, et le La Tour va au Louvre, au lieu d'aller au Metropolitan Museum, au Koweit ou chez un milliardaire qui l'emprisonnera dans une chambre forte au troisième sous-sol de sa banque.

Le La Tour coûte beaucoup moins cher que la pyramide en plexiglas de M. Pei, ce caprice pharaonique saugrenu. Ce serait un déshonneur et une bêtise de ne pas l'acheter. Certains turfistes s'enorgueillissent de posséder un tiers ou un quart de cheval de course. Avec le mandat que j'enverrai à M. Chevrillon, je posséderai peut-être deux millimètres carrés de l'œuvre d'un homme de génie. C'est infiniment plus chic (et plus durable) qu'une jambe de bourrin.

J'ai entendu dire que M. Mitterrand avait décidé d'être candidat à la présidence de la République. A supposer qu'il soit élu et qu'il vivote encore sept ans à l'Elysée, le tableau sera encore au Louvre après qu'il aura pris sa retraite. Ce qui serait élégant, c'est qu'il cotisât, lui aussi. Mais le fera-t-il ? Il a déjà sa danseuse, qui est la pyramide, justement. Il en a même deux, en comptant les colonnes de M. Buren au Palais-Royal. Et même trois, avec l'opéra de la Bastille.

(*26 mars.*)

Le seuil d'incompétence

Lorsqu'on a quelqu'un à élire, on devrait se demander de quoi il n'est pas capable, et non de quoi il est capable. Autrement dit, tâcher de délimiter son seuil d'incompétence. Dans l'univers de l'emploi, la politique est le seul domaine où l'on embauche les gens sur leur boniment et parce qu'ils vous affirment qu'ils sont du même parti que vous.

En ce qui concerne la présidence de la République qui, selon notre Constitution, confère le pouvoir suprême, il est évident qu'elle représente le seuil d'incompétence pour la quasi-totalité des personnages qui la briguent (et parfois l'obtiennent). Gouverner un Etat est la chose la plus difficile du monde. Il n'y faut pas seulement de l'intelligence, de l'habileté, du caractère, mais aussi une morale qui n'est pas la même que celle des particuliers.

Qui possède ces vertus ? Un individu par siècle, en comptant largement. De tous les hommes politiques français que j'ai vu défiler depuis que je suis né, le seul qui n'ait pas atteint son niveau d'incompétence à l'Elysée a été le général de Gaulle. Il était toujours à la hauteur des décisions à prendre, des audaces à tenter, des folies à faire lorsque c'était indispensable. Grâce à lui, la France a connu une période de prospérité unique dans son histoire et, pendant onze ans, a fait figure de grande puissance dans le monde.

Il faut en prendre notre parti : nous allons élire au mois de mai un Président qui sera au-dessous de sa tâche. C'est inévitable et, du reste, ce n'est pas grave ; toutes les démocraties sont logées à la même enseigne. Cependant, mieux vaut qu'il soit un peu inférieur plutôt que de l'être beaucoup.

Nous avons quand même quelques éléments d'appréciation. En particulier, nous avons pu observer M. Mitterrand pendant sept ans dans le rôle de premier magistrat de la République. On a l'impression qu'avec les amnisties imprudentes accordées aux terroristes, les banques et entreprises nationalisées qu'il a fallu dénationaliser ensuite pour éviter la ruine, l'affaire Greenpeace, la Nouvelle-Calédonie, l'endettement de l'Etat, la compétence n'était pas vraiment entrée au château Pompadour. Pour ce qui est des autres candidats, j'avoue que M. Chirac me plairait assez. L'homme qui a su choisir comme il l'a fait son ministre de l'Intérieur, son ministre des Finances, son ministre des Affaires étrangères et ses autres ministres qui sont généralement compétents, pourrait bien être compétent, lui aussi, après tout.

(*2 avril.*)

Les supériorités de Mitterrand

L'avantage de M. Mitterrand sur ses concurrents dans l'élection présidentielle est qu'il est déjà installé à l'Élysée. Je veux dire par là que les électeurs ont pris l'habitude de l'avoir pour président de la République. L'important, en ce monde, est de durer. Quand on a été longtemps quelque part, on finit par y prendre racine. Peu importe qu'on soit beau ou laid, utile ou nuisible : on est là, et c'est l'essentiel. On fait partie du paysage. Si l'on vous ôtait, les gens auraient l'impression qu'il manque quelque chose.

Sur le strict plan de l'art et de l'urbanisme, la tour Eiffel et le Sacré-Cœur de Montmartre sont deux monstruosités, mais les Parisiens pousseraient des cris de désespoir si on y touchait. Quoique M. Mitterrand ne soit pas aussi célèbre ni aussi ancien que la tour Eiffel, l'œil s'est habitué à lui. Ses pardessus de clergyman, ses cache-nez, sa voix caressante et ses battements de cils qu'imitait si bien Thierry Le Luron nous sont familiers. Cela fait partie du folklore républicain. Il y a des gens — et davantage qu'on ne croit — qui sont très attachés au folklore, qui aiment son côté poussiéreux, son pittoresque, ses incommodités diverses.

Autre atout de M. Mitterrand : l'excellent gouvernement qu'il a depuis deux ans. On pourra bien objecter que ce n'est pas lui qui l'a formé, qu'il a tout tenté pour l'éviter, qu'il s'est ingénié à lui mettre des bâtons dans les roues et que ce qui a été réalisé l'a été à son corps défendant, il n'en reste pas moins qu'il était Président lorsque M. Pasqua arrêtait les criminels et les terroristes, que M. Balladur ressuscitait l'économie, que les usines Renault faisaient enfin des bénéfices, etc. Le bon peuple ne voit pas les nuances. Pour lui, c'est sous Mitterrand que le chômage a régressé ; peu importe que ce soit grâce à M. Chirac et non à M. Fabius.

Malgré ces extraordinaires supériorités, il n'est pas sûr que M. Mitterrand soit réélu. Je sais, moi, ce qui rendrait cette réélection inévitable et même triomphale : c'est que M. Mitterrand prît l'engagement solennel de ne rien changer à l'état actuel des choses, jurât sur la Bible et la Constitution que M. Chirac restera Premier ministre, que tous les autres ministres seront confirmés dans leurs postes et qu'on ne modifiera pas d'un iota la politique présente, sinon pour l'améliorer un peu, par-ci par-là, après mûre réflexion.

Je me plains souvent qu'on n'écoute jamais les conseils que je donne, et qui sont pourtant judicieux. J'ai fini par comprendre pourquoi, à la longue. C'est que je crois m'adresser à des hommes d'Etat et que je n'ai affaire qu'à des hommes de parti.

(11 avril.)

Le génocide

Un peuple gémissait dans les chaînes. Il était si malheureux qu'il avait oublié jusqu'à son nom. Cela se passait sous le dernier pharaon de la première dynastie. Alors apparut le Chevalier-à-la-Rose, qui n'avait pas la belle barbe de Moïse, mais en revanche était coiffé de son chapeau. Il dit au peuple : « Je sais comment tu t'appelles : tu n'es pas le peuple élu, mais le peuple électeur, ce qui est encore mieux ; tu es le Peuple de Gauche. »

Alors, le Peuple de Gauche traversa la Seine rouge à pied sec et chemina de la Bastille au Panthéon. Il monta joyeusement la rue Soufflot ; il se pressa sur la montagne Sainte-Geneviève. Sous ses yeux, le Chevalier-à-la-Rose s'enfonça dans la terre pour aller parler avec les morts. Il en revint, tel

Orphée, et le Peuple de Gauche le fit roi de l'Hexagone, de la Corse, des Dom-Tom, de la Nouvelle-Calédonie et des îles Kerguelen. Cela inspira un musicien bavarois qui composa avec cette magnifique histoire un opéra toujours joué, intitulé *Der Rosenkavalier.*

Au nom du Peuple de Gauche, le Chevalier-à-la-Rose s'empara des banques et des industries, leva un tribut sur les riches, chassa ignominieusement de la télé et des administrations les séides de l'Ancien Régime, afin de les remplacer par de vrais serviteurs du prolétariat. Il fit même entrer dans son conseil quatre représentants des « Damnés de la Terre » qui étaient encore plus à gauche que le Peuple de Gauche. Néanmoins, au fil des ans, on entendit de moins en moins parler de celui-ci. De nouveau son nom disparut. A présent, nul n'ose le prononcer. C'est le mot paria, le mot qui porte malheur.

La rose aussi a disparu. Il n'y a plus de Chevalier-à-la-Rose et plus de Peuple de Gauche. Le roi de l'Hexagone et des îles Kerguelen a fait élever son mausolée sous la forme d'une pyramide, à l'instar du vieux Chéops ; il a fait planter dans un jardin non loin quelques colonnes mélancoliques qui ne soutiennent rien et qui figurent, peut-être, l'allégorie de son règne. Cet ensemble funéraire sonne comme un adieu.

Adieu au Peuple de Gauche qui n'est plus le peuple électeur et qui, de ce fait, peut bien aller au diable. Le vieux roi Tonton veut les suffrages du peuple de droite et du peuple du centre ; il en est à l'union. Quand on en est à prêcher la concorde, en France du moins, c'est qu'on est au bout du rouleau. Un génocide, parfois, entraîne dans la tombe celui qui l'a commis.

(16 avril.)

Sont-ils menteurs ?

On ne se demande jamais si les sondés mentent lorsqu'on les interroge. Ils ne mentent pas tous, bien sûr, car le mensonge ne vient pas naturellement à la bouche, mais la moitié d'entre eux, peut-être, ou le quart, ce qui suffirait, comme on dit en langage sérieux, à « inverser la tendance ». Un quart de menteurs, dans un échantillonnage de Français, me paraît une moyenne assez plausible.

Dans ma jeunesse, je fus arrêté par la Gestapo, qui voulait absolument me faire parler. Jugeant qu'il ne fallait pas contrarier des gens capables de me fusiller si l'idée leur en passait par la tête, je fis la conversation de bonne grâce, c'est-à-dire que je leur servis une infinité de contes à dormir debout, qu'ils gobaient comme si c'eût été parole d'Evangile, et qu'ils notaient scrupuleusement.

Ce fut là, pour moi, une précieuse expérience, dont je tirai la leçon : à savoir que les personnes qui vous interrogent sont d'une crédulité sans limite. On peut leur assener les bourdes les plus extravagantes, elles prennent tout pour argent comptant, du moment qu'elles entendent le son de votre voix. En fait, elles pèchent par orgueil : elles s'imaginent qu'elles sont si intimidantes que nul n'oserait leur monter un bateau.

Pourquoi les sondeurs seraient-ils plus méfiants que les agents de la Gestapo ? Et, Dieu merci ! ils ont moins de moyens coercitifs. Ils posent des questions et inscrivent les réponses qu'ils récoltent sans se demander un instant, je suppose, si le sondé est sincère ou se moque d'eux. Pourtant, la tentation est grande de mentir à quelqu'un qui vous prend comme cobaye afin d'établir une statistique. Il me semble, quant à moi, que si l'on venait me sonder, je me ferais un devoir de répondre des énormités. Je ne suis sûrement pas le seul de mon espèce.

Nous verrons demain si les Français sont des menteurs, c'est-à-dire si les candidats à l'élection présidentielle ont des pourcentages différant sensiblement de ceux que leur ont attribués les instituts d'opinion publique. Jusqu'à présent, les chers sondés ne m'ont pas déçu. Je veux dire qu'à peu près chaque fois, depuis 1974, ils ont annoncé le contraire de ce qu'ils feraient. Voilà quand même une raison de ne pas désespérer de la France.

(23 avril.)

Le chien, le peintre et le peuple

« Les touches de couleur qu'un peintre pose sur sa toile sont parfois aussi peu raisonnées que l'aboiement d'un chien qui veut attirer l'attention sur quelque chose dont il ne se rend pas un compte exact. » Cette observation de Samuel Butler pourrait s'appliquer au suffrage universel. Le peuple, parfois, vote comme les chiens aboient, ou comme les peintres qui, instinctivement, ajoutent telle ou telle teinte à leur tableau.

Le bon maître ne se trompe pas sur ce que lui dit son chien, ni le bon connaisseur sur ce que lui dit le peintre. En politique, malheureusement, il n'y a pas d'esprits aussi pénétrants. On est même étonné par la surdité et l'aveuglement des spécialistes. Le triomphe de M. Le Pen au premier tour de l'élection présidentielle a une signification assez nette, et cependant il semble que personne ne la comprenne.

Le peuple, en votant comme il l'a fait pour M. Le Pen, a envoyé un message très précis à la droite qui, naturellement, ne l'a pas entendu. Il a voulu la punir d'être snob, de s'évertuer à ressembler à la gauche, il lui a expressément signifié qu'il veut une vraie droite, qui ne soit pas honteuse de ce qu'elle est, qui s'oppose franchement à ses adversaires politiques et n'ait pas l'air de les prendre pour modèles, jusqu'à adopter leur langage.

M. Giscard est tombé pour cette raison même. Il serait triste que M. Chirac payât la faiblesse (ou l'erreur) de ne pas avoir, il y a deux ans, négligé quelques symboles : raser la

182

pyramide du Louvre, extirper les colonnes de Buren, mettre à la porte de la télévision trois douzaines de fanatiques.

Si M. Mitterrand était réélu, il serait assez farce qu'à la prochaine législative il trouvât à l'Assemblée tant de députés du Front national qu'il fût obligé de prendre M. Le Pen pour Premier ministre. Quoique celui-ci soit quasiment son fils, puisque c'est lui qui l'a tiré du néant, je ne crois pas que cette nouvelle cohabitation lui soit très agréable. Par comparaison, celle qu'il a connue avec M. Chirac lui apparaîtrait comme un paradis. M. Le Pen a peut-être de terribles défauts, mais du moins il n'est pas snob. Je dirai même que tout son secret est là.

(30 avril.)

Une occasion manquée

Je suis déçu par M. Poperen. Recevant Mme Bernadette Chirac à la maison de retraite de Meyzieu dont il est le maire, dans la banlieue lyonnaise, il s'est borné à l'engueuler. On me pardonnera ce mot, mais il exprime exactement la façon dont Mme Chirac a été accueillie par M. le Maire et par son adjointe, appelée Mme Pagano. La pauvre Bernadette, paraît-il, en était sans voix. Du reste, M. Poperen lui interdisait d'ouvrir la bouche. Quant à M. Noir, qui l'accompagnait, il était blanc de colère évidemment.

Le drame de la France est qu'on n'y fait les choses qu'à moitié. A mon avis, M. Poperen a manqué une belle occasion d'épouvanter la droite et de donner un coup de main à M. Mitterrand. Voler dans les plumes de Bernadette est sûrement amusant, j'en conviens, mais cela n'apporte qu'une satisfaction platonique.

A la place de M. Poperen, j'aurais pris Bernadette en otage. Elle le méritait. A-t-on idée d'aller se promener chez l'ennemi en compagnie de M. Noir, d'aller le narguer à

183

domicile ? Une pareille imprudence confine à la provocation. Bernadette enlevée, séquestrée, menacée d'être « exécutée », comme disent les terroristes pour qualifier leurs assassinats, voilà ce que j'appelle un événement.

Si M. Poperen, qui, malgré son air grincheux, est un inoffensif député socialiste, ne savait pas comment s'y prendre, il pouvait téléphoner à M. Tjibaou, l'ami du président de la République, qui a détenu pendant plusieurs jours vingt-trois gendarmes français en otage. Capturer vingt-trois gendarmes doit être quand même plus calé que d'escamoter Bernadette. M. Poperen avait la besogne autrement facile que M. Tjibaou. Il est impardonnable.

Naturellement, la condition pour que Bernadette fût rendue à sa famille eût été que M. Chirac se retirât de la compétition présidentielle. De la sorte, M. Mitterrand fût demeuré seul candidat et, par conséquent, il aurait été sûr d'être élu, même si tous les électeurs du Front national s'étaient abstenus. Bref, je trouve que M. Poperen n'a pas lieu d'être fier de lui.

(7 mai.)

L'école des cocus

Comment M. Mitterrand va-t-il s'y prendre pour trahir les socialistes ? Je n'écris point cela dans une intention sarcastique. C'est que je ne vois pas comment il pourra éviter de le faire. Du moins s'il est homme d'Etat et non homme de parti.

L'homme de parti applique l'orgueilleuse maxime de la Révolution : « Périsse la nation plutôt qu'un principe ». La philosophie de l'homme d'Etat est beaucoup plus humble. On la doit au général de Gaulle qui avait, paraît-il, coutume de dire : « Les choses étant ce qu'elles sont... », ce qui signifie que, pour gouverner, il faut avant tout tenir compte de la réalité et que les principes s'en arrangent comme ils peuvent.

En 1981, les choses étaient telles que M. Mitterrand

n'existait que par le Parti socialiste. En 1988, c'est le contraire : le Parti socialiste n'existe que par M. Mitterrand. Il y a là un renversement des forces qui n'échappe à personne, si ce n'est, peut-être, aux dignitaires socialistes qui, comme les aristocrates de l'émigration, « prennent leurs souvenirs pour des droits ».

C'est le moment pour M. Mitterrand, qui ne déteste pas que l'on dise qu'il a, dans sa fonction, quelque chose de « gaullien », de montrer qu'il mérite ce glorieux adjectif. Du temps que le Général était président de la République, les braves godillots qui l'avaient porté au pouvoir passaient leur temps à admirer qu'il fît presque toujours autre chose que ce pour quoi ils l'avaient mandaté. Ils se rendaient bien compte que l'on n'est un véritable homme d'Etat qu'à ce prix. Et, ma foi, ils étaient assez fiers qu'on les appelât les « cocus du gaullisme ». C'est qu'au-dessus du gaullisme il y avait la France, et que le Général n'était pas gaulliste.

Verra-t-on des cocus du socialisme ? Si j'étais socialiste, je le souhaiterais. Cela signifierait que le chef de l'Etat aurait enfin compris que la politique n'est pas un sport, avec deux équipes qui, tantôt gagnent, tantôt perdent le match. Ce qui m'ennuie, pour le moment, n'est pas tant que M. Mitterrand ait remporté la Coupe de France, mais qu'il en soit si unanimement acclamé par l'étranger. Ce qui paraît bon à nos amis l'est rarement pour nous. Mme Thatcher, M. Reagan, M. Gorbatchev seraient de succulents cocus. Pour ma part, je n'y résisterais pas, mais je ne suis pas président de la République.

(14 mai.)

Le mystère de la Chambre rose

Je suis d'autant plus impardonnable d'avoir été surpris par l'élection de M. Mitterrand que j'en avais exposé les raisons ici même un mois avant le premier tour des présidentielles.

La première raison est qu'il était installé à l'Elysée et qu'on avait pris l'habitude de le voir là. La seconde, qu'il avait eu, pendant les deux dernières années de son septennat, un excellent Premier ministre appelé Chirac, un remarquable ministre de l'Intérieur appelé Pasqua, un financier de premier ordre appelé Balladur, bref, un gouvernement comme on n'en avait pas vu depuis longtemps, grâce auquel le chômage avait diminué, l'économie avait ressuscité, la criminalité était tombée de moitié.

Tout ce qu'on écrit arrive, disait Cocteau, ce qui confère une bien grande responsabilité aux pauvres hommes de lettres. Ils sont prophètes sans le savoir. En croyant faire de l'ironie, on décrit l'avenir. C'est effrayant. Car il est évident que ce sont les succès de M. Chirac et de son ministère qui ont fait élire M. Mitterrand.

Si M. Chirac s'était borné à continuer la politique de MM. Mauroy et Fabius, il aurait définitivement enterré M. Mitterrand. Au lieu de cela, il a accompli des prouesses, pensant bêtement que l'intérêt de la France passait avant sa propre carrière. En démocratie, de pareilles idées vous coulent un homme.

Tout le monde s'accorde à penser qu'il y aura trois cent cinquante députés socialistes à la prochaine Assemblée, élus par contagion, comme si l'élection présidentielle était une sorte de maladie se propageant aux élections législatives. A mon avis, ce n'est pas tout à fait aussi sûr que les sondages et les augures le disent. En effet, c'est un Mitterrand chiraquien qui a été fait président, et non un Mitterrand jospinien ou fabiusique. Enfin, il s'agit d'élire cinq cent soixante-dix-sept députés, ce qui fera cinq cent soixante-dix-sept combats. Il serait amusant que l'URC l'emportât de deux ou trois sièges. M. Chirac serait de nouveau Premier ministre, M. Pasqua ministre de l'Intérieur, M. Balladur ministre des Finances, etc. Après tout, c'est peut-être cela que les Français, obscurément, désirent.

(21 mai.)

L'état présent des choses

Si j'étais candidat député, je ne vois pas bien ce que je dirais aux électeurs dans les réunions publiques. Il est difficile de deviner ce que veut le peuple français en juin 1988, et comme il ne le sait pas lui-même, il est inutile de le lui demander. Du reste, les candidats qui, dans les campagnes électorales, se posent généralement en lions superbes et généreux, sont cette année prudents comme des serpents. Ils n'ont pas de programme, ils se cantonnent dans les idées générales et les lieux communs, ils se réclament avec unanimité du centre.

J'ai pris la liberté, dont ils me seront reconnaissants, je pense, de leur écrire un discours qui devrait avoir du succès dans cinq cent cinquante circonscriptions, c'est-à-dire là où ni le Parti communiste ni le Front national n'ont la majorité :

« Chers amis, chers camarades, chères brebis galeuses, chers ouvriers de la onzième heure, chers indécis, chers tièdes, chers abstentionnistes mes frères, je ne vous parlerai pas de politique, parce que tout le monde en a sa claque. D'ailleurs, que dire ? M. Mitterrand est épatant puisque vous l'avez réélu président de la République, et M. Chirac est non moins épatant puisque, par son excellent gouvernement, il a permis à M. Mitterrand de rempiler à l'Elysée.

« Nous en avons tous assez de la France coupée en deux, de la droite faisant la guerre à la gauche, et vice versa. Je suis au centre, mes chers futurs commettants, c'est-à-dire nulle part, endroit éminemment commode, où l'on peut faire n'importe quoi, pencher vers la gauche ou vers la droite selon les circonstances sans jamais tomber. J'interdirai tout ce que vous voudrez que je permette et permettrai tout ce que vous voudrez que j'interdise, ayant cru remarquer que vous n'êtes contents que lorsqu'on fait l'inverse de ce que vous désirez. Vous voyez que je ne suis pas contrariant.

« Avec notre cher président de la République centrale (Dieu lui accorde encore trois septennats !), avec nos amis socialistes, barristes et chiraquiens, faisons une France

187

vraiment unie, dont on aura chassé les extrémistes. Il y a là un gâteau ou, si vous préférez, un fromage assez grand pour nourrir tout le Palais-Bourbon, lequel ne regarde pas sans raison la place dite " de la Concorde ". Vive la Ve République qui n'est jamais plus belle que quand elle ressemble à la IVe ! »

(4 juin.)

Les royalistes de la Cinquième

Il faut bien finir par le constater : la France compte un puissant parti monarchiste. Longtemps on a dit péjorativement, et feint de croire, qu'il s'agissait du parti « des pêcheurs à la ligne », c'est-à-dire des gens indolents ou dépourvus de civisme, qui ne se dérangent pas pour aller voter les jours d'élections.

Or les actes négatifs sont aussi révélateurs que les actes positifs. Refuser de voter ne signifie pas qu'on se désintéresse de la Cité, ni qu'on se moque qu'elle soit gouvernée d'une façon ou d'une autre, mais que l'on ne veut pas être sollicité sans arrêt par cela, car on a à faire des choses plus importantes, ne serait-ce que son travail, dont la politique est toujours plus ou moins l'ennemie.

Le charme de la monarchie, et plus spécialement de la monarchie absolue, c'est que les citoyens n'ont pas la tête rompue avec des promesses, des programmes, des discours ennuyeux, des rabâchages. Chacun fait son métier en se souciant le moins possible de l'autre, c'est-à-dire que le roi règne, que le ministère gouverne et que le peuple produit. Dans une pièce de Labiche, il y a une réplique qui me fait quasiment pleurer d'attendrissement ; une grisette dit à son amant : « Cesse donc de t'occuper de la France, est-ce qu'elle s'occupe de toi ? » Je suppose que le grand parti des abstentionnistes français (un tiers du corps électoral) pourrait prendre cette réplique pour devise. Et, d'ailleurs, il n'aurait

188

pas tort. J'ai remarqué que moins la France s'occupe de moi, plus je suis tranquille.

La démocratie est exténuante, car il faut s'occuper inlassablement de la France, laquelle en retour s'occupe de nous à tout instant. Certes, elle s'occupe aussi des abstentionnistes, mais du moins ceux-ci, en ne s'occupant pas d'elle, ont supprimé la moitié du tintouin.

On a tant calomnié la monarchie dans les manuels d'histoire à l'usage des écoles que ce régime si commode et si agréable ne trouverait guère de partisans si l'on s'avisait de vouloir le rétablir chez nous où, pendant mille ans, il a eu tant de succès. On n'ose pas se dire monarchiste, mais on l'est, évidemment, en acte, lorsqu'on ne va pas voter. Tout abstentionniste est un royaliste qui s'ignore. Oserai-je lui faire remarquer que la Vᵉ République est une espèce de monarchie constitutionnelle où, quand même, l'Assemblée nationale a son mot à dire pour empêcher Sa Majesté de s'occuper trop de nous ?

(11 juin.)

Le bonheur dans l'immobilisme

Tout le monde m'explique que le président de la République, avec sa majorité « relative », va être obligé de gouverner au centre dans l'espoir que certains députés de droite, le voyant si raisonnable, viendront lui apporter leur soutien. M. Tesson juge que c'est là « la plus funeste des perspectives, celle qui conduit à tout coup au compromis et à l'immobilisme, plaies des républiques d'autrefois ».

L'avouerai-je ? Ce mot d'immobilisme, sous la plume d'un commentateur aussi avisé que M. Tesson, m'a fait assez plaisir. En effet, j'ai vu les socialistes bouger pendant cinq ans, de 1981 à 1986, et je ne saurais dire que leurs mouvements tantôt désordonnés, tantôt excessifs, m'aient comblé d'aise. Un socialisme immobile (ou immobiliste), ne prenant nulle initiative, s'abstenant d'avoir des idées ou des programmes, conservant sans y apporter la moindre modification ce que l'excellent gouvernement RPR-UDF a fait pendant ces deux dernières années, m'irait comme un gant. Nous pourrions passer ainsi quelques semestres assez gris, mais du moins pendant lesquels on éviterait les dégâts majeurs.

Lorsqu'on se promène dans Paris et que l'on contemple les horreurs bâties depuis un quart de siècle, on se dit qu'il y a des périodes où les architectes n'ont guère de talent et que, pendant ces périodes-là, on devrait éviter les grands travaux d'urbanisme, délivrer les permis de construire avec parcimonie, consolider les vieilles maisons plutôt que de les remplacer par de désolants gratte-ciel, ne pas mettre de colonnes zébrées dans la cour du Palais-Royal, ni de pyramide en plexiglas dans la cour du Louvre.

Il y a de mauvaises périodes aussi dans la politique, au cours desquelles il vaudrait mieux pour l'Etat et les citoyens que les politiciens en fissent le moins possible, afin qu'on ne soit pas contraint, quand on les remplace, de défaire ce qu'ils ont fait, ce qui prend du temps, et n'est pas très gentil pour eux.

Il me semble qu'à l'âge qu'il a, le président de la République ne devrait pas considérer l'immobilisme d'un trop mauvais œil. Quand, dans une grande compétition de football, une équipe a l'impression qu'elle a gagné de justesse, elle ne se fatigue plus à marquer des buts mais tâche plutôt de tenir sans dommage jusqu'à la fin de la partie. Cela s'appelle « bétonner ». C'est la traduction en jargon sportif de l'immobilisme politique.

(18 juin.)

Réinsérer Michel Droit

J'ai lu dans les gazettes que le président de la République, en don de joyeux avènement (ou réavènement) allait amnistier quatre mille cinq cents détenus, lesquels recevraient une allocation de cent vingt francs par jour destinée à « favoriser leur réinsertion » dans la société. Il y aura également des « structures d'accueil » qui « assureront leur hébergement ».

Ces mesures si belles et si généreuses m'ont fait tristement songer à mon confrère M. Michel Droit qui est inculpé de « corruption passive » après l'avoir été de « forfaiture », encore qu'il soit innocent de tout cela. Il est fâcheux que la justice soit aussi lente. S'il avait eu un bon procès l'année dernière, et récolté deux ans de prison, ce qui est assez normal pour un innocent (les coupables s'en tirent avec trois mois), il bénéficierait aujourd'hui de l'amnistie et le gouvernement lui verserait huit cent quarante francs par semaine, ce qui lui serait bien utile, vu que la CNCL risque de ne pas faire de vieux os et qu'il va se retrouver sans emploi.

Amnistié, M. Droit serait non seulement blanc comme neige, mais encore il jouirait du statut si enviable d'ex-malfaiteur. Au lieu de l'attaquer, les journaux bien-pensants le plaindraient ; les critiques littéraires diraient le plus grand bien de ses ouvrages. Sans aller, bien sûr, jusqu'à le comparer à Jean Genet, on lui trouverait un je-ne-sais-quoi de subversif qui serait excellent pour sa carrière.

Pour ce qui est de la structure d'accueil, nous aurions volontiers hébergé M. Droit à l'Institut, quoique cet établissement ne soit pas équipé de dortoirs et qu'on le fréquente plutôt le jour que la nuit. Mais, enfin, rien ne nous empêche d'installer un lit-cage sous la Coupole, dans lequel M. Droit dormirait du sommeil tranquille des gens ayant pratiqué la forfaiture et la corruption passive.

Le plus beau eût été évidemment notre attitude à son égard lors des séances hebdomadaires de l'Académie française. Nous aurions été parfaits de tact, j'en suis convaincu. Réinsérer un académicien est une tâche rare et exaltante. Je ne pardonnerai pas de sitôt à la magistrature française de ne pas nous avoir permis de l'entreprendre et de la réussir. C'eût été peut-être un précédent utile.

(*25 juin.*)

La poésie au pouvoir

Depuis une quinzaine d'années, les noms des ministères sont devenus charmants et poétiques. Du temps de M. Giscard d'Estaing, il y avait un « ministère de la Qualité de la vie », qui ne dura pas très longtemps, peut-être parce qu'on avait omis de définir ses fonctions avec suffisamment d'exactitude. De quelle vie s'agissait-il ? De celle des humains ou de celle de la planète ? Et quelle qualité dont elle était privée ou qu'elle aurait perdue le titulaire du portefeuille avait-il mission de lui conférer ? Il n'est pas à la portée d'un ministre de faire que les boulangers fabriquent du bon pain ou que les citadins ne soient pas assourdis par le vacarme des bagnoles.

J'ai beaucoup aimé le « ministère de la Mer » inventé par M. Mauroy en 1981. C'était tout à coup une échappée sur le grand large, une bouffée d'air iodé qui balayait le salon Murat le mercredi matin. « Homme libre, toujours tu chériras la mer », dit Baudelaire. L'inconvénient est qu'on y trouve les bateaux de l'association Greenpeace et que cela coûte affreusement cher. Le « ministère du Temps libre » a été encore une idée ravissante. Ce département constituait un aimable pendant au rébarbatif ministère du Travail.

L'imagination, Dieu merci, n'est pas tarie. Dans le nouveau cabinet, nous découvrons avec émerveillement un secrétaire d'Etat « aux Handicapés et aux Accidentés de la vie », c'est-à-dire, en français traditionnel, un ministre des infirmes. A moins que le terme « accidenté de la vie » n'ait un sens plus large et ne signifie, par exemple, toute personne ayant un gros chagrin d'amour, ayant oublié de se faire avorter ou ayant été ruinée par l'impôt sur les grandes fortunes.

J'ai toujours été choqué qu'il y eût un ministre de la Jeunesse (bizarrement accouplé avec les Sports) et qu'il n'y eût pas de ministre des Vieux. Quel paradoxe, dans un pays où l'on ne pense qu'à la retraite ! Le paradoxe a vécu. M. Théo Braun est « chargé des personnes âgées ». En effet, les mots vieillesse et vieillard n'existent plus dans le vocabulaire administratif. Si Victor Hugo composait *Booz endormi* de nos jours, il devrait écrire : « Le jeune homme est beau mais la Personne âgée est grande. »

Si M. Théo Braun est ministre des Octogénaires, M. Jack Lang, lui, est ministre du Bicentenaire. Hélas, il l'est aussi « des Grands Travaux ». Cette expression fait frémir.

(2 juillet.)

Ne pas se tromper de peuple

J'ai souvent le sentiment que les gouvernements ne savent pas quel peuple ils gouvernent, ou plutôt qu'ils se trompent de peuple, qu'ils agissent comme s'ils avaient affaire à d'autres gens que ceux qui leur ont donné le pouvoir ou à qui ils ont imposé leur domination. M. Ceaucescu, par exemple, a une idée très étrange des Roumains, de même que M. Jaruzelski des Polonais. Ces derniers ont pourtant une physionomie originale et des caractères nationaux recensés depuis longtemps. N'importe qui vous dira qu'ils sont remuants, spontanés, anarchiques, braves, qu'ils haïssent la Russie en qui ils voient une implacable ennemie, etc. « Montrez un précipice à un Polonais, il s'y jette », dit Balzac. Seul M. Jaruzelski ne veut pas voir les Polonais tels qu'ils sont, mais tels qu'il les souhaite, c'est-à-dire tout le contraire. De là les difficultés qu'il rencontre, le syndicat « Solidarnosc » qui lui met de furieuses grèves sur les bras, M. Walesa à qui

193

l'Occident se fait un malin plaisir de décerner le prix Nobel, la visite du pape qui déchaîne les passions religieuses. Il est évident que M. Jaruzelski et ses séides ne se maintiennent que parce qu'ils sont les hommes de confiance d'un voisin puissant. Le jour où le voisin sera moins puissant ou plus libéral, les Polonais chasseront M. Jaruzelski, et peut-être le tueront. Car il est encore plus dangereux de se tromper de peuple volontairement qu'involontairement.

Le cas le plus caractéristique d'un peuple pris pour un autre par ses maîtres est celui de l'URSS. Cela dure depuis soixante-dix ans, et personne ne semble s'en apercevoir. Sans doute parce que les Russes sont patients, peu animés de sens civique et capables d'endurer longtemps sans se plaindre un état de choses qui leur est contraire. Cela n'empêche pas qu'ils soient en proie à ce que M. Schwob appelle le « désespoir politique », c'est-à-dire le sentiment d'appartenir à une société que l'on réprouve mais qui est trop solidement établie pour qu'on puisse en rien la modifier. Le désespoir politique des masses se manifeste surtout par l'alcoolisme et la paresse, qui sont, comme on sait, les deux plaies de l'Union soviétique. N'est-il pas extraordinaire, par exemple, que celle-ci importe une si grande quantité de céréales américaines alors que, jusqu'à la révolution d'Octobre, l'Ukraine était considérée comme le grenier à blé de l'Europe ?

En ce qui concerne la France, j'ai eu mainte fois l'impression que M. Giscard d'Estaing, lorsqu'il était président de la République, nous prenait pour des Suédois. Il nous parlait comme si nous étions quelque peuplade nordique, tranquille, lente, raisonnable, nourrie de poisson fumé, ce que nous ne sommes nullement. Il me semble que, vers la fin de son septennat, il avait compris que les Français n'étaient pas suédois, ni même suisses ; du moins c'est ainsi que j'interprétai la parole qu'il prononça au cours de sa campagne électorale de 1981 : « J'ai changé. » Je crois en effet qu'il avait changé d'optique, qu'il ne nous regardait plus comme des Nordiques, mais comme des Latins, des Gaulois ou des Francs. Malheureusement pour lui, c'était trop tard ; pendant sept ans, les Français avaient éprouvé l'irritation de n'être jamais reconnus par l'homme dont ils auraient justement voulu qu'il les vît dans leur vérité et qui avait poussé l'inconséquence jusqu'à déclarer : « J'ai regardé la France au fond des yeux. » Il lui avait échappé en particulier que la France a les yeux vairons, c'est-à-dire que le gauche n'a pas la même couleur que le droit.

Je crains que M. Mitterrand ne se soit, lui aussi, trompé de peuple lorsqu'il succéda à M. Giscard d'Estaing, et qu'il nous ait pris pour des Suédois à son tour. Pis : pour des Suédois socialistes. D'où la pluie de réformes hâtives dont il nous inonda lors de son premier avènement. Le défunt M. Olof Palme lui occupait l'esprit ; il voulait être l'Olof Palme de chez nous, sans songer que ce qui peut être bon pour Stockholm ne l'est pas forcément pour Paris. Il nous prenait aussi pour des Chiliens, m'a-t-on dit, et, dans ses moments de mélancolie, redoutait qu'il ne lui arrivât une mésaventure comme celle qui coûta la vie au président Allende. Or nous ne sommes pas plus chiliens que suédois, et c'était se faire là bien du souci pour rien.

Les gouvernements ou les monarques ne sont pas les seuls à se tromper de la sorte. Les peuples eux-mêmes, au cours de leur longue existence, ne savent pas toujours qui ils sont, et cette méprise-là, naturellement, est beaucoup plus grave. J'avais déjà eu cette idée à propos des commémorations qui ont marqué le millénaire capétien ; ce n'est pas les festivités que l'on prépare pour célébrer le bicentenaire de la Révolution qui m'en feront changer. Le grand bonheur de la France est d'avoir eu à sa tête, pendant huit cents ans, non seulement des hommes qui ne se trompaient pas sur elle, sur sa véritable nature, qui ne la voyaient ni plus petite ni plus grande qu'elle n'était en réalité, mais encore qui connaissaient, de science innée, les vertus et les vices de leur peuple. En 1789, les Français se sont pris pour des Romains, et tout a commencé à aller mal. Pour que le malentendu soit complet, César est arrivé par là-dessus, sous le nom de Napoléon. Actuellement, les Français se prennent pour des Américains, ce qui est moins grave, mais bien agaçant quand même. Cela leur donne un air de provinciaux qui n'est pas dans leurs habitudes.

Je ne suis pas certain que le régime républicain plaise beaucoup aux Français. Peut-être leur plaisait-il du temps que la France, avec la Suisse, était la seule république d'Europe, c'est-à-dire jusqu'en 1918, et que c'était une singularité grâce à laquelle ils continuaient à se faire remarquer. Mais à présent que la république est à peu près partout, il n'est pas dit qu'ils n'aimeraient pas se singulariser autrement. Je ne vois guère chez nous de vrais républicains, au sens romain ou américain. Plutôt des courtisans plus ou moins rentrés. Mais il ne faut pas le dire : cela les vexe.

(4 juillet.)

Le genre chatouilleux

Le nom de *Vincennes*, porté par le navire américain qui a abattu un avion civil iranien, m'a causé quelque inquiétude. J'ai craint que les Iraniens, qui connaissent bien la région parisienne (en particulier l'ayatollah Khomeiny), ne s'imaginent qu'il s'agissait d'une unité de la marine française.

On pouvait d'autant mieux le croire que l'avion était un Airbus, c'est-à-dire un appareil fabriqué et vendu par nous. De là à déduire que nous l'avions détruit dans le but d'en vendre un autre, il n'y avait qu'un pas. Heureusement le gouvernement iranien ne l'a pas franchi, et nous n'aurons pas de représailles à redouter ni de rupture dans les relations diplomatiques. J'en suis personnellement heureux car j'ai de nombreux amis persans (c'est un goût que je tiens de Gobineau) et j'entretiens des commerces épistolaires avec divers professeurs de l'université de Téhéran, lesquels m'écrivent dans un français aussi pur que fleuri.

Du reste, il y a très peu de pays qui s'offrent le luxe de tirer sur les avions civils lorsque ceux-ci commettent l'imprudence de sortir un peu de leur couloir aérien. En fait, il n'y en a que deux : l'URSS qui a à son tableau de chasse un Boeing sud-coréen, et les Etats-Unis, qui sont à présent ex aequo avec elle.

Ce genre chatouilleux et irritable n'est pas à la portée de n'importe qui. Il faut être au moins un empire de deux cent cinquante millions de sujets et posséder des milliers de bombes nucléaires, de bateaux et de chars pour l'adopter sans que cela produise autre chose que quelques imprécations. Nous autres, quand nous voulons couler un rafiot qui vient avec indiscrétion contempler nos petites affaires de Mururoa, cela fait une histoire du diable et nous sommes obligés de payer quatre-vingts millions de dollars à la Nouvelle-Zélande. Il me semble qu'il y a une moralité analogue dans les fables de La Fontaine, où il est dit que, selon que vous serez puissant ou misérable, on vous jugera blanc ou noir.

Tout cela ne me dit pas pourquoi le croiseur américain s'appelle *Vincennes*. Je n'ose croire que ce soit en hommage à Saint Louis qui se plaisait à rendre la justice sous un chêne dans cette localité, ou au duc d'Enghien que l'on y fusilla, ou encore par simple francophilie. Les Américains ne nous ont point habitués à ces douceurs. Il est plus probable que Vincennes est le nom d'un patelin du Minnesota ou du New Jersey.

On se plaint d'être surinformé, et des petites choses de ce genre, pourtant si intéressantes, ne sont expliquées nulle part.

(9 juillet.)

Monographie du lampiste

La démission de M. Rouvillois, directeur de la SNCF, consacre la disparition d'un personnage important de la vie française : le lampiste. On appelait ainsi, jadis et naguère, un fonctionnaire subalterne sans responsabilité, qui servait de bouc émissaire lorsqu'une catastrophe avait lieu.

Le lampiste était très commode car il évitait que les personnages puissants fussent discrédités aux yeux du public qui aurait appris avec consternation qu'ils étaient des incapables. De la sorte la société restait ferme sur ses bases. Aux postes de commande, il y avait des gens compétents et insoupçonnables. C'est à l'échelon d'exécution que les choses se gâtaient, mais « on y mettait bon ordre ».

Pendant plus de cent ans, le lampiste a été le mauvais génie de l'administration française, ou, plus exactement, le fantassin qui se faisait tuer dans chaque bataille, ou, plus exactement encore, le malheureux soldat que l'on fusillait pour l'exemple. Ô combien de lampistes, qui vivaient sans souci dans leur obscure lampisterie, ont été sacrifiés sur l'autel de la patrie !

J'ai tort de dire que le lampiste a disparu. Il a simplement changé de place. A présent c'est sous les lambris et les lustres à pendeloques qu'on le trouve. Il est devenu très difficile, sinon impossible, de toucher à un employé de dernière catégorie. Les syndicats forment autour de lui un rempart qui le rend invulnérable. Comme on a toujours besoin de boucs émissaires, il faut les chercher parmi les personnages que ne protège aucune collectivité. Il ne reste que les P-DG et les ministres.

Le plus célèbre lampiste de ces dernières années a été sans conteste M. Hernu que l'on a jeté en pâture à l'opinion comme le dernier des manœuvres. Le colonel Prouteau m'a bien l'air d'être aussi un lampiste. Quant à M. Rouvillois, ce n'est pas le dernier lampiste a être immolé. Il y en aura d'autres. Jusqu'au jour où se créera un syndicat des hommes en place. Affilié à la CGT de préférence.

(13 juillet.)

Jour de deuil

A part les simples soldats, les officiers subalternes et les populations civiles qui se font estropier et tuer par les chars, les mitrailleuses, les grenades, les obus ou les bombardements aériens, la fin d'une guerre contrarie tout le monde. Nous l'observons une fois de plus à propos de l'armistice qui menace d'intervenir entre l'Irak et l'Iran.

Cette guerre faisait admirablement l'affaire de diverses nations qui fabriquent des armes et qui, pendant les huit ans qu'elle a duré, ont connu de grandes joies avec leur commerce extérieur. En a-t-on vendu de la ferraille à l'Iran et à l'Irak ! A commencer par nous qui, grâce à cela, n'avons compté que deux millions de chômeurs au lieu de trois. La paix dans le Golfe est un jour de deuil pour le socialisme et le capitalisme. Les Etats-Unis, l'URSS, la Tchécoslovaquie, la RDA, l'Angleterre, etc., se trouvent dans la triste situation de commerçants voyant leur boutique soudain désertée par la pratique.

L'Etat d'Israël est bien ennuyé, lui aussi. Tant que l'Irak était occupé à en découdre, cette importante puissance arabe le laissait tranquille. Mais, à présent, que va-t-il se passer ? L'Irak sortira plutôt vainqueur de la guerre, et il y a une espèce de lancée dans la victoire : on ne sait plus s'arrêter ; il faut encore d'autres bagarres.

Il me semble que jadis on savait assez bien entretenir les guerres des autres quand on y trouvait son compte. Encore un art qui s'est perdu. L'ONU, en dépit de ses maladresses, de sa bonne volonté intempestive et de son impuissance congénitale, y est quand même pour quelque chose. A force d'insister, elle finit cahin-caha par abréger d'excellents conflits qui pourraient durer indéfiniment.

Les belligérants eux-mêmes ne doivent pas être enchantés de la paix qui se dessine. C'est très agréable, pour un gouvernement, d'être en guerre. Au nom de la patrie en danger, on peut vraiment tourner un pays en bourrique, rationner les gens, supprimer le droit de grève, censurer la presse, fusiller les bavards, et cent autres choses fort commodes auxquelles on ne se hasarde pas trop en temps de paix. Bref, quand un massacre s'arrête, seul le peuple respire. Il est vrai qu'on peut encore continuer deux ou trois ans à le tyranniser, sous prétexte qu'il y a « des plaies à panser ».

(23 juillet.)

Le style Empire

L'essentiel est de servir la France. Telle est une des leçons de la Révolution. Comme personne, sans doute, ne s'en avisera lors des manifestations prévues pour le Bicentenaire, je me permets de le rappeler aujourd'hui. C'est le maréchal Barre et le colonel Soisson qui m'en ont donné l'idée. L'un et l'autre ont une attitude que l'on ne peut qualifier que d'historique, et dont on voit de glorieux exemples entre 1789 et 1840.

Le propre des grands Français est de sacrifier leurs convictions au salut du pays. C'est ainsi que les révolutionnaires, militaires et civils, dans leur presque totalité, devinrent d'admirables bonapartistes sous l'Empire, puis de fidèles serviteurs des Bourbons à partir de 1815. Le maréchal Soult, créé duc de Dalmatie par Napoléon, et qui vécut vieux, fut deux fois président du Conseil sous Louis-Philippe.

Chateaubriand raconte la stupeur qui le saisit lorsque, entrant dans le bureau de Louis XVIII fraîchement retrôné, il vit là Fouché, ci-devant prêtre défroqué, terroriste et flic numéro un de l'Empire, en compagnie de Talleyrand, ci-devant évêque et prince de Bénévent par la grâce de l'Usurpateur. « Le vice s'appuyant sur le crime », dit-il dans son style imagé. Bernadotte avait un tatouage sur le bras, « Mort aux tyrans », qui l'ennuya un peu quand il fut roi de Suède, mais qui ne l'aurait pas empêché d'accepter la couronne de

France après Waterloo si on la lui avait offerte, car il était français, bien sûr, avant d'être suédois.

Il y eut quelques entêtés comme Carnot qui préféra s'exiler plutôt que de se mettre aux ordres de l'Ogre de Corse. Quelques têtes de linotte, aussi, comme le maréchal Ney qui, après s'être civiquement rallié aux Bourbons, se laissa épater par le retour de l'île d'Elbe, et qu'on fusilla pour cette étourderie. Il y eut enfin ceux que Flambeau dans *L'Aiglon* appelle les obscurs et les sans-grade. Mais ceux-là n'ont pas d'importance historique. De toute façon, ils étaient incapables de devenir ministres. Pas même députés ou conseillers municipaux. Quand on n'a pas de qualités éminentes, c'est bien le moins qu'on soit fidèle à ses opinions.

Une chose charmante (et prometteuse) dans la biographie de M. Barre est que sa villa du Cap-Ferrat s'intitule « Le Dauphin ». Du moins c'est ce que j'ai lu dans les gazettes. Quel est le destin d'un Dauphin, si ce n'est d'être le second personnage du royaume, en attendant mieux ? Allons, vive la République, vive l'Empereur, vive le roi, vive la France où l'on a toujours de l'avenir !

(27 juillet.)

L'ignorance fait des progrès

Je ne comprends pas pourquoi tout le monde a poussé des cris d'admiration ou d'incrédulité lorsqu'on a su, la semaine dernière, que 71,9 pour cent des candidats au baccalauréat avaient été reçus. Quant à moi, je m'attendais à mieux : j'escomptais 99,9 pour cent de réussite, c'est-à-dire quelque chose de comparable — enfin — aux élections soviétiques. Je ne fais pas mon compliment à M. Jospin. L'égalité absolue devant le bac devrait être l'objectif numéro un d'un ministre de l'Education socialiste. Espérons que les résultats de l'année prochaine seront plus satisfaisants.

Comme de coutume, j'ai une excellente idée à ce propos : il est tout à fait inutile d'ennuyer les enfants avec dix années d'études primaires et secondaires. C'est du temps perdu. Il serait beaucoup plus commode (et plus gentil) de leur donner le baccalauréat à la sortie de la maternelle, ou même avant qu'ils n'y entrent. Bachelier à quatre ans, ce serait une chose unique au monde, et bien digne d'une France conduite par les forces de progrès.

M. Jospin se doit de mettre à l'étude dans ses bureaux des plans de carrière pour nos bambins. Par exemple, décréter qu'à cinq ans tous les petits français réussiront le concours de sortie de Polytechnique, de Sciences-Po, de l'ENA, de Normale supérieure, de l'Ecole des mines, etc. Les parents français qui veulent, traditionnellement, que leurs rejetons aient des diplômes, seront comblés. Bardés de parchemins, les jeunes lauréats finiraient peut-être par prendre goût à l'étude et, vers l'âge de trente ans, auraient envie d'apprendre à lire.

Il n'y a pas de raison de s'arrêter dans ces réformes. Je propose que l'on donne le statut d'ambassadeur aux laveurs de carreaux du Quai d'Orsay et celui de Premier Président de la Cour de cassation à tous les greffiers. Les recrues faisant leur service militaire seront, à la minute même de leur incorporation, promues maréchaux de France. Nous autres, à l'Académie française, qui cherchons désespérément un militaire à élire depuis la mort du maréchal Juin, nous aurons enfin le choix.

Du reste, pendant qu'on y est, on pourrait porter l'effectif de l'Académie à cinquante-cinq millions de membres. M. Jospin est justement notre ministre de tutelle.

(30 juillet.)

Fast Death

« Le nombre de tués sur la route a augmenté de 16 pour cent en un an » dit le journal. Pour le premier semestre de 1988, cela fait plus de dix mille cadavres. Il ne s'agit que de la France. Devant ces statistiques, je ne puis m'empêcher de penser aux belles phrases que l'on entend sur la guerre et à celles que l'on a entendues sur l'abolition de la peine de mort. Dix mille braves gens qui périssent en voiture, ce n'est rien. Un scélérat chargé de crimes qui pourrait être guillotiné, et ce sont des cris d'horreur.

Il y a là un point passionnant de la morale moderne. Ce n'est pas la mort qui indigne l'opinion (ou les faiseurs d'opinion), mais la raison pour laquelle on meurt, et aussi la façon dont cette mort survient. Une mort accidentelle, donc absurde, qui ne prouve rien, sinon que le défunt était imprudent ou que quelqu'un d'imprudent l'a tué par mégarde, n'est pas scandaleuse. En revanche une mort décrétée par la justice et qui est l'aboutissement logique d'une certaine destinée, paraît inadmissible.

La philosophie de cela est qu'il ne faut pas savoir que l'on va mourir. C'est sur ce point-là que les consciences contemporaines sont chatouilleuses. Elles trouvent insupportable que l'on dise à un individu : « Tu as mérité par les abominations que tu as commises que la société te supprime. Tu seras exécuté le 12 mars à cinq heures du matin. » Le touriste qui monte dans sa voiture à Paris ignore qu'il passera de vie à trépas six heures plus tard entre Montélimar et Valence. Jusqu'à la dernière seconde, il pouvait espérer vivre encore longtemps, avoir le temps de donner cent mille coups de téléphone, rêver aux amourettes de vacances, etc. Le condamné à mort dans sa cellule n'a pas d'autre espoir que Dieu. L'Occident ne croit plus en Dieu.

Il est prouvé que l'automobile est un instrument beaucoup plus meurtrier que la guillotine. Celle-ci n'a eu de rendement vraiment satisfaisant que pendant la Terreur de 1792 à 1794. Dans les dernières années de son existence, elle ne tuait guère qu'un assassin tous les deux ou trois ans. Mais c'était encore trop. Cela tient, je pense, à ce qu'on ne l'avait pas modernisée. Elle était identique à ce qu'elle était deux siècles plus tôt. Elle avait quelque chose d'artisanal et d'historique qui n'était plus accordé au monde actuel. Il aurait fallu créer une jolie guillotine électronique, avec matelas de mousse, couperet inoxydable, montants en polyester laqué rose, etc. La débaptiser, aussi. Lui donner un nom américain du genre *Fast Death,* calqué sur *Fast Food.*

Avec une telle machine, et en annonçant au bon peuple que, durant les mois de juillet et août, il y aurait chaque jour à Paris une exécution publique, bien des gens ne partiraient pas en vacances. Grâce à soixante-deux canailles qui seraient tout aussi bien dans un monde meilleur, on épargnerait trois mille morts sur les routes.

(6 août.)

Histoire et philosophie du gaullisme

Les vieux gaullistes, dont j'ai fini par être, à la longue, ne savent plus très bien ce que c'est que d'être gaulliste. Ils auraient assez volontiers tendance à penser que ceux qui ne sont pas gaullistes souffrent d'une infirmité. Il les considèrent comme des unijambistes, ou des bègues. Ils ne peuvent pas s'empêcher d'espérer de futurs miracles : que les sourds entendront, qu'il repoussera soudain une jambe aux béquillards. Du reste, ils n'ont pas tort. Les miracles se produisent ; on en a vu. Et de Gaulle lui-même les a prédits. Il a même prédit des miracles rétrospectifs. Peut-être plaisantait-il, mais on ne sait jamais à quoi s'en tenir avec les plaisanteries des grands hommes. Ils ont l'air de blaguer, alors que ce sont des prophéties qui sortent de leur bouche.

Je crois que le gaullisme consiste principalement à ne pas confondre la France et les Français. Ceux-ci sont des moyens, la France est une fin, c'est-à-dire une œuvre, pour la beauté de laquelle aucune peine ne doit être épargnée. Sans la France, sans son ancienneté, sans sa gloire, qu'est-ce que les Français ? Une peuplade parmi d'autres, un conglomérat d'individus, plutôt moins sympathiques que les Italiens, moins disciplinés que les Allemands, moins civiques que les Anglais, moins dégourdis que les Américains, etc. En revanche, la France, à certaines de ses époques, pourrait très bien se passer des Français. Cela lui est arrivé ; notamment en 1940. Périodiquement, il ne reste qu'un Français (ou une Française), et cela suffit à assurer la continuité de l'Etat.

Sous l'Ancien Régime, les choses étaient simples : il y avait le roi qui était la patrie et le drapeau à lui tout seul, de sorte que chacun pouvait vaquer sans inquiétude à ses travaux et, ô bonheur, oublier la France. On savait que la place éminente ne serait jamais vide, même si le roi, comme Louis XIV, aimait un peu trop la guerre et les bâtiments, ou, comme Louis XV, les femmes. C'est avec la Révolution qu'est né réellement le gaullisme, c'est-à-dire la nécessité de sauver la France de temps à autre. Tantôt à cause des dangers extérieurs, tantôt parce que à l'intérieur elle se dilue dans le désordre. La première incarnation gaulliste est certainement Robespierre. Quoi de plus gaullien d'ailleurs que son surnom d'« Incorruptible » ? Mais il y a des gaullismes paroxystiques qu'un pays ne peut pas supporter longtemps. Celui de Robespierre, avec accompagnement d'inquisition policière, d'injustice et de Terreur ne pouvait pas durer chez nous. Rivarol, son contemporain, disait qu'il ne faut pas « faire grincer les ressorts de la langue ». Ceux de la nation non plus.

La seconde incarnation gaulliste est le général Bonaparte, en qui le peuple vit le seul personnage capable de mettre fin à la chienlit du Directoire, et qui l'était en effet. Bonaparte cessa d'être gaulliste lorsqu'il se fit couronner empereur, c'est-à-dire quand il préféra son propre destin à celui de la France. On ne s'en aperçut qu'un peu plus tard, à Waterloo, qui eut lieu le 18 juin 1815, date funeste, qu'un autre 18 juin effaça. Il est caractéristique que, par la suite, les demi-soldes, les nostalgiques de l'Empire, les partisans du Prince-Président ne s'appelèrent point des « napoléoniens », mais des « bonapartistes ».

Un des phénomènes gaullistes les plus curieux du XIXᵉ siècle est le boulangisme. Le peuple, dans sa recherche persévérante de De Gaulle, s'est trompé. En 1886, tout le monde croyait bien avoir mis la main sur lui : le général Boulanger était ministre de la Guerre, il avait fait reculer, avec l'affaire Schnaebelé, le colosse allemand qui nous avait vaincus seize ans plus tôt, il voulait la révision de la Constitution, il avait groupé autour de lui des gens de tous les partis. Barrès, député de Paris et grand écrivain, était des siens. Et puis tout cela se termina en roman-photo par un suicide sur la tombe d'une maîtresse emportée par la phtisie. De Gaulle a eu un mot profond sur lui : « Boulanger, personne ne le connaissait. » Effectivement, ce n'était pas un héros, ce n'était pas quelqu'un qui, avant d'entrer dans la politique, s'était illustré par une grande action, comme Bonaparte, comme de Gaulle lui-même. Car il faut être un héros, d'abord, si l'on a l'ambition d'incarner la France. Et cela même ne suffit pas, il faut ensuite avoir du génie. Et, enfin, il faut être Cincinnatus et savoir retourner à sa charrue quand le peuple en a assez de vous. Tout compte fait, de Gaulle a été la plus parfaite incarnation du gaullisme.

(1ᵉʳ septembre.)

Du mauvais usage de la maladie

Il faut bien que je le dise : je suis choqué par le battage que l'on fait autour de quelques personnes récemment mortes du sida. C'est une maladie effrayante, et je suis navré qu'elles en aient été affligées, mais pas plus affreuse que le cancer ou, jadis, la tuberculose.

Je suis choqué parce que ce battage n'a pas d'intentions

pures. Son but n'est pas d'inspirer la crainte du fléau, ni d'exhorter les populations à l'éviter, mais au contraire d'insinuer qu'il y a de l'héroïsme à en être victime, et que l'on a été contaminé en se livrant à des activités admirables.

On est moins tolérant, ma foi, avec les fumeurs. Les cigarettes, leur serine-t-on depuis quinze ans, vous mènent au tombeau. Quelle étrange vergogne, quel étrange snobisme empêchent de dire aux gens susceptibles d'attraper le sida qu'ils auraient intérêt à refréner certains élans qui risquent de leur être fatals ? C'est tout simple, pourtant. On ne contracte pas le sida en jouant aux dominos ni, d'une façon générale, en accomplissant les tâches habituelles de l'existence. On va le chercher dans des circonstances bien particulières. Il n'est pas inévitable. Mais je n'ai lu cela dans aucune des oraisons funèbres publiées ces temps-ci par les gazettes.

Le plus extraordinaire a été la couverture en couleurs d'un hebdomadaire occupée par la photo d'un de ces malheureux, et accompagnée d'une légende qui n'aurait pas été indigne du chevalier d'Assas, du petit Bara, du général Desaix, du député Baudin, de Rossel : « Le courage d'un dandy ».

On en revient toujours à la belle parole du tsar Alexandre III ayant échappé à un attentat : « Ce sont les risques du métier ! » Si j'étais dans le cas d'être affecté du sida, je crois que c'est ce que je me dirais. Et je tâcherais de ne pas oublier que, si j'ai récolté cette saleté, c'est que je l'ai bien voulu et que j'en ai, sur le moment, tiré quelque satisfaction. La notion de responsabilité est très consolante. On ne sait plus cela aujourd'hui où tout le monde veut vous faire croire que le comble du chic est d'être une victime et qu'on doit être plaint pour des misères qui devraient, autant que possible, rester secrètes.

(*5 septembre.*)

Les rigolos et les monstres

M. Le Pen doit être content : il fait un calembour, et voilà toute la France en émoi. Moi qui fais des calembours toute la journée (et meilleurs que les siens, j'ose l'affirmer), je n'ai pas tant de succès. Je n'en ai même aucun. Mes pauvres à-peu-près tombent généralement à plat. Ou alors les gens lèvent les yeux au ciel comme pour le prendre à témoin de ma débilité mentale.

Cette attitude qui consiste à ne pas rire de mes drôleries, ou à n'en sourire qu'avec commisération, me donne un sentiment aigu de mon infériorité. Si seulement on me disait que je suis un monstre, que l'on n'a pas le droit de plaisanter sur certains sujets, que je fais rougir les cheveux blonds de notre belle jeunesse, je me contenterais avec cela. Après tout, ce n'est pas mal de passer pour un monstre. C'est même encore mieux que d'être considéré comme un rigolo. D'ailleurs, les monstres sont souvent des rigolos incompris.

Pour en revenir à M. Le Pen, j'espère qu'il est conscient de son bonheur. La gauche le traite de monstre quotidiennement. Cela doit augmenter sans cesse le nombre de ses électeurs. Les gens aiment beaucoup les monstres. Il suffit de voir à quels personnages historiques vont leurs préférences. Les Anglais sont fous d'Henry VIII qui faisait couper la tête à ses femmes et à ses ministres ; quant à nous autres, nous affectionnons Louis XI qui mettait les cardinaux en cage et se promenait dans ce qu'il appelait son « verger de pendus ».

Le plus comique est d'observer comme la droite se laisse manipuler chaque fois qu'il est question de M. Le Pen. Dans l'affaire du calembour sur M. Durafour, elle a renchéri d'indignation vertueuse afin, je suppose, que le bon peuple croie qu'elle a l'âme aussi belle que la gauche. Chose impossible, car la gauche est la championne toutes catégories de la beauté de l'âme. Quoi qu'on fasse, on n'arrivera jamais à l'égaler.

A mon humble avis, la droite, dans ses rapports avec M. Le Pen, devrait prendre modèle sur mes interlocuteurs.

Quand j'ouvre la bouche, ils regardent ailleurs ou haussent les épaules. Du reste, le résultat se fait sentir. A voir le tirage de mes bouquins, je suis loin d'avoir quatre millions et demi de partisans.

(10 septembre.)

Défense de Tartuffe

Je me suis un peu tâté pour savoir si je m'offusquerais d'être traité de « Tartuffe » sur deux colonnes par M. Jean Daniel dans *Le Nouvel Observateur*. Ma paresse et mon tempérament léger m'auraient plutôt porté à en rire. En outre, j'avais présente à l'esprit la belle maxime de Courteline : « Rien n'est plus délicieux que de passer pour un idiot aux yeux d'un imbécile. » Etre appelé Tartuffe par M. Daniel est presque un bonheur, ma foi.

Autre maxime que j'observe généralement et qui est de Jeanson, je crois : « Ne polémiquez jamais avec quelqu'un qui est moins connu que vous. » M. Daniel est-il plus ou moins connu que moi ? Je dirai un tout petit peu moins, pour la raison suivante : c'est que je ne l'avais pas nommé, non plus que son journal, dans la chronique de *France-Soir* qui l'a fait souffrir au point de me tartuffier. En quelque sorte, j'avais donné une gifle, mais sans indiquer la joue à laquelle elle était destinée. « C'est la mienne ! » s'écrie fièrement M. Daniel.

Comme toujours quand je me fais gronder, il n'y a pas de quoi fouetter un chat. J'avais tout bonnement écrit que, pour n'être point contaminé par le sida, il valait mieux ne pas se mettre dans le cas de l'attraper. C'est à peu près ce que me disait mon père, quand j'avais dix-sept ans, à propos de la vérole. Mon père m'assommait avec sa morale et ses évocations chancreuses, mais je ne voyais pas de tartufferie dans ses harangues. Plutôt le souci de ma santé.

209

D'après M. Daniel, « l'homosexualité me pose des problèmes ». Diable ! Sans lui, je ne l'aurais pas su. Il faut quand même que je le rassure. Aucun problème, mon bon monsieur Daniel. Je ne me soucie jamais des goûts que peuvent avoir les gens, et ce n'est pas parce qu'ils n'ont pas les miens que je les prends, comme vous dites, pour des « salauds », ni même que cela m'empêche de les aimer. De toute façon, les péchés de la chair, quels qu'ils soient, ne sont pas graves. La cupidité, la volonté de puissance, l'orgueil, la haine me paraissant, eux, vraiment détestables, et c'est ceux qui les éprouvent qui sont, à mes yeux, des « salauds ».

Les malheureux atteints du sida ne m'inspirent rien d'autre que de la pitié (mais ce mot-là va choquer M. Daniel qui y verra de la condescendance). Il n'y a aucune commune mesure entre cet épouvantable châtiment (encore un mot prohibé) et ce qui en a été la cause. De la pitié, dis-je, mais semblable à celle que l'on a pour ceux qui meurent de cancer ou de leucémie, et qui n'ont pas leur photo sur la couverture du *Nouvel Obs*.

(17 septembre.)

L'infini à la portée des caniches

Je suis comme tout le monde : je n'ai pas vu le film de M. Scorsese, *La Dernière Tentation du Christ*. Et, comme tout le monde, j'ai mon idée sur cet ouvrage : à savoir qu'il doit être assez anodin et un peu nigaud. D'après ce que j'ai glané dans les gazettes, cela raconte que Jésus rêve qu'il couche avec Marie-Madeleine. Là-dessus, branle-bas d'Inquisition ; il faut brûler Scorsese et sa pellicule ! Ce qui est particulièrement consternant, c'est que les cris les plus aigus sont poussés par nosseigneurs les évêques.

A croire qu'ils n'ont lu ni l'Ancien Testament ni le Nouveau. Ils n'ont pas lu non plus un excellent article du pasteur

Maillot paru dans *Réforme* il y a quinze jours, dans lequel il explique doucement qu'une tentation sexuelle est fort peu de chose et n'a jamais mis en péril le salut du monde.

Si le Christ n'avait eu affaire qu'à M. Scorsese, il aurait eu, je crois, la tâche assez facile. Le diable, ainsi qu'il est relaté dans les Evangiles, lui a offert une tentation autrement subtile : celle de dominer le monde, c'est-à-dire de persuader tous les hommes, irréfutablement, qu'il était le Messie. Satan a dit en quelque sorte à Jésus : « Réussis ton coup avec moi au lieu de le manquer à moitié avec Dieu. Faisons, toi et moi, ensemble, le bonheur de l'humanité. » Le vrai blasphème serait d'imaginer que le Christ eût pu céder à cette voix spécieuse et enchanteresse et que, comme un homme, il se fût laissé aveugler. Ainsi que l'écrit le pasteur Maillot, le diable s'y connaît un peu mieux, en fait de tentation, que l'Eglise et le cinéma.

Une des grandes niaiseries actuelles est que la luxure est le plus grave des péchés. C'est d'autant plus curieux que la pornographie est partout. Je suppose que les deux choses vont ensemble et que les bonnes gens de maintenant, en ayant la cervelle farcie de fantasmes lascifs, croient qu'ils affirment ainsi leur indépendance à l'égard de Dieu qui ne veut pas qu'on se livre à la débauche. Céline a eu une jolie formule à propos de l'amour, qu'ils pourraient méditer : « L'infini à la portée des caniches. »

Les caniches ne vont pas en enfer. Il faut bien le leur dire, quitte à les vexer. Et si le diable n'avait qu'eux à se mettre sous la dent, il y a longtemps qu'il serait au chômage, le pauvre. Aussi n'est-ce pas parmi ces affectueux animaux qu'il recrute. Si l'on passe en revue les gens qui font le malheur du monde depuis une cinquantaine d'années, on ne voit guère de luxurieux. Hitler et Staline, pour prendre deux individus bien connus, n'avaient rien de commun, hélas ! avec le cher Louis XV qui ne pensait qu'aux petites femmes.

(24 septembre.)

Le paradis des abstentionnistes

J'ai l'idée d'un référendum, ou plutôt d'un pré-référendum :
« Avez-vous lu les quatre-vingt-six articles du projet de loi
sur l'autodétermination de la Nouvelle-Calédonie ? Répon-
dez par oui ou par non. » Si les Français ne sont pas des
menteurs (ce qui n'est pas couru d'avance), ils devraient
répondre « non » à la quasi-unanimité. Il est inhumain de
forcer des gens normaux à absorber quatre-vingt-six articles
d'un texte écrit en charabia législatif et qui, quand on a fini
par comprendre, n'a rien de particulièrement exaltant.

Pourquoi le gouvernement ne nous demande-t-il que des
choses ennuyeuses ? A peu près toutes ses questions se résu-
ment par : « Voulez-vous être rôtis ou bouillis ? » Que
répondre quand on n'a pas de préférence ? Ma foi, on se tait.
C'est-à-dire que l'on s'abstient de voter. Il paraît, d'après le
dernier sondage, que c'est l'intention de 63 pour cent du
corps électoral. Cela attriste le gouvernement qui voudrait
qu'on lui dise massivement que nous serions enchantés
d'être mis à la broche ou plongés dans le bain-marie. « Ni
l'un ni l'autre » n'est pas une réponse qui lui convienne.

Il y a pourtant eu de bons moments dans l'histoire de
France. Je veux dire des époques où nous n'étions ni adultes
ni raisonnables, où c'était nous qui embêtions les autres et
qui nous accroissions à leurs dépens. Le plus agréable est
que nous avions, alors, la meilleure conscience du monde,
tandis que, maintenant, nous ne cessons pas de nous sentir
coupables.

La Révolution, il faut bien le dire, a été une de ces
époques. On aimerait que quelqu'un s'en souvînt, au
milieu des bêlements du Bicentenaire. A tout instant,
M. Rocard devrait se demander : « A ma place, que ferait
Robespierre ? » Qu'eût-il fait, par exemple, des assassins des
gendarmes français ? L'amnistie n'était pas son fort.

Il y a au moins un détail amusant dans le projet de loi en
quatre-vingt-six articles : c'est que les Français qui s'instal-
leront en Nouvelle-Calédonie pendant les dix années à venir

n'auront pas le droit de voter. Ce sera le paradis des abstentionnistes. Il est dommage que ce territoire soit trop petit pour accueillir 63 pour cent des électeurs de notre pays.

(*29 septembre.*)

Le silence des peuples

Les gens au pouvoir, lorsqu'ils analysent les événements, vont toujours chercher midi à quatorze heures. On dirait que la logique est une chose étrangère à leur intellect. En l'espèce, je pense à M. Joxe s'inquiétant que la moitié des électeurs se soient abstenus de voter dimanche dernier au premier tour des cantonales, et proposant, comme remède à cette déplorable indifférence, une autre forme de scrutin.

M. Joxe, dans son castel de la place Beauvau, gardé par des escouades de sergents de ville, vit-il si loin de l'homme ordinaire, du croquant parisien qu'il ne puisse, de temps à autre, lorsqu'une question est vraiment grave, lui demander son avis ?

L'homme de la rue possède un secret qu'ignorent les autorités : il connaît le principe de causalité. Il sait que, si certains effets se produisent, c'est parce que certaines causes les ont amenés. Certaines causes, dis-je. Pas n'importe lesquelles. Pourquoi l'homme de la rue voit-il sans se tromper les causes authentiques des embêtements (ou des catastrophes) tandis que le ministre ne voit généralement que des causes imaginaires ? Tel est l'un des mystères du monde moderne.

Dans l'affaire des élections cantonales, le moindre passant du faubourg Saint-Honoré vous dira qu'il y a deux raisons au moins pour que la moitié des citoyens n'aient pas daigné se déranger. La première est qu'ils en ont par-dessus la tête de voter. Depuis le mois de mai, ils ont élu un Président et une Assemblée, ce qui fait quatre corvées dominicales, après des

213

torrents de rabâchage qui les avaient au préalable écœurés de la politique. Seconde raison : les cantonales n'intéressent pas grand monde. La décentralisation est un article qui ne plaît pas aux Français, et dont ils se méfient. Ils se disent qu'un pays tel que le nôtre, travaillé par la désunion et la guerre civile depuis la Révolution, n'a pas besoin de ce facteur supplémentaire d'éparpillement. Bien entendu, un ministre socialiste ne conviendra jamais de cela, qui paraît évident à un individu sans prétentions partisanes.

Je crains que M. Joxe n'ait encore du souci avec le référendum sur la Nouvelle-Calédonie. Il est bien possible que les abstentionnistes soient terriblement nombreux. Et l'analyse que l'on fera au ministère de l'Intérieur (entendons l'analyse officielle, car on est peut-être plus cynique dans le privé) sera tout aussi inadéquate que les autres analyses officielles. En tout cas, ce dont je suis sûr, c'est que nul ne citera jamais la parole célèbre de Mirabeau : « Le silence des peuples est la leçon des rois. » L'abstention est une forme très parlante de silence, et une leçon qu'il vaut mieux faire semblant de ne pas comprendre.

(1er octobre.)

L'art du camouflage

Le père Brown est un petit curé détective inventé par Chesterton. L'une des affaires qu'il résout est particulièrement énigmatique. Le point de départ en est un monument commémorant une opération militaire stupide, au cours de laquelle un régiment entier a été anéanti. Pourquoi le colonel a-t-il donné l'ordre d'attaquer, alors qu'il ne pouvait ignorer que cela mènerait à un désastre ?

Après quelques déductions et une méditation sur les grains de sable au bord de la mer, le père Brown aperçoit la vérité : le colonel a froidement fait tuer tous ses soldats parce qu'il voulait la mort d'un capitaine qui avait séduit sa femme. Il a camouflé un assassinat sous le massacre de huit cents hommes.

Je ne puis m'empêcher de songer à cette histoire à propos d'un autre militaire, non pas anglais mais polonais, M. Jaruzelski, qui s'apprête à fermer les chantiers navals de Dantzig, c'est-à-dire à liquider dix mille hommes afin d'en détruire un seul, M. Walesa, dont il est l'ennemi parce que celui-ci est l'amant de son épouse légitime, à savoir la Pologne.

Dix mille hommes, c'est plus qu'un régiment ; c'est l'effectif d'une division. On voit que M. Jaruzelski est général, ce qui lui permet un camouflage très supérieur à celui du colonel jaloux imaginé par Chesterton. Mais peut-être en fait-il un peu trop. Dix mille chômeurs font plus de bruit que huit cents fantassins, ne serait-ce que parce qu'ils ne sont pas morts. Ils veulent vivre, c'est-à-dire manger, et quand on a faim, on pousse des cris terribles. J'entends bien que M. Jaruzelski les tuerait tous sans que son œil cillât sous ses lunettes vertes ; néanmoins, dix mille morts, c'est beaucoup, même pour un général, et surtout en temps de paix.

Dix mille chômeurs sont-ils plus embêtants que dix mille syndicalistes ? La question est là. Il est incontestable qu'ils ne peuvent plus faire de grève, mais il est également incontestable qu'ils peuvent faire des défilés et des émeutes, ce qui n'est pas plus gai. Et M. Walesa, qui est chômeur lui aussi, et non mort ainsi qu'il serait si souhaitable, sera à leur tête, narguant de plus belle le pauvre général cocu.

(*5 novembre.*)

La France du progrès

M. Mitterrand doit être attristé : le recensement qui a eu lieu dimanche dernier lui a appris qu'il régnait sur quatorze millions de sujets. Il ne faut cependant pas prendre trop au tragique ce rétrécissement de la population : avec quatorze millions ou presque, nous arrivons encore devant la Belgique et la Suisse.

C'est très bien, très chic de gouverner la Belgique. D'abord on est roi, ce qui évite le tintouin des campagnes présidentielles tous les sept ans. Ensuite on y parle deux langues, ce qui doit être commode pour noyer les différents poissons de la politique courante. La Suisse est également pleine d'attraits, ne serait-ce qu'à cause du grand nombre de banques qu'elle possède et du fabuleux franc suisse qui est plus fort que toutes les monnaies du monde.

Je vois encore un grand avantage à une France de quatorze millions de citoyens. C'est qu'on ne sera plus obligé de conserver tout ce territoire si encombrant qui va de Dunkerque à Port-Vendres et de Brest à Lyon, sans parler de la Corse, de l'île de la Réunion, de la Guadeloupe, de la Martinique, et, bien entendu, de la Nouvelle-Calédonie. On pourra ainsi libérer les Bretons, les Francs-Comtois, les Alsaciens, les Normands, les Occitans qui gémissent depuis si longtemps sous le joug du colonialisme français. Il suffira de garder l'agglomération parisienne, l'Ile-de-France, la Seine-et-Marne, les Yvelines. Il me semble que les quatorze millions de citoyens, en se serrant un peu, pourraient très bien se caser dans ce périmètre.

Quel soulagement, quelle joie pour notre pauvre gouvernement surmené, de ne plus avoir à s'occuper des pêcheurs de Douarnenez, des mineurs du Nord, des usines nucléaires de Fessenheim, des chantiers navals de Saint-Nazaire, de l'agriculture un peu partout, bref, de tout ce qui rend si fatigant le métier de ministre. On est si bien dans les palais nationaux, dans les beaux meubles du Mobilier national. Pourquoi faut-il que ces délices soient accompagnées de tant de responsabilités assommantes ?

L'histoire des peuples est une chose paradoxale. On les voit constamment soucieux de s'accroître, de s'étendre, d'annexer des provinces, de conquérir des colonies, de mettre leur empreinte sur le monde. Quand on pense que, pendant mille ans, les rois capétiens n'ont été animés que par l'ambition de faire leur « pré-carré », c'est-à-dire de reculer autant que possible les frontières de la France, on est éberlué. On est tellement plus tranquille lorsqu'on se restreint, lorsqu'on donne les terres qu'on a aux gens qui vous les demandent, lorsqu'on leur pardonne évangéliquement d'assassiner des gendarmes.

(12 novembre.)

Orgueil ou bêtise ?

Mgr l'évêque d'Evreux raisonne comme un politicien, c'est-à-dire qu'il cherche aux désastres des explications absurdes. Par exemple, il prétend que, si les prêtres avaient le droit de se marier, on verrait davantage de vocations sacerdotales. C'est une double erreur. D'abord parce qu'on n'attire pas les hommes avec du bien-être ou des facilités, mais au contraire en leur imposant des contraintes qui les forcent à se dépasser eux-mêmes. Si l'Histoire enseigne quelque chose, c'est bien cela, tout au long des siècles.

Ensuite, on ne voit guère pourquoi les mariages des prêtres seraient plus réussis que les autres. Ils ont même toutes les raisons d'être manqués, tant sur le plan intime que sur le plan social. Les séminaristes ne sont pas trop bien préparés, je crois, à rendre une femme heureuse. Quant à la prospérité du ménage ecclésiastique, il n'y faut pas songer. Les prêtres sont très pauvres ; leurs épouses, pour partager leur pauvreté, devront être des saintes. Enfin, Mgr l'évêque d'Evreux a-t-il pensé aux enfants ? Il y en aura des quantités car on ne prendra évidemment pas la pilule. Le malheureux curé père de famille aura une existence effrayante, dont il ne pourra sortir qu'en allant « pantoufler dans le privé », comme un vulgaire polytechnicien, c'est-à-dire devenir prof de lettres dans une école libre.

Quand donc les évêques français oseront-ils révéler les

vraies causes pour lesquelles on ne trouve presque plus de fidèles dans les églises, ni de prêtres pour leur dire la messe ? Depuis des années, je me demande s'ils sont stupides ou s'ils sont orgueilleux, s'ils n'ont réellement rien compris ou s'ils mentent pour ne pas admettre qu'ils sont responsables eux-mêmes de la crise de maintenant, par leurs messes en charabia, leur gallicanisme sauvage, la terreur qu'ils ont fait régner après le concile Vatican II. Un peu d'autocritique, un peu d'humilité, une petite confession, Messeigneurs, s'il vous plaît. Vous seriez éblouis de constater que, pour une fois, les fidèles vous écouteraient.

« Qui a envie de se marier aujourd'hui, à part les prêtres ? » disait en riant Louise de Vilmorin, il y a une vingtaine d'années. Elle racontait volontiers aussi une anecdote concernant son curé. Celui-ci, faisant le catéchisme aux gamins de Verrières, leur demanda ce que signifiait la formule : « Et avec votre esprit », que l'on répond au célébrant lorsqu'il prononce : « Le Seigneur soit avec vous. » Perplexité des catéchumènes. Finalement l'un d'eux lève le doigt : « Moi, je sais, M'sieu l'curé, s'écrie-t-il ; ça veut dire *Et cum spiritu tuo.* »

Il est regrettable que Mgr l'évêque d'Evreux n'ait pas connu Louise de Vilmorin. C'était une femme d'esprit et de bon sens, qui avait une présence charmante. Elle était fort moqueuse, et il aurait fallu plus qu'une mitre pour l'intimider.

(*19 novembre.*)

Ne prenons rien au tragique

Le juge Boulouque doit regarder avec envie son collègue le juge Grellier et se dire qu'il en est des inculpés comme des numéros de la roulette : les uns gagnent, mais on perd sa chemise sur les autres. En a-t-il eu de la chance, le juge Grellier, de miser sur M. Michel Droit ! Voilà ce que j'appelle de l'inculpé de premier choix : gaulliste, titulaire de la médaille militaire, écrivain, membre de l'Académie française. Avec un pareil casier judiciaire, un magistrat instructeur de la fin du XXe siècle joue sur le velours. Le gouvernement le couve d'un œil attendri, les deux tiers de la presse accablent le misérable Droit de leur mépris et le tiers restant n'ose pas le défendre.

Pauvre M. Boulouque ! je le vois bien mal parti. En la personne de M. Fouad Ali Saleh, il a tiré le plus mauvais numéro possible. Ce M. Saleh est considéré comme un des responsables des attentats de 1986 qui firent plusieurs morts à Paris. Il s'agit par conséquent de quelqu'un d'éminemment sympathique. La preuve : le Syndicat de la magistrature, qui est infaillible, après s'être solidarisé avec M. Boulouque, l'a lâché au bout de deux jours, et soutient à présent le cher M. Saleh.

Quant au garde des Sceaux, on l'a si bien enfermé dans son bureau de la place Vendôme pour qu'il n'ait pas la tentation d'aller bavarder à tort et à travers que les bruits mêmes du monde extérieur n'arrivent pas jusqu'à lui. Il est tombé des nues quand on lui a appris que M. Saleh avait fait inculper M. Boulouque d'avoir violé le secret de l'instruction. Après quoi, il a déclaré qu'il ne fallait pas « prendre ces affaires au tragique ».

Parole profonde et vraie. Le charme des régimes socialistes est qu'on n'y prend rien au tragique, pas même l'assassinat de quatre gendarmes, puisqu'on a remis en liberté les assassins, ce qui, précise-t-on, ne doit pas être pris pour un acquittement pur et simple. Ils sont en liberté, certes, mais, un de ces jours, on fera leur procès aux assises. Par contumace, je pense.

Comme le parquet va sans doute dessaisir M. Boulouque du dossier Saleh, il pourrait le confier au juge Grellier. Mais celui-ci sera-t-il aussi rigoureux avec un terroriste qu'avec un homme de lettres ? Au regard de la morale actuelle, il est infiniment moins grave de poser des bombes que d'attribuer des fréquences aux radios libres.

(24 novembre.)

Instituteurs, au piquet !

L'orthographe est une chose trop grave pour la confier aux instituteurs. L'orthographe n'est leur affaire que pour l'enseigner, c'est-à-dire obéir à des ordres donnés par le grand état-major de la littérature française qui dirige les opérations depuis Louis XIII et qui, semble-t-il, est assez compétent.

En matière de langage, il n'y a que deux catégories de gens qui ont le droit d'exprimer leur avis : les écrivains et le peuple. Les premiers parce qu'ils sont des musiciens professionnels, le second parce que c'est son gosier qui fait la musique française. Je ne dis pas que les professeurs, les instituteurs, les ministres de l'Education nationale ne soient de braves gens, mais ce sont des rationalistes ; ils n'ont que de l'intellect et point d'oreille. S'ils entreprennent une réforme de l'orthographe, ils le feront rationnellement, ce qui sera funeste car l'orthographe, comme la langue, comme la vie, n'est pas une chose rationnelle.

Pour un écrivain, les mots ne sont pas seulement des sons, ils ont aussi une figure qui joue son rôle dans l'écriture, puis dans la lecture. Une page est faite pour l'œil autant que pour l'oreille. Si j'écris « philosophie », ce n'est pas la même chose que « filosofie », quoi qu'en dise Voltaire et les instituteurs qui ne l'ont pas lu. Philosophie, avec ses deux PH, a un aspect austère, majestueux, hellénistique s'accordant secrètement avec les grands hommes qui ont illustré cette science.

Je sentais déjà cela dans mon enfance. J'avais l'instinct de l'orthographe française et, aussi loin que je me souvienne, j'ai écrit sans fautes. Cette sorte d'instinct n'est pas si singulière qu'il y paraît. L'orthographe est quelque chose d'aussi intrinsèque à la France que son langage, que son histoire : elle a évolué dans le même mystère. Je ne sais quel atavisme, lorsque j'avais huit ans, m'empêchait de me tromper sur des mots difficiles comme *abbaye* ou *chanfrein*.

Entre l'écrivain et les mots, il y a une familiarité ancestrale. L'ébéniste sait que l'acajou et le citronnier n'ont pas le même grain et qu'on les travaille différemment. L'écrivain, nourri des maîtres, connaît le poids de chaque mot. Si l'on change brusquement l'orthographe du mot, le poids change aussi, de façon subtile. La phrase n'est plus la même, ni la musique. Toute une littérature risque d'être abîmée.

A qui profitera une réforme simplificatrice de l'orthographe ? Evidemment aux ignorants. Mais qu'importe que les ignorants fassent des fautes ? Ils en ont toujours fait et on ne leur coupe pas la tête pour cela.

(*3 décembre.*)

Guerre bactériologique

Je pense que le sida va nous laisser quelque répit, maintenant que les PTT distribuent à nouveau le courrier, que les autobus roulent cahin-caha, que l'on n'a plus le plaisir de contempler chaque jour sur les quais ou dans les avenues de joyeux cortèges arborant des banderoles. En effet, le sida a particulièrement fait rage pendant les deux mois que nous venons de traverser. Je veux dire qu'il a fait rage dans les journaux et à la télévision.

Il est bien connu que ce qui fait le malheur des uns fait le bonheur des autres. Je n'irai pas jusqu'à affirmer que le sida a fait le bonheur du gouvernement français entre la mi-octobre et le début décembre, mais il lui a apporté un soulagement notable.

Lors de la grande dépression américaine, le président Roosevelt eut une idée remarquable : il encouragea Hollywood à fabriquer des comédies et des vaudevilles, grâce auxquels les malheureux chômeurs et les banquiers ruinés trouvaient deux ou trois heures de gaieté dans les cinémas. Il paraît que cette thérapeutique par le rire eut une véritable influence et aida à la reprise des affaires.

Je vois quelque chose de plus profond dans la campagne sur le sida, quelque chose de philosophique et même de

221

métaphysique, qui montre la supériorité des Français sur les Américains. En exposant au peuple les ravages de cette affreuse maladie, on lui laisse entendre qu'il n'est pas bien grave d'être privé de cartes postales, d'aller à pied à son travail, de se heurter à des embouteillages sur le boulevard périphérique, de ne pas recevoir son chèque mensuel, si l'on compare ces menus inconvénients à la mort qui survient inévitablement lorsque l'on est contaminé. Le sida a encore un avantage : c'est qu'il touche aux mœurs, ce qui permet aux uns de faire de la morale et aux autres d'affirmer que la morale n'a rien à voir là-dedans, controverse un peu vieille, certes, mais qui a toujours du succès.

J'avoue que je suis assez perplexe quant à l'épidémie de grippe qui commence à se répandre sur les petits écrans et dans les gazettes. Cela signifie-t-il que l'agitation sociale se calme ou au contraire qu'elle va reprendre ? Il y a là une forme de guerre politico-bactériologique dont on ne distingue encore pas bien les règles. De toute façon, il est à craindre que la CGT, qui n'a pas succombé au sida, ne sera guère affectée par la grippe.

(*10 décembre.*)

Le cas Rocard

M. Rocard n'est pas assez superstitieux. Je le trouve imprudent de déclarer qu'il aura trois ans de tranquillité après les élections municipales. Il ne faut pas dire de pareilles choses ; cela provoque le destin. On n'est jamais sûr de son portefeuille. Il n'est pas impossible qu'au mois d'avril ou mai prochain M. Rocard ne soit invité à déguerpir de l'hôtel Matignon, auquel cas les années qui suivront les municipales seraient plus tranquilles pour lui qu'il ne le souhaite.

Je vois quatre raisons au moins pour que M. Rocard n'ait pas beaucoup d'avenir dans son poste. La première est qu'il est rempli de bonne volonté ; la deuxième qu'il a le caractère accommodant et compréhensif ; la troisième qu'il dit la vérité ; la quatrième qu'on ne peut s'empêcher d'éprouver de la sympathie à son égard. Enfin il fait jeune, ce qui est toujours mal vu en France.

Le plus étonnant est qu'avec tous ces vices il soit parvenu à être Premier ministre. On ne sent à aucun degré chez lui cette méchanceté fondamentale, cette malfaisance profonde qui font les grands politiques. Je suis sûr qu'il est impossible de trouver quoi que ce soit de malhonnête dans son passé ; il ne partage de cadavre avec personne ; il n'a pas de vieux squelettes dans de vieux placards.

Lorsqu'un brave homme est au pouvoir, fait une politique libérale, tâche de contenter tout le monde, il dresse l'opinion entière contre lui. Exemple : Louis XVI. Je ne vois guère qui soutient aujourd'hui M. Rocard, à part Mme Sinclair qui l'invite à la télévision. La droite veut sa peau parce qu'il est de gauche. M. Marchais déclare qu'il est d'une « incommensurable stupidité » ; le gros M. Barre pense qu'il serait bien mieux que ce freluquet à Matignon. Dans la rue, les gens exaspérés par les grèves des services publics sont à deux doigts de l'insurrection.

Reste le président de la République, dont M. Rocard dit qu'il est « son meilleur soutien » et qu'il s'entend de mieux en mieux avec lui. Il ajoute, dans ce langage un peu particulier qui est le sien : « Le rire-ensemble commence à y prendre une part significative », ce qui veut dire, je pense, que le monarque qui jusqu'ici lui faisait plus ou moins la tête s'est légèrement déridé. Voilà qui, à mon avis, est pire que le reste. Quand les souverains deviennent gracieux, l'exil n'est pas loin. J'ai appris cela en lisant les romans d'Alexandre Dumas qui connaissait à fond l'histoire de France.

(*24 décembre.*)

223

Fabien Ier

La vie est vraiment amusante : qui eût prévu, lorsque M. Brejnev envoyait l'Armée rouge en Afghanistan, que cela se terminerait quelques années plus tard par une déclaration de M. Vorontsov, vice-ministre des Affaires étrangères soviétique, comme quoi l'URSS serait tout à fait favorable à ce que l'ex-roi Zaher Chah revînt régner à Kaboul ?

Tout le monde l'avait oublié, ce pauvre roi. Depuis 1973 il était établi à Rome, ce qui est une vieille tradition pour les souverains ayant perdu provisoirement ou définitivement leur trône. Il y a quelque chose d'émouvant à ce que, tout à coup, une grande puissance comme l'URSS se souvienne de lui et considère que ce simple particulier, qui n'a pour lui que d'avoir été sacré jadis, est capable de l'aider à sortir du guêpier où elle s'est fourrée.

Ce Zaher Chah est un homme précieux, et maintenant que nous savons qu'il existe, je ne vois pas pourquoi nous le laisserions aux Afghans, ces ingrats, qui l'ont chassé. Il ferait un roi de France très satisfaisant. Ayant l'accord de Moscou, il trouverait chez nous un puissant parti royaliste prêt à l'accueillir. M. de Marchais, M. de Krasucki, M. de la Plissonnière, M. de la Joinie feraient d'admirables chambellans et feudataires. Quant au monarque, on le couronnerait en Seine-Saint-Denis (93) où sont enterrés les vieux capétiens, sous le nom de Fabien Ier, qui me paraît s'imposer.

Retrouver un roi l'année même où l'on célèbre le bicentenaire de la Révolution serait épatant. En outre, c'est tout à fait le genre de surprises dont l'Histoire raffole. Je ne trouve que des avantages à Fabien Ier. D'abord il mettrait fin à la vieille rivalité entre les Bourbons d'Espagne et les Orléans. Ensuite il est musulman, ce qui serait excellent pour l'assimilation définitive des immigrés. Enfin, d'après sa photo parue dans *Le Figaro*, il a l'air très distingué, très chic, le crâne chauve, le sourire bienveillant, le pied long et fin dans des chaussures confectionnées par un bottier de la via Condotti. Voilà quelqu'un dont on n'aurait pas honte à l'étranger.

(*31 décembre.*)

1989

Le look Révo

Longtemps j'ai cherché ce qui m'assommait le plus dans le Bicentenaire de la Révolution. D'abord j'ai cru que c'était le rabâchage. A en juger par ce que nous avons lu, vu et entendu en 1988, que sera-ce en 1989 ! On va nous gaver de Bastille, de Droits de l'homme, de sans-culottes, de ça-ira, de bonnets phrygiens, de « Liberté-ou-la-mort », de procès du roi, etc. J'attends Fersen de pied ferme. Il est étrange que l'on n'ait pas encore exhumé le grand navet de Jean Renoir, *La Marseillaise*, financé, à ce qu'on a dit, par la CGT, et qu'on ne l'ait pas projeté en grande pompe à l'Opéra. Mais cela viendra, ne désespérons pas.

En attendant, la moindre boutique, le moindre bistrot se donne, comme dit une demoiselle de ma connaissance, le « look Révo », c'est-à-dire prend le genre farouche des Grands Ancêtres. Jusqu'à un restaurant qui a mis sur les portes de ses W-C : « Citoyen » « Citoyenne » et offre sur son menu de la tête de veau Robespierre.

Il faut avouer que « look Révo » est une trouvaille qui dépeint assez bien ce à quoi nous assistons. Car il ne s'agit évidemment que de folklore et de mascarade, nullement de philosophie. On va pendant un an amuser le bon peuple avec des reconstitutions en costumes et de l'histoire pour bandes

dessinées. Le plus accablant est que tous les hommes politiques, de droite comme de gauche, sont dans le coup. Chacun ira de son couplet, pour avoir l'air encore plus républicain que l'autre.

Ah ! Quel rafraîchissement si l'un d'eux, un peu moins
nigaud ou un peu moins hypocrite que ses confrères, faisait
un grand discours à la nation pour lui expliquer que la France
de maintenant est le contraire de celle de 1789, qu'elle n'a ni
son énergie, ni son ambition, ni son patriotisme, ni son
mépris de la mort, ni sa férocité, que les Français d'alors
étaient des tigres et ceux d'aujourd'hui des matous, que,
pour faire une Révolution, il faut croire à quelque chose et
que nous ne croyons à rien ; que, pour conquérir le monde, il
faut être sans peur et que nous avons peur de tout ; que la
formule « la liberté ou la mort » signifie qu'on est prêt à donner sa vie pour n'être pas esclave.

Lors du premier centenaire, en 1889, on n'a pas fait grand-
chose en matière de « look Révo », on a même été assez dis-
cret. Il faut dire que l'on avait quelques occupations plus
sérieuses. Notre armée conquérait un empire colonial ; nous
fabriquions la tour Eiffel ; le kaiser Guillaume II garnissait
nos frontières de l'Est de casques à pointe. Le look Révo
pourtant aurait été exceptionnellement réussi : le président de
la République de l'époque n'était autre que le petit-fils du
grand Carnot, étoile du Comité de salut public et « organisateur de la Victoire ».

(7 janvier.)

L'Inco dans la Moselle

Je vois mal pourquoi la décision prise par M. le maire de
Thionville (Moselle) de faire élever dans sa ville une statue
de Robespierre suscite tant de polémiques. Etant donné ce
que font les sculpteurs de maintenant (surtout ceux à qui

230

l'Etat et les municipalités passent des commandes), la statue ressemblera à un rognon de veau, à un menhir, à un hérisson, à n'importe quoi sauf à Robespierre.

Ah ! certes, il y aura le socle, sur lequel on pourra lire : « Maximilien, Marie, Isidore de Robespierre, né à Arras chef-lieu du Pas-de-Calais, mort à Paris en 1794. » De la sorte, les passants sauront ce que signifie le roulement à billes surmonté d'un plumeau qu'ils contemplent.

Il suffira au prochain maire, s'il n'éprouve pas une attirance particulière pour l'Incorruptible (ou « Inco » en langage moderne), de faire gratter l'inscription et de la remplacer par : « Monument élevé à la gloire de SM Louis XVI, le roi martyr » ou, s'il appartient au PR : « Le président Mitterrand offrant le portefeuille de Premier ministre à M. Raymond Barre ». Tel est l'avantage de la sculpture actuelle : en ne disant rien, elle dit tout.

Si M. le maire de Thionville tient absolument à honorer Robespierre, je me permettrai de lui suggérer de faire reproduire en bronze (ou en béton) une guillotine grandeur nature. Jusqu'à présent, on n'a rien trouvé de mieux que cet instrument pour personnifier la Révolution et ses grands hommes. Du reste, j'ai lu récemment dans une gazette qu'un directeur d'école ayant demandé à ses élèves de dessiner ce qui était, selon eux, le symbole de cet événement, les trois quarts de ces bambins reproduisirent le « grand rasoir national » avec ses montants, sa lunette, son couperet et, même, dans certains cas, les marches de l'échafaud, le tout bien colorié à l'aquarelle.

Mon idée me semble d'autant plus judicieuse qu'il est peu probable que Robespierre ait jamais mis les pieds à Thionville. Ce natif d'Arras était un Parisien invétéré qui ne quittait son logis de la rue Saint-Honoré que pour aller au club des Jacobins, à deux pas, ou à la Convention, à un jet de pierre. Tandis qu'il y a eu une guillotine à Thionville, et qui a fonctionné là aussi efficacement qu'ailleurs. Le grand homme local, Merlin, y a certainement veillé. Il y a veillé encore, je pense, après le trépas de l'Inco, afin de faire raccourcir quelques jacobins thionvillois, car il était, avec Tallien, un des chefs de la réaction thermidorienne.

(14 janvier.)

Le silo et la baguette

Je n'ai jamais changé d'avis sur l'Opéra de la Bastille. Dès la minute où le gouvernement a pris la décision de l'édifier, j'ai pensé que c'était une bêtise. Pourquoi un Opéra, et pourquoi là ? Mon idée était que l'on aurait mieux fait de reconstruire la Bastille elle-même, car il y a plus de délinquants que de mélomanes en France, et qu'on a davantage besoin de prisons que de salles de concert. La Bastille, à en juger par les gravures, était un fort beau bâtiment, puissant, poétique, tragique, qui avait la figure que doit avoir une forteresse, qui inspirait le respect et l'effroi.

Un Opéra doit avoir lui aussi la figure de son état, c'est-à-dire celui d'un temple de la musique. Cela signifie au moins quelque gaieté architecturale, ou quelque fantaisie. L'Opéra de la Bastille a l'aspect de tout ce qu'on fait à présent : il a l'air d'un silo ou d'une usine. Il me semble que je n'aurais pas plus envie d'entrer là-dedans que le pauvre Latude d'entrer dans la vraie Bastille. Lui, encore, n'avait pas le choix, y étant conduit par des argousins, avec les menottes.

A la place de M. Barenboïm, loin d'être furieux qu'on ait dénoncé mon contrat de directeur artistique et musical du silo, j'en serais enchanté. Pour un artiste, la perspective d'aller chaque jour travailler dans un silo a quelque chose de désespérant, dont il se serait vite aperçu et qui l'aurait conduit à la dépression nerveuse. Le voilà libre de s'envoler avec sa baguette magique vers des théâtres dont la façade est déjà de la musique : la Scala, le San Carlo, Covent Garden, le Capitole de Toulouse — et peut-être un jour le palais Garnier, car la musique survit à l'Administration, grâce à Dieu.

232

Si l'on m'avait écouté en 1982 (mais on ne m'écoute jamais), et si l'on avait bâti une prison à la Bastille au lieu d'un Opéra, on n'aurait pas tous ces soucis, encore qu'il ne soit pas à la portée de n'importe qui d'être gouverneur de la Bastille. Le dernier en date, M. de Launay, a été tout à fait lamentable. Mais, en deux cents ans, on a fait quelques progrès dans l'art de briser les insurrections populaires.

(*21 janvier.*)

L'homme de la situation

Je ne comprends rien, naturellement, à l'affaire Péchiney, mais cela ne m'empêche pas, pour autant, d'avoir une excellente idée sur la façon d'apaiser ce scandale qui, comme disent les gazettes, « éclabousse » nos merveilleux ministres et, paraît-il, risque d'éclabousser de même notre bien-aimé Président. J'ai cru deviner, à ce que raconte la presse, que tout le monde publiait des démentis. Les démentis sont une belle chose, mais ils ne suffisent pas. Il faut trouver un responsable.

Or, j'en ai un. Il est remarquable ; il a toutes les qualités requises pour attirer sur lui la réprobation hexagonale et, avec un peu d'adresse, internationale ; il a servi pendant deux ans à la satisfaction unanime ; il est enfin disponible. On l'a reconnu : c'est M. Michel Droit, à qui l'on a accordé, il y a quelques jours, un non-lieu.

Pendant les deux années qu'a duré l'instruction de son dossier, M. Droit a été abreuvé d'injures. Il était d'autant plus agréable de les lui adresser qu'il était innocent. Il va bien manquer à l'opinion publique. Le scandale de Péchiney tombe à pic pour l'inculper de nouveau. Après avoir été coupable de forfaiture et de corruption passive, pourquoi ne serait-il pas coupable d'initiation boursière ? Il n'est plus à cela près.

233

M. Droit a encore une qualité inestimable : il n'appartient pas au Parti socialiste. Du moins pas à ma connaissance. Ainsi pourra-t-on lui taper dessus aussi fort qu'on voudra. Si l'on s'y prend convenablement, c'est-à-dire si l'on choisit de bons juges d'instruction pour s'occuper de lui, on parviendra bien à faire durer la chose deux ou trois ans. L'affaire Péchiney deviendra l'affaire Michel Droit, ce qui a un son familier. Les beaux fronts pensifs de nos ministres auront le temps de se relever avec leur fierté habituelle. Et le président de la République n'aura plus à rougir de ses amis.

Dans deux ans, Dieu merci, on aura oublié jusqu'au nom de Péchiney. Alors, M. Droit bénéficiera d'un non-lieu. Et, d'ailleurs, de quoi se plaindrait-il ? On aura abondamment parlé de lui dans les journaux et à la télévision, ce qui est très bon pour les hommes de lettres, comme on sait.

(28 janvier.)

Le Capital de gauche

Ce sont les petites gens pour lesquels la Bourse est généralement désastreuse, les petits bourgeois, les petits rentiers, qui se retrouvent sans un sou, à la rue, parce qu'ils ont tâché humblement de spéculer avec leurs pauvres économies. Or, cette fois-ci, qui est attrapé ? Les requins. C'est assez farce, ma foi, et d'autant plus farce que ces requins-là sont de couleur rose.

Ils évoluaient, ces bons squales, dans les eaux profondes du pouvoir, dans les grands fonds où dorment les trésors. Ils savaient où étaient ceux-ci, et quand ils ne le savaient pas, les scaphandriers du gouvernement se faisaient un plaisir de leur en indiquer l'emplacement. Le galion de la Société générale gisait à la verticale du boulevard Haussmann. Le trois-mâts Péchiney à la verticale de la rue Balzac. Hélas ! on ne se méfiait pas des courants sous-marins venant de Suisse et d'Amérique !

La beauté de l'argent ne tient pas, comme on le dit, à ce qu'il n'a pas de patrie, mais plutôt à ce qu'il n'a pas d'idéologie. Nous constatons qu'il existe un Capital de gauche, tout aussi âpre et pugnace que le Capital de droite. La gauche souffrait traditionnellement d'une réputation de désintéressement, de noble indigence, de rectitude morale qui la rendait assez décourageante pour des jeunes gens ambitieux. On savait que, quand on se donnait à elle, on travaillait au bonheur de l'humanité, chose très belle, mais on aurait bien aimé travailler aussi pour sa prospérité personnelle. Divine surprise : on fait sa pelote à gauche aussi bien qu'à droite. Mieux, même, car, en plus de l'argent, on a l'auréole de la vertu politique.

Tout le monde a beaucoup apprécié l'envolée lyrique de M. Joxe à propos des chaussettes de M. Bérégovoy, lesquelles offrent l'image même des chaussettes de l'honnête homme, ce qui doit signifier qu'elles tombent en accordéon sur les chevilles et qu'elles sont abondamment reprisées. M. Joxe est un socialiste de la vieille roche ou de la vieille école ; il croit qu'il faut avoir l'air pauvre pour inspirer confiance au peuple et l'inciter à voter pour vous. Il retarde. M. Tapie, qui a sans doute des chaussettes de soie en été et de cachemire en hiver, est un modèle socialiste beaucoup plus agréable à contempler. Aussi a-t-il été élu député et siégera-t-il glorieusement dans la partie gauche de l'hémicycle du Palais-Bourbon. Il est peu probable qu'il demande à M. Bérégovoy l'adresse de son marchand de chaussettes.

(4 février.)

Le Bicentenaire à Kaboul

La guerre d'Afghanistan, que l'URSS a fini par perdre, remet en cause les deux maximes qui ont ensoleillé la pensée

235

française pendant ces vingt dernières années, à savoir : « Faites l'amour, pas la guerre » et « Plutôt rouge que mort ». Si les Afghans avaient fait l'amour au lieu de faire la guerre, ils ne seraient évidemment pas morts, mais ils seraient rouges, couleur qui leur est tellement insupportable qu'ils préféraient mourir, justement, plutôt que d'en être badigeonnés.

Les Afghans qui n'ont pas fait la guerre, mais l'amour, et qui par suite sont devenus rouges, offrent à leurs compatriotes un spectacle que nous avons un peu connu autrefois. Je ne sais comment on les appelle à Kaboul ; chez nous, leurs semblables avaient été décorés du nom de « collabos », terme qui avait fini par prendre une tournure péjorative, voire nettement dangereuse, à partir de 1944.

Il paraît que les Afghans sont encore plus féroces que les Français. A en juger par ce que fut l'épuration à Paris et dans nos provinces, on frémit en songeant à ce qu'elle sera là-bas. Il faut souhaiter aux collabos du lieu qu'ils aient pu, comme quelques-uns des nôtres, suivre dans sa retraite l'armée d'occupation. La vie n'est pas bien amusante en URSS, mais du moins on n'est pas mort et, avec un peu d'adresse ou d'expérience, on peut continuer, vaille que vaille, à faire l'amour, encore que cela ne soit pas bien vu.

Il y a deux cents ans, les Français faisaient la Révolution en criant : « La liberté ou la mort ! », ce qui est exactement le contraire des deux maximes de la France actuelle, mais ce qui est non moins exactement la devise de l'Afghanistan de 1989. Il s'ensuit que c'est à Kaboul et non à Paris que l'on devrait célébrer ce Bicentenaire que nous allons traîner toute l'année comme un boulet.

Il va être bien difficile maintenant d'avoir peur de l'Armée rouge, qui a été battue par une poignée de loqueteux. On aura l'air poltron.

(11 février.)

236

Facilité

Pourquoi la notion de péché s'attache-t-elle à ce qui est réputé « facile » ? On disait de Lamartine, pour lui faire du tort, qu'il avait « du génie, du talent, de la facilité ». Ce qui est facile est bien agréable, pourtant, dans ce monde où tout est difficile. Les femmes faciles, par exemple, sont une grande ressource pour les gens qui ne sont pas heureux auprès des beautés altières.

Lorsqu'il m'arrive de publier un livre, je sais d'avance que trois ou quatre critiques me querelleront sur ma déplorable facilité. Le moindre paragraphe me coûtant des litres de sueur, ce reproche, je l'avoue, me fait assez plaisir. Rien n'est charmant comme de se voir attribuer une vertu (ou un vice) que l'on n'a pas.

L'autre soir, en écoutant le président de la République qui flétrissait l'« argent facile » à la télévision, je ne pouvais m'empêcher de penser qu'il en est de cela comme du reste, et que l'argent facile doit faire diablement plaisir à celui dans la poche duquel il tombe. Je n'ai point cette expérience, hélas ! L'argent, pour moi, a toujours été aussi escarpé que la face nord de la Jungfrau. Pour en cueillir quelques piécettes, j'ai été contraint à des escalades exténuantes. Et il n'y avait personne pour me rattraper au bout d'une corde si mon pied glissait sur la paroi rocheuse.

L'inconvénient de l'argent facile est, paraît-il, qu'il est « sale ». Je le veux bien, mais, d'autre part, on me répète depuis mon enfance qu'il n'a « pas d'odeur ». Je suppose que ce qui est sale mais non malodorant ne doit pas être une véritable gêne. L'important, dans cette vie, est de ne pas sentir mauvais. Les millionnaires sentent très bon généralement. Ce sont plutôt les indigents qui ont des remugles dont s'offusquent les narines délicates des grands initiés de la place de la Bourse.

Je m'aperçois que, comme d'habitude, je me suis trop pressé de me plaindre. Moi aussi, je fais partie des heureux de ce monde à qui échoit l'argent facile et que M. Mitterrand accable de son mépris. En effet, je possède un livret de Caisse d'épargne que mon père a ouvert pour moi le jour de ma naissance, le 13 mai 1895. Il y déposa cinquante francs, le cher homme, auxquels je n'ai pas touché depuis, et qui doivent avoir joliment fait des petits.

(18 février.)

Ce qui plaît au public

On ne sait jamais ce qui intéressera le public. Chaque semaine je me creuse la cervelle pour avoir des idées originales sur tel ou tel événement qui s'est produit dans le monde entre le lundi et le vendredi. Moyennant quoi, j'ai l'impression de jeter ma chronique dans un puits sans fond. De temps à autre, un ami me déclare : « Pas mal, votre papier de samedi », et me félicite d'avoir écrit le contraire de ce que je croyais avoir dit.

La semaine dernière, j'ai eu une inspiration que j'oserai qualifier de géniale : j'ai raconté pour m'amuser que j'étais né le 13 mai 1895. Le nombre de lettres que j'ai reçues est incroyable. Des dizaines d'aimables lecteurs m'ont arrêté dans la rue pour me confier qu'il y avait une erreur dans le journal, car il était peu probable que je fusse nonagénaire. M. Bouvard lui-même, mon directeur, qui pourtant connaît mon esprit mutin, recevant ma copie me téléphona pour être bien sûr que je ne m'étais pas trompé.

Je ne vois pas pourquoi je mettrais ma vie en péril en tonnant contre l'Ayatollah qui veut faire fusiller un de mes confrères, ni pourquoi je me brouillerais avec le président de la République et M. Lang en expliquant que leur pyramide du Louvre est une horreur. Pour avoir le succès que je mérite (et que j'ai si rarement, hélas !), il me suffira de révéler que j'ai six doigts à la main gauche et une tache de vin sur le nez, que j'ai accueilli le maréchal Joffre à l'Académie française, que j'ai attrapé la peste à Singapour en 1903 et que je me suis guéri tout seul avec de l'aspirine.

Le public a toujours raison. Voilà ce qu'il ne faut cesser de dire. Ce qui m'advient, à moi pauvre petit bonhomme de journaliste parisien, est beaucoup plus intéressant que les expéditions dans le cosmos, les guerres qui se déclenchent ou qui s'arrêtent ici et là, les scandales en tout genre. Je ne le soupçonnais pas, dans mon humilité. En parlant de moi, je touche à l'humain, à la réalité de la vie, même si mes propos sont une suite ininterrompue de blagues.

Cher public, si fidèle, si attentif, je vous ai réservé cette semaine une information exceptionnellement passionnante : je ne suis pas né le 13 mai 1895, mais en réalité le 9 mars 1873. J'ai joué dans les jardins des Champs-Elysées avec le petit Proust et Gilberte Swann. A trente ans, je me suis battu en duel avec Clemenceau. Je lui ai enfoncé trois pouces de fer dans la poitrine. Dieu merci, il n'en est pas mort, ce qui lui a permis de gagner la Grande Guerre.

(25 février.)

La loi et les mœurs

Il y a quelques années (était-ce déjà sous Giscard ?) le gouvernement et les élites pensantes nous expliquaient qu'il était urgent « d'adapter la loi aux mœurs ». Traduit en français, cela signifiait que, comme on ne pouvait pas fourrer tous les brigands en prison car ils étaient trop nombreux, mieux valait fermer les yeux sur leurs méfaits ou se borner à les gronder doucement. Ce qui, sous la IIIe République, coûtait vingt ans de bagne, ne méritait plus que deux mois avec sursis.

Les bonnes gens comme moi, qui étaient aussi honnêtes en 1980 qu'elles l'auraient été en 1930, ne voyaient aucune nécessité d'adapter quoi que ce soit. Nous nous accommodions parfaitement de la loi telle qu'elle était. Nous la trouvions même un peu molle, un peu « laxiste », comme disent les présentateurs de télévision. A tant faire que de la modifier, c'est plutôt dans l'autre sens que nous aurions souhaité qu'on le fît. Nous étions excédés de cambriolages, de vols à l'arraché, d'agressions dans le métro, exaspérés de voir des assassins couverts de crimes remis en liberté, etc.

Les discussions sur l'orthographe que l'on doit simplifier, afin de la mettre à la portée des ignorants, est une entreprise d'un genre analogue. Les ignorants ont proliféré dans les mêmes proportions que les délinquants. Comme on ne peut pas recaler cent mille écoliers tous les ans au baccalauréat parce qu'ils font une faute à chaque mot, il faut bien adapter l'orthographe à l'ignorance.

Depuis le passage de M. Pasqua au ministère de l'Intérieur, il me semble que l'on ne parle plus tellement de la loi qui ne va pas aussi vite que les mœurs. Il en sera sans doute de même pour l'orthographe d'ici à quelques années. On finit toujours par faire marche arrière. C'est comme cela que le monde avance, d'ailleurs.

(10 mars.)

Les femmes et le Bicentenaire

Rivarol, qui a, sur les autres historiens de la Révolution, la supériorité d'être un témoin oculaire, rapporte que, dans la troupe de poissardes qui alla chercher le roi, la reine et le petit mitron à Versailles, le 6 octobre 1789, il y avait un certain nombre d'hommes qui avaient été recrutés par le duc d'Orléans ou sa faction, et qu'on avait déguisés en femmes. Voilà un détail que les historiens passent tellement sous silence que nul ne le connaît.

Autre détail qui devrait faire réfléchir les dames féministes. On le trouve dans le Journal de voyage d'Arthur Young, célèbre agronome anglais, qui était à Paris en 1790. Il note qu'un des effets de la Révolution « qui n'a rien que de naturel » a été que « l'énorme influence du sexe est affaiblie ou plutôt réduite à rien ». Sous la plume de Young, le « sexe » désigne le beau sexe et non, comme aujourd'hui, la luxure. Les femmes, sous l'Ancien Régime, « se mêlaient de tout, afin de tout gouverner », dit-il ; « les hommes en ce royaume étaient des marionnettes mises en mouvement par leurs femmes ; maintenant, au lieu de donner le ton, elles doivent le recevoir ». Il ajoute « qu'elles en deviendront plus aimables et que la nation sera mieux gouvernée ».

Ce n'est pas là seulement des propos d'Anglais misogyne. Les révolutions ne sont pas clémentes aux femmes, ne serait-ce que parce qu'elles en font brusquement les égales des hommes, avec tout ce que cela implique de responsabilité. Elles sont soudain en première ligne, ce à quoi le passé ne les avait pas habituées. On les malmène et on les tue tout aussi bien que les mâles. Que de jolis cous blancs et potelés a tranchés la guillotine, à commencer par celui de Mme du Barry, qui n'en demandait pas tant, et celui de la charmante Lucile Desmoulins, dont le seul crime était d'être l'épouse de son mari ! Elle avait vingt-trois ans.

D'après ce que je crois comprendre, le Bicentenaire commence à fatiguer ceux-mêmes qui nous ont donné ce boulet à traîner. M. Jack Lang, qui en est nommément le ministre, en a, dit-on, tellement par-dessus la tête, si j'ose m'exprimer ainsi, qu'il envisage de clore les festivités vers le mois de septembre prochain et de lancer un truc sur l'archéologie. Dieu veuille que ce ne soit pas un faux bruit. L'archéologie, soudain, quel repos !

(4 mars.)

Pitié pour le gypaète !

Réformer l'orthographe, c'est bien joli, mais a-t-on demandé leur avis aux amateurs de mots croisés ? S'est-on soucié de savoir combien de citoyens se plaisent, chaque jour ou chaque semaine, à remplir les cases blanches des grilles ? A vue de nez, je dirai qu'ils sont une dizaine de millions. Cela fait le cinquième de la population. Quel parti politique chez nous possède dix millions d'adhérents ?

Il serait désolant que MM. Laclos, Favalelli, Scipion, et quelques autres aimables sphinx qui nous proposent périodiquement de piquantes énigmes, fussent réduits à l'impuissance ou au chômage. Comment le cruciverbiste trouvera-t-il l'aliment de la chère Io (changée en vache) si on écrit *erbe* au lieu d'*herbe* ? La pauvre bête qui s'était habituée à manger un mot de cinq lettres, car on se fait à tout, va devoir en brouter un de quatre seulement. Et comment distinguer le haillon du hayon, comment s'en tirer lorsqu'il faudra coiffer le chevalier Bayard d'un *home* et non plus d'un heaume, comment deviner qu'un *élégan* va faire son *persi* sur le *boulvar* ?

Certes l'urubu, qui plane depuis une soixantaine d'années au-dessus des grilles, restera toujours un urubu, mais le gypaète qui n'est pas un oiseau moins vénérable ? De quelle manière va-t-on nous arranger le gypaète ? On lui supprimera son Y, c'est couru d'avance, de sorte qu'il ne pourra plus croiser le thym ni le néophyte. Ces deux derniers, d'ailleurs, sont tout aussi menacés. Nous aurons le *tin* et le *néofite*, qui non seulement nous désorienteront, mais encore nous plongeront dans un morne accablement.

Malheureux cruciverbistes que nous sommes, je ne vois guère que certains noms propres qui nous donneront l'impression d'être encore un peu chez nous dans les mots croisés. Râ continuera à darder ses rayons, Ur à dormir auprès de Jérimadeth, Io, bien sûr, à meugler de case en case, Augias à nettoyer les écuries, Ino à égorger ses enfants et Atrée à manger les siens. Cependant il se pourrait bien que les réformateurs, ou plutôt les bouchers, de l'orthographe émasculent encore une fois Abélard en lui supprimant son D final et le Minotaure en l'épelant *Minotor*.

Dieu merci, il y a les mots étrangers, auxquels le gouvernement et les professeurs n'oseront pas toucher. *Look, relax, hit-parade, cool, loft, must* resteront identiques à eux-mêmes. On pourra toujours faire les mots croisés du *Herald Tribune.*

(11 mars.)

Le discours inquiet

M. Rocard a décidément une étrange façon de s'exprimer. Il a déclaré, après le premier tour des élections municipales : « Le discours inquiet n'a pas lieu d'être. » Cette phrase a l'air traduite mot à mot d'un texte latin. Elle signifie, semble-t-il, qu'il n'y a pas de raison de s'alarmer, ou, version populaire, qu'il ne faut pas s'en faire.

Or, à mon avis, le « discours inquiet » aurait tout à fait « lieu d'être », tout au moins en ce qui concerne le Parti socialiste et le Parti communiste. En effet, les électeurs leur ont fait savoir, ici et là, qu'ils préfèrent voter pour un bonhomme dont la tête leur revient plutôt que pour les grandes idées. Cela pourrait bien signifier que le peuple commence à ne plus croire aux programmes, au progrès, aux nouveautés, aux changements, qu'il préfère des gens auxquels il est habitué et dont il sait qu'ils ne le mèneront pas obligatoirement à la ruine avec des projets idiots.

Autre motif d'inquiétude pour le discours : les vainqueurs les plus glorieux des municipales sont de vieux crabes ayant dépassé la soixantaine : M. Vigouroux à Marseille, qui est socialiste contre le PS, M. Jarry au Mans, qui est communiste contre le PC, M. Hernu à Villeurbanne, que ses amis politiques ont tâché de couler aussi radicalement que le *Rainbow Warrior.* Il y a certes M. Noir à Lyon, qui n'a que quarante-quatre ans et qui ira s'asseoir demain dans le fauteuil du pauvre M. Collomb, mais il est RPR, ce qui n'est pas fameux, selon moi, pour le discours.

Avoir pris M. Brice Lalonde dans le ministère n'était pas bête de la part de M. Rocard. Je n'arrive jamais à imaginer que les écologistes, qui parlent comme mes grands-parents ou mes arrière-grands-parents, puissent être de gauche, ou même qu'ils aient la moindre idée politique, mais il est possible, après tout, qu'en voyant M. Lalonde, archange de l'écologie, bénir M. Rocard au point de s'asseoir à côté de lui dans le salon Murat, ces bons écolos votent socialiste.

Le côté espiègle de la démocratie est qu'on est mené par d'infimes minorités qui changent toute la politique selon qu'elles penchent à gauche ou à droite. Qu'est-ce que M. Chirac et M. Mitterrand auprès de M. Lalonde et de M. Le Pen ? Bien peu de chose. Et c'est ainsi que le discours inquiet a toujours lieu d'être quand on habite l'hôtel Matignon.

(18 mars.)

Adieu aux pantoufles de Staline

On a beau m'expliquer que les élections soviétiques qui vont avoir lieu demain seront encore loin d'être démocratiques, il ne me semble pas moins fort dangereux de donner à choisir au peuple entre deux candidats, celui du pouvoir et celui de l'opposition.

J'entends bien que ce ne sera pas tout à fait aussi simple, et qu'on ne laissera pas les électeurs faire n'importe quoi comme chez nous, mais il y a là une funeste imprudence. Le candidat unique du parti unique, qui était élu avec 99,5 pour cent des voix, constituait un système remarquable. Je trouve que M. Gorbatchev, au nom de sa *perestroïka* et de sa *glasnost*, est fou d'y toucher. Cela a très bien marché pendant

244

soixante-douze ans. Il n'y avait aucune raison pour que cela ne continuât pas éternellement.

Il est à croire que les hommes d'Etat n'ont jamais lu un livre d'histoire, car ils retombent constamment dans les mêmes erreurs. M. Gorbatchev a hérité de ses prédécesseurs une sorte de perfection politique, c'est-à-dire un pays parfaitement tranquille où tout le monde est pauvre et opprimé, sauf la classe dirigeante, où l'on dépense la plus grande partie du budget pour l'armée et la police, où l'économie et l'agriculture sont aussi mal en point que possible. Il n'avait qu'à glisser ses petits pieds dans les grandes pantoufles de Staline, que Brejnev avait lui-même sagement chaussées et qui pouvaient faire encore énormément d'usage.

Que M. Gorbatchev n'a-t-il un peu médité sur le règne de Napoléon III ! Les choses ont commencé à mal tourner vers 1865, lorsque l'Empire est devenu « libéral », c'est-à-dire lorsque l'Empereur n'a plus fourré les opposants en prison et les a laissés avoir des journaux. Au bout de six mois, on s'est mis à le traîner dans la boue et à réclamer la république. Dès qu'on donne le petit doigt, le bras ne tarde pas à y passer, et l'on se retrouve bientôt mangé des pieds à la tête.

Je soupçonne M. Gorbatchev d'être un snob. Il a envie que les démocraties occidentales aient bonne opinion de lui, comme si une approbation de ce genre avait la moindre importance. Je soupçonne aussi qu'il a envie de « moderniser » son pays, de le rendre plus riche, plus prospère, plus heureux. Tout le remerciement qu'il en tirera sera d'être promptement renversé, soit par les vieux réactionnaires, épouvantés de ses audaces, soit par les progressistes qui lui reprocheront de ne pas en faire assez.

(25 mars.)

Est-ce une avalanche ?

On me pardonnera de parler encore aujourd'hui de l'URSS, mais rien d'autre, dans les événements du monde, ne me paraît aussi intéressant, pas même l'inauguration de la pyramide du Louvre. Les élections soviétiques de dimanche dernier changent plus le paysage européen que la pyramide ne change celui de la cour Napoléon.

Que va devenir le peuple russe à qui, pendant soixante-douze ans, on a enseigné et même imposé la paresse ? S'il se libère du communisme et si l'Union soviétique tourne à la démocratie libérale, il va bien falloir qu'il travaille. La liberté ne s'acquiert et ne se conserve que de cette façon. C'est pourquoi la condition d'esclave, contrairement à ce que l'on dit, est si agréable. Les esclaves travaillent peu et mal, car ils savent que leur peine ne les enrichira pas d'un kopeck. Les maîtres ne l'ignorent pas et ne sont pas exigeants.

Le peuple russe, jusqu'à dimanche dernier, était bien tranquille dans sa flemme. Point très heureux, sans doute, mais sans aucun des soucis qui rongent les gens laborieux. Il avait les inconvénients du communisme, c'est-à-dire une vie étriquée et sans espoir. Du moins cette vie-là était assurée. Le capitalisme, c'est l'aventure. On s'amuse, on désire, on a de l'ambition, et rien n'est jamais acquis. En outre, il y a les autres pays qui vous talonnent et qui n'ont pas de pitié.

L'URSS s'apprête à sortir de l'isolationnisme. Elle était toute refermée sur elle-même, gardée par son Armée rouge, son KGB, ses accords de Yalta. On n'y entrait pas, on n'en sortait pas. Et voilà que M. Gorbatchev ouvre les portes et les fenêtres. La démocratie occidentale, qui est affamée comme un loup, va se jeter sur cette grosse proie engourdie depuis le mois d'octobre 1917. Il suffit de regarder la tête des satellites pour comprendre que la situation est affreuse. Leurs journaux n'en disent rien, ou peu de chose. Lequel de ces satellites sera le premier à rejoindre la Communauté européenne ? La Hongrie, peut-être.

Sir Winston Churchill disait que la prophétie est un genre

délicat, « surtout quand elle porte sur l'avenir ». Je ne sais si M. Gorbatchev est aussi fort et aussi habile qu'on le dit. Il me semble qu'il a déclenché une avalanche et je ne puis m'empêcher de penser que le plus habile homme, s'il se trouve sous la coulée de neige, est englouti tout aussi bien qu'un maladroit.

(*1er avril*.)

Le jeunisme

Un des charmes de notre époque est que l'on semble y être jeune longtemps. Des messieurs ayant dépassé la quarantaine déclarent qu'ils sont des gamins et qu'ils veulent manger tout crus leurs aînés. Je ne savais pas que quarante ans était l'adolescence. Lorsque j'avais cet âge, j'étais très content d'être un homme, d'être mûr, d'avoir enfin quitté cet état pénible qu'on appelle la jeunesse.

Du reste, je faisais de mon mieux pour me vieillir davantage. J'écrivais de gros livres en pensant qu'à quarante ans Balzac et Dickens avaient déjà publié dix chefs-d'œuvre. Je ne me trouvais pas en avance. Je pensais aussi que j'avais l'âge de d'Artagnan, non pas dans *Les Trois Mousquetaires*, mais dans *Vingt ans après*, et que je n'avais pas marché beaucoup plus vite que lui, puisqu'il n'était parvenu qu'au grade de lieutenant.

Les quadragénaires municipaux qui veulent se grouper en une terrible troupe de louveteaux et faire un grand feu de camp dans la politique française devraient jeter comme moi un regard sur leurs illustres devanciers. Cette année du Bicentenaire y est particulièrement propice. Danton, Desmoulins, Robespierre sont morts à trente ans, Saint-Just à vingt-sept. A trente-cinq ans, Bonaparte se faisait couronner empereur. On ne débute pas à quarante ans. Ou du moins, mieux vaut ne pas s'en vanter.

Dans ce petit remous, il y a quand même un côté amusant : c'est la tête que font les vieux. Entre autres MM. Giscard et Chirac. Ils n'aiment pas du tout que les jeunes Turcs fassent mine de les mettre au rancart. Ils sont très agacés par ce qu'ils appellent « le jeunisme », mot bien formé, pour une fois, et assez expressif.

M. Mitterrand, en revanche, ne semble pas se faire beaucoup de souci, quoiqu'il y ait également du jeunisme au PS. C'est qu'il a gagné les élections, lui, et que le succès est ce que l'on a trouvé de mieux pour rester frais. En 1912, Clemenceau était un vieux crabe radical. En 1919, c'était le père la Victoire. M. Mitterrand est le père la Victoire des socialistes. Et puis il faut bien dire qu'être président de la République est un rempart contre le jeunisme : on a l'air occupé du matin au soir.

(8 avril.)

Enquête sur la monarchie

M. Roland Mousnier, de l'Institut, considère que le pouvoir d'un seul homme sur une tribu ou une nation est le système le plus répandu dans le monde depuis le paléolithique supérieur. Il a écrit là-dessus un livre fort instructif qu'il a modestement intitulé *Monarchies et Royautés*, dans lequel il étudie l'histoire universelle. Le nom du monarque change selon les époques, mais qu'on l'appelle roi, dictateur, président de la République, Secrétaire général du parti, la fonction reste la même.

M. Mousnier énonce des vérités terribles. En particulier que l'hérédité monarchique sous l'Ancien Régime n'a jamais produit une succession de rois aussi médiocres que celle des présidents de la IIIe République française « à une ou deux exceptions près ». Il ne dit pas lesquelles. Thiers, peut-être, et Poincaré. Il n'y a en effet pas beaucoup de choix.

Les deux monarchies que M. Mousnier décrit avec le plus de curiosité et de détails sont celle de Frédéric II de Hohenstaufen qui, au XIIIe siècle, fit de son royaume de Sicile (comprenant une bonne partie de l'Italie) le premier Etat moderne, administré et centralisé ; l'autre est la monarchie stalinienne au XXe siècle qui a établi ce qu'il appelle une « hiérarchie fonctionnelle » faisant un grand étalage de « symboles sociaux » : sabre spécial pour les officiers, tenues chamarrées pour les généraux et jusqu'à des pattes d'épaule en fils d'argent pour les sous-chefs de bureau au ministère des Affaires étrangères.

M. Gorbatchev a-t-il supprimé les pattes en fil d'argent des ronds-de-cuir et les sabres de luxe des sous-lieutenants ? Voilà une chose qui serait intéressante à savoir. Mais on peut penser, hélas ! que ces splendeurs sont condamnées à brève échéance, car M. Gorbatchev est un démocrate et non un monarque.

Les Russes ne sont pas faits autrement que les autres hommes : si on leur retire leur roi, ils ne voudront pas la liberté, mais l'égalité. Ils s'engouffreront dans l'égalité comme dans le paradis terrestre. Et ce sera la fin des tout-puissants Secrétaires généraux, de la hiérarchie, du Parti lui-même. On comprend que les vrais communistes soient staliniens. C'est ce que je serais si j'étais communiste. Tout le reste est chienlit !

(22 avril.)

Le Bicentenaire de la morale

La vie était charmante sous l'Ancien Régime parce qu'il n'y avait pas de morale. Les évêques avaient des maîtresses ; les religieuses avaient des amants ; les hommes utiles à l'Etat s'enrichissaient par des moyens qui les couleraient à tout jamais aujourd'hui, mais dont on souriait avec indulgence alors. Un des crimes les plus odieux de la Révolution a été d'introduire de la morale partout. Les ecclésiastiques sont devenus chastes ; les politiciens ne sont pas devenus plus honnêtes, mais ils ont ajouté à leurs tripotages l'hypocrisie.

Talleyrand, évêque d'Autun, avait trente-cinq ans en 1789. C'est dire qu'il était nourri des bons principes de la vieille monarchie. Il prenait les femmes et les millions qui passaient à sa portée. Quand il fut ministre des Relations extérieures sous le Consulat et l'Empire, et remarquable ministre, comme on sait, il ne se faisait pas scrupule d'accepter des monceaux d'or de l'étranger pour mettre du liant dans les affaires internationales et, le cas échéant, éviter une guerre. Tout le monde savait qu'il était aussi acheté qu'on peut l'être, mais qu'acheté ne signifie pas forcément vendu.

Si M. Takachita, Premier ministre japonais, connaît un peu l'histoire de France, il doit regarder Talleyrand avec nostalgie et se dire qu'il n'a pas eu de chance de naître dans un monde où l'on vous pardonne volontiers d'être une nullité, mais où l'on ne vous pardonne pas de manquer de morale.

D'après ce que j'ai lu dans les gazettes, M. Takachita a fort bien mené son pays, et surtout il lui a fait encaisser, grâce au commerce et à l'industrie, un nombre de milliards qui fait rêver l'Europe et même l'Amérique. Moi qui n'ai jamais gagné le moindre sou qu'à la sueur de ma plume, je trouve qu'un homme aussi bienfaisant pour la communauté pouvait bien toucher un pot-de-vin de temps à autre. D'autant que ces gracieusetés étaient assez modiques, à ce que j'ai cru comprendre. Un pauvre million par-ci, un pauvre million par-là. Que fait-on avec un million, de nos jours ? Talleyrand se sucrait avec une autre ampleur que M. Takachita.

Ce qui est grave, c'est d'être à la fois corrompu et incapable. Cela fait beaucoup pour un seul homme. Mais les incapables sont souvent honnêtes, ne serait-ce que par manque d'imagination. Voilà pourquoi le monde va si mal depuis la Révolution et les deux siècles de morale qui l'ont suivie.

(29 avril.)

Le travail en fête

Qu'on serait reconnaissant aux autorités, au pouvoir, aux syndicats, aux partis, si, de temps en temps, ils nous surprenaient ! Je songeais tristement à cela le 1er Mai, jour de la fête du Travail, je regrettais de n'être pas M. Krasucki ou le successeur de M. Bergeron, dont je n'arrive pas à me mettre le nom dans la tête.

J'aurais pris la fête du Travail comme je prends mes chroniques de *France-Soir* : par un biais auquel personne ne pense : je me serais dit qu'il était bien banal, bien traditionnel de faire du 1er Mai un jour de repos, que les syndicats finissaient par avoir un rôle ennuyeux à réclamer sans cesse des augmentations et des congés, que, pour une fois, on allait faire le contraire. C'est-à-dire proposer aux ouvriers, employés et fonctionnaires de travailler gratis pendant huit heures, et de donner à la Patrie, intégralement, leur salaire de cette journée-là.

Il y avait un beau discours à prononcer pour M. Krasucki et le successeur de M. Bergeron. Quelque chose comme : « Camarades, la Patrie est pauvre, le commerce extérieur va mal, la France fait piètre figure en Europe. Montrons que nous aimons ce cher et vieux pays plus que nous-mêmes et que, à défaut de notre sang, nous lui offrons pendant huit heures notre sueur ! Nous ne le faisons pas pour les patrons, mais pour une certaine idée de la France, comme disait le grand Charles. Qui se sacrifiera si ce n'est, comme toujours, le peuple ? »

Evidemment, il y aurait eu quelques grimaces, mais je crois que, dans l'ensemble, les travailleurs n'auraient pas rechigné. Il suffit de proposer aux hommes quelque chose qui les étonne, qui les dépasse, qui leur demande des efforts, pour qu'ils soient heureux. Ils y voient du respect à leur égard, et non de l'exploitation. On ne sait plus ces choses-là aujourd'hui, ou on feint de les ignorer.

Sans compter qu'un 1er Mai laborieux n'aurait pas que de mauvais côtés. Les patrons et les cadres ne pourraient faire moins que de venir, eux aussi, à l'atelier ou au bureau, en pestant contre la générosité syndicale. Leurs têtes déconfites de gens privés pour une fois de leur résidence secondaire vaudraient bien huit heures de boulot sans pause, voire des heures supplémentaires. Et songe-t-on à la stupeur de l'opinion ? Je prends le pari que la CGT et FO verraient, après une telle manifestation, le nombre de leurs adhérents doubler.

(6 mai.)

Deuil national

La France n'a pas montré assez de chagrin à propos de la mort violente de M. Tjibaou et de M. Yeiwéné. Certes, M. Rocard, à la télévision, nous a donné à contempler un visage hagard qui était très bien. M. Lafleur, de son côté, a eu des accents très beaux pour déplorer la disparition de ces deux grands serviteurs de notre pays. Mais j'ai l'impression désagréable que le peuple n'a pas suivi.

Il faut dire les choses comme elles sont et ne pas craindre les expressions brutales : le peuple s'en fout. Pis : j'ai cru comprendre que l'assassinat des deux compères par un de leurs confrères l'aurait plutôt amusé. Croirait-on que ce triste événement lui a remis en mémoire les gendarmes à qui les Canaques ont fendu la tête naguère à coups de hache. Etrange association d'idées.

Comme toujours, on a fait les choses à moitié. Moi, si j'avais été le gouvernement, j'aurais rapatrié le corps de M. Tjibaou et celui de M. Yeiwéné à Paris et je leur aurais offert des funérailles nationales. M. Tjibaou étant un ancien séminariste, on aurait pu avoir une belle messe à Saint-Louis-des-Invalides. Un drapeau tricolore sur les deux cercueils aurait été particulièrement apprécié. Nous aurions invité à la cérémonie quelques amis des défunts : le colonel

Kadhafi, un ou deux ayatollahs, M. Lange, Premier ministre de Nouvelle-Zélande, etc. C'était l'occasion de dissiper divers malentendus et de renouer un fructueux dialogue.

Ensuite, transfert des dépouilles de MM. Tjibaou et Yeiwéné au Panthéon. C'est un endroit cher au cœur de nos socialistes. Ils auraient été enchantés de cette occasion d'aller y faire un tour. Ce qui eût été beau, c'est que les cercueils fussent accompagnés par deux compagnies de gendarmes.

La France ne fait jamais ce que ses vrais amis seraient en droit d'attendre d'elle. Ni Bismarck, ni Wellington, ni Charles Quint, ni l'évêque Cauchon ni tant d'autre pures figures de notre histoire n'ont d'avenues ou de places à Paris. Heureusement, il y a un pub « Trafalgar » à Pigalle. Les mastroquets sauvent l'honneur.

(*13 mai.*)

Le sort des immigrés

M. Xulué, du Front uni de libération canaque, a déclaré à notre confrère M. Desjardins qu'il se proposait de « déstabiliser » la Nouvelle-Calédonie, c'est-à-dire, en français traditionnel, d'y créer du désordre, de mettre des bombes et de tuer des gens.

En effet, le 11 juin auront lieu, là-bas, des élections provinciales, et l'idée de M. Xulué est que seuls les Canaques doivent voter. Pour ce qui est des Français, ou, comme il dit, des « Européens », ne seront admis à participer au scrutin que ceux qui pourront prouver que leur arrière-grand-père et leur arrière-grand-mère sont nés sur l'île. « Dites donc, cela ne fera pas grand monde », objecta M. Desjardins. M. Xulué qui parle le français moderne répondit qu'on transigerait peut-être « au niveau » des grands-parents.

Les Wallisiens, les Tahitiens et les Asiatiques établis en

Nouvelle-Calédonie ne seront pas mieux traités que les Européens. M. Xulué considère qu'ils n'ont qu'à rentrer chez eux.

En lisant l'article de M. Desjardins, je songeais que la vie est bien mal faite. Pourquoi faut-il que M. Joxe soit le ministre de l'Intérieur de M. Rocard et non pas celui de M. Xulué ? Voilà un homme qui serait tout à fait bienfaisant à Nouméa. Les Français se sentiraient en confiance avec lui. Il leur donnerait des cartes de séjour, régulariserait leur situation, naturaliserait leurs enfants à leur seizième année. On entendrait dans les écoles de petits blonds aux yeux bleus réciter : « Nos ancêtres les Canaques... »

M. Xulué a encore confié à M. Desjardins qu'il voulait l'indépendance tout de suite, car si la droite par malchance revenait au pouvoir, tout serait remis en question. « Nous savons que le gouvernement français va céder, a-t-il dit à M. Desjardins avec un bon gros rire. C'est toujours ce qu'il fait de mieux. » Si j'étais M. Rocard, je ne serais pas trop content de cette réflexion. Mais je ne suis pas M. Rocard.

Qu'est-il arrivé à la face ?

Une des phrases les plus effrayantes pour un gouvernement est : « L'armée fraternise. » La fraternisation est le mal suprême, l'horreur absolue. Elle signifie que le cœur a pris le pas sur la discipline, que le sentiment l'a emporté sur le loyalisme, bref, que l'homme, tout à coup, en a assez d'être inhumain, qu'il s'aperçoit que la Raison d'Etat ne tient pas le coup devant la bonne tête de son semblable.

Est-ce que l'armée fraternise en Chine ? A mon avis, toute la question est là. Tant qu'on n'aura pas vu des étudiantes embrasser des soldats et des étudiants leur offrir du canard laqué, on ne pourra pas dire que le régime est vraiment en danger.

J'entends bien que l'armée chinoise n'a pas encore eu l'occasion de fraterniser, puisqu'elle n'a pas atteint la place

Tien An Men, à cause de la foule des gens qui se couchent sur la chaussée pour empêcher ses véhicules de passer. Mais cet arrêt des camions militaires est déjà bien inquiétant. Dans quel « aventurisme » est-on entré si l'on se mêle soudain, dans les empires communistes, de respecter les « vies humaines » ? Au bon temps de Mao et de Staline, on ne se serait pas gêné pour rouler sur les fantaisistes qui obstruent la circulation.

Depuis ma plus tendre enfance, on me répète que le pire affront que l'on puisse faire à un Chinois est de lui faire « perdre la face », c'est-à-dire de lui infliger un démenti. Voilà encore une bêtise et une idée toute faite. Le gouvernement chinois ne cesse de perdre la face depuis le début du mois de mai : il décrète la loi martiale puis renonce à l'appliquer ; il envoie la troupe puis il décide de la retirer ; il fait passer son invité Gorbatchev par l'escalier de service ; il lance d'épouvantables malédictions dont tout le monde se moque.

Si ce n'est pas là perdre la face, que je devienne aileron de requin ou nid d'hirondelle. Peut-être que le communisme a liquidé la face en même temps que tant d'autres vénérables institutions. Auquel cas, il aurait été prévoyant.

(*27 mai.*)

To be or not to be...

Vers 1970, on racontait l'histoire suivante : « Que pensez-vous du mariage des prêtres ? » demandait une dévote à une autre dévote, laquelle répondait : «Pourquoi pas, s'ils s'aiment ? » Je ne sais s'il y a des prêtres catholiques au Danemark ; en tout cas, s'ils s'aiment, ils peuvent passer deux par deux devant le maire, sinon devant un troisième curé. Effectivement, le Parlement danois a voté une loi comme quoi, dorénavant, les homosexuels mâles, adultes et consentants auront le droit de se marier. D'éventuelles pensions alimentaires sont prévues en cas de divorce.

Cette loi me paraît scandaleuse à divers titres. D'abord elle est une insulte au sexe féminin, qui est l'égal du masculin. Pourquoi la loi danoise ne permet-elle le mariage qu'aux pédérastes et non aux lesbiennes ? On reste sans voix devant une pareille discrimination. Elle est indigne d'une nation avancée, audacieuse, intelligente, anticonformiste comme le Danemark. Le MLF danois doit montrer son indignation en organisant à Copenhague des manifestations qui feront, si j'ose dire, rentrer en eux-mêmes les députés danois.

En second lieu, a-t-on prévu les fraudes ? Car il y en aura. Par exemple, j'imagine très bien des amateurs fervents du beau sexe, des coureurs de jupons invétérés prenant la précaution de s'unir officiellement avec un de leurs camarades de débauche, afin de ne pas être forcés d'épouser telle maîtresse collante ou telle demoiselle enceinte de leurs œuvres. Sans parler des occasions nouvelles que leur procurerait leur état conjugal, car les femmes aiment beaucoup les pédérastes. Bref, faudra-t-il un certificat d'homosexualité pour publier les bans ? Et ce certificat, qui le délivrera : le prêtre, le maire, le médecin du travail, le ministère de l'Intérieur ? Bref, la loi danoise me semble bien incomplète et bien bâclée.

Dangereuse, aussi, car elle tend à acculer tout le monde au *conjungo*. Ce n'est pas un crime, pourtant, d'être célibataire. C'est même, d'après ce que j'ai entendu dire, une situation pleine de charme : on fait ce qu'on veut, on n'a de comptes à rendre à personne, on n'a à s'occuper que de soi, on est tranquille et heureux dans son égoïsme. Jusqu'ici les pédérastes danois pouvaient rester célibataires jusqu'à leur dernier soupir. A présent les voilà aussi mal lotis que les autres. Leur liberté est à la merci de la première folle venue qui les aura couchés en joue.

Le Parlement danois, au demeurant, n'a rien inventé. L'empereur Néron, il y a deux mille ans, épousa un monsieur, en grande pompe et en blanc. Après quoi, il fit incendier la ville de Rome et fut assassiné à coups de poignard. On dira ce qu'on voudra, cela avait une autre allure.

(3 juin.)

Un mauvais coup porté au yaourt

Pourquoi la Bulgarie est-elle la patrie des centenaires ? Parce que ses habitants mangent du yaourt. Cet aliment est l'élixir de longue vie. L'ayatollah Khomeiny ne se nourrissait que de cela depuis vingt ou trente ans. Je l'ai lu mainte fois dans le journal et cela se savait partout dans le monde, principalement en Orient.

Quand on nous dit que les musulmans, chiites et autres, croyaient l'ayatollah immortel, il ne faut pas le prendre au pied de la lettre, ainsi que la radio et la télévision l'insinuent. Ils pensaient seulement que, à quatre-vingt-neuf ans, le saint homme, tapissé intérieurement de yaourt, était dans la force de l'âge et qu'on le conserverait encore pendant de longues années.

Il s'ensuit que leur chagrin est double. Ils ont perdu un chef, un père, un guide, un prophète qu'ils affectionnaient ; et, pour comble de malheur, ils s'aperçoivent avec consternation que les vertus du yaourt ne sont pas aussi remarquables qu'on le prétend. Ils espéraient que l'ayatollah, grâce à son régime, vivrait jusqu'à cent vingt ans pour le moins. Sa mort prématurée n'est pas seulement un mauvais coup porté à l'Islam, c'est un mauvais coup porté au yaourt.

L'ennui, dans l'existence, est que nous devons sans cesse réviser nos certitudes. J'étais persuadé jusqu'à la semaine dernière que le yaourt était une des rares valeurs humaines sur laquelle on pouvait s'appuyer sans crainte. Ce démenti brutal, qui vient d'Iran, va plonger bien des hommes, célèbres et obscurs, dans le désarroi.

A quoi bon se gaver de yaourt si c'est pour mourir à

quatre-vingt-neuf ans ? Le jeu n'en vaut pas la chandelle. M. Mitterrand, que nous espérons voir à l'Elysée jusqu'en 2050, et qui très certainement consomme cette nourriture prétendument salutaire, peut fort bien s'en passer et retourner à des mets plus amusants, tels que langouste en Bellevue, perdrix aux choux, cassoulet toulousain, tonkinois au chocolat. Quant aux chefs de l'opposition, les pauvres, ils sont en si mauvais état que, yaourt ou non, ils ont l'air d'être au dernier stade de l'anorexie.

(10 juin.)

L'environnement de l'âme

Pourquoi les écologistes, qui sont des gens si estimables et qui défendent des choses auxquelles je tiens autant qu'eux, m'inspirent-ils une sorte d'ennui, du même genre que celui que distillent les naturistes ?

Je m'en veux de ce sentiment. Comme les écologistes, je déteste le progrès qui salit tout, encombre tout, rend le monde inhabitable, empoisonne la mer, tue les espèces animales. Néanmoins, je bâille quand j'entends leurs discours. Il y a chez eux un côté boy-scout, feux-de-camp, vie-au-grand-air, chansons-folkloriques auquel je n'arrive pas à me faire, de même qu'il y a chez les naturistes, qui exposent leur nudité à la face du ciel, quelque chose de puéril qui me décourage.

Les naturistes n'ont jamais réfléchi sur les rapports de force entre les hommes dans l'Histoire. Toujours le puissant, qui est habillé et armé, fait mettre nu le faible, afin que celui-ci ait une représentation saisissante de son impuissance. Nudité est synonyme d'esclavage.

Quant aux écologistes, j'ai fini par comprendre ce qui m'empêche d'adhérer à leur mouvement : c'est qu'ils n'ont pas de philosophie, eux non plus. Il est très méritoire de s'inquiéter des arbres, de la couche atmosphérique, du plancton, des baleines, des fissures éventuelles des usines nucléaires, mais cela ne couvre qu'une partie des nécessités humaines. Il y a aussi la beauté des villes et la pureté des langages européens. Paris est bien aussi important que le littoral de l'Antarctique, et le français me paraît aussi indispensable à la santé morale de notre peuple que les huîtres non polluées à sa santé physique.

Bref, j'aimerais que les écologistes fissent de grands défilés protestataires contre les horreurs que l'on bâtit partout depuis trente ans, les immondes tours, les prétendues œuvres d'art dont on souille la capitale, le jargon infâme de la politique, de l'enseignement, de la publicité et du commerce. Mais peut-être ne sont-ils pas sensibles à cette pollution-là.

(23 juin.)

Assassinat d'une métonymie

Donner à une chose le nom du lieu où on la fait s'appelle, en terme de rhétorique, une métonymie. Il n'y a rien comme les métonymies pour s'enfoncer dans la tête, dans le cœur, dans les habitudes des hommes. Nous arracher une métonymie deux fois centenaire, c'est nous arracher un morceau de chair. Bref, je ne me console pas que le ministère des Finances ait déménagé.

On l'appelait « la rue de Rivoli ». Cette dénomination faisait partie des vénérables métonymies françaises, comme le Quai d'Orsay, la rue Saint-Dominique, l'Elysée, l'hôtel Matignon. Conçoit-on que le ministère des Affaires étrangères aille s'installer rue de Bagnolet ou à La Garenne-Colombes ? Ce n'est pas seulement la France qui serait plongée dans le désarroi, mais le monde, qui a « Quai d'Orsay » inscrit dans son carnet d'adresses depuis le fond des temps.

On frémit en pensant que l'Académie est à la merci d'un caprice du gouvernement et qu'un décret peut du jour au lendemain nous chasser du quai Conti pour nous exiler à Joinville-le-Pont, sous prétexte qu'on a besoin d'une annexe où exposer les croûtes des pompiers de 1989.

Je ne dis pas que j'étais heureux d'être écrasé d'impôts, mais il y avait quelque chose de mystérieusement flatteur dans le fait que les avertissements sans frais vinssent d'un palais impérial. Je me réjouissais que le ministre des Finances fût assis au bureau de Talleyrand, environné de dorures et de splendeurs Napoléon III. J'avais là un créancier de luxe ; je payais un peu pour entretenir ce luxe dont j'avais l'impression qu'il rejaillissait sur ma misérable personne. Comment M. Bérégovoy peut-il quitter ses murs illustres et son mobilier national ? Est-il insensible à ces beautés ? J'aurais été ministre des Finances, moi, il eût fallu me passer sur le corps pour m'extraire de la rue de Rivoli.

On doit faire de la place pour le « Grand Louvre », explique-t-on. Est-ce à dire que l'on videra le ministère de son ameublement ? Ce serait un meurtre ; vu qu'il y a là un exemple magnifique et intact de décoration Second Empire. Quant à ce « Grand Louvre », il y avait un moyen de le réaliser : c'était de reconstruire les Tuileries incendiées sous la Commune. Cela n'eût pas coûté plus cher que les diverses incongruités dont Paris s'est encombré depuis trente ans et que les extravagances du Bicentenaire. Non seulement on aurait pu y loger plusieurs musées, mais encore on aurait ainsi reconstitué un des plus illustres ensembles architecturaux de la capitale. Il est vrai que ce n'eût pas été dans le goût officiel de la Ve République, qui est si remarquable.

(1er juillet.)

260

Le cimetière de Picpus

Songeant qu'il fallait en quelque façon célébrer le Bicentenaire de la Révolution, je suis allé au cimetière de Picpus où sont enterrées dans deux fosses communes mille trois cent six personnes ayant été décapitées entre le 13 juin et le 27 juillet 1794 par la guillotine installée à la barrière du Trône. On enterrait chaque nuit une soixantaine de suppliciés, après les avoir déshabillés, car les bourreaux étaient payés avec leurs vêtements, ce qui n'était pas une mauvaise affaire vu qu'on trouvait souvent des louis ou des bijoux cousus dans les doublures.

Le cimetière de Picpus, situé au 35 de la rue du même nom, est un endroit extraordinairement évocateur et poétique. Quoiqu'il soit très difficile à trouver, car l'administration municipale, qui indique la moindre piscine et la moindre maison de la culture, s'est évertuée à le rendre invisible, je n'étais pas seul. Il y avait une troupe de visiteurs qui n'étaient pas spécialement royalistes, mais qui se sentaient une propension à le devenir, à cause du pilonnage du Bicentenaire. La propagande est une grosse bête, qui croit que rien ne lui résiste ; elle ne pense jamais que l'esprit de contradiction est aussi répandu que la crédulité.

Nous le constatons en ce moment. Le grand vainqueur du Bicentenaire n'est pas Robespierre, c'est Louis XVI, que l'on appelle aujourd'hui communément le roi-martyr ; on découvre qu'il avait une foule de vertus et qu'il était un profond politique. Qu'est-ce qui s'enlève dans les kiosques ? Le *Journal des Guillotinés*, dont le titre est : « Avez-vous eu un ancêtre décapité pendant la Révolution ? » et qui donne la liste des dix-sept mille cinq cents victimes de la Terreur, parmi lesquelles on compte environ 80 pour cent de petites gens pour 20 pour cent d'aristocrates. Enfin, on ne parle que du « Génocide de la Vendée » : six cent mille morts. Si le gouvernement avait dans l'idée que les Français s'uniraient dans la piété et la ferveur, on peut dire qu'il s'est mis le doigt dans l'œil. La Révolution leur donne la nausée, comme la puanteur des cadavres au grand soleil de Messidor.

Un gouvernement français ayant un minimum de sagesse devrait éviter toute espèce de manifestation susceptible de réveiller l'esprit de guerre civile qui est, comme disent les gazettes, un de nos « vieux démons », et des plus nocifs. Il devrait s'acharner à exalter ce qui nous unit et non ce qui nous divise. La Révolution est le plus grand commun diviseur de la France. C'est une chance que les Français soient si ramollis. En d'autres temps, ils auraient clos les festivités par un bel étripage national.

(8 juillet.)

Lendemains de fêtes

Les jeux Olympiques fournissent une bonne occasion d'attiser la haine entre les nations. Généralement la puissance invitante en sort la plus honnie. Les athlètes étrangers ayant été abondamment hués et sifflés par la population autochtone lorsqu'ils avaient le malheur de décrocher une médaille d'or ou d'argent, ils en gardent quelque amertume et ne se privent pas de raconter à leur presse, trop contente de reproduire leurs propos, qu'ils ont été reçus par un pays de pignoufs.

En fait, on ne devrait jamais convier personne à quoi que ce soit. Tout invité est un mécontent en puissance. On peut être sûr d'avance que ce que l'on montrera aux visiteurs, ce que l'on fera pour les divertir ou les charmer, leur paraîtra détestable. Si c'est raté, ils en feront des gorges chaudes ; si c'est réussi, ils diront que leur hôte a voulu les épater et les humilier par sa splendeur, laquelle, du reste, n'était que de la poudre aux yeux.

Je crains que les choses ne se passent de la sorte pour le

Bicentenaire de la Révolution française. D'après ce que j'ai cru comprendre, c'est surtout des étrangers qui ont assisté à nos fêtes, car les Parisiens avaient plutôt fui la capitale, subodorant les épreuves qui les attendaient. Or les étrangers n'ont pas la moindre raison de s'associer à notre passé, de se réjouir de ses fastes, de s'attendrir sur nos exploits. Ils auraient même toutes les raisons d'être exaspérés, ayant eu sérieusement à en pâtir entre 1792 et 1815.

Ils se déchaîneront d'autant plus que la France de maintenant ne fait plus peur à personne. Déjà Mme Thatcher qui a un esprit primesautier ne nous a pas envoyé dire que nous étions des guignols. Les autres ne tarderont pas à dire des choses analogues, s'ils ne les ont pas déjà dites. Je ne vois guère que M. Bush qui ne se moquera pas de nous, du moins ouvertement. Nous le devons au cher Louis XVI qui, lors de la guerre d'Indépendance, a donné un fameux coup de main aux Etats-Unis, lesquels lui en sont encore vaguement reconnaissants.

(22 juillet.)

L'Europe de l'importation

Dans le discours que M. Autant-Lara a prononcé au Parlement de Strasbourg, je ne vois pas de quoi fouetter un chat, et j'ai quelque difficulté à comprendre l'indignation des députés européens. M. Autant-Lara a dit que les Etats-Unis avaient inondé l'Europe de cinéma, de publicité, de marchandises, de télévision, de boissons gazeuses et de sabir. N'est-ce pas la vérité ? Nous le constatons mille fois par jour à notre humble échelon de citoyens. Comme disait Churchill : la situation est désespérée, mais elle n'est pas grave.

Où M. Autant-Lara me paraît excessif, c'est de parler à ce

propos de « culture ». Une vraie culture n'a jamais fait le moindre mal à une autre culture. Ce n'est pas la culture américaine qui est en train de se substituer à nos cultures européennes, mais un certain nombre de niaiseries de là-bas qui supplantent un certain nombre de niaiseries de chez nous. Nous ne sommes pas envahis, hélas ! par Edgar Poe, Fenimore Cooper, Washington Irving, Mark Twain, Melville, Henry James. Hemingway n'éclipse pas Giraudoux ni Faulkner Thomas Mann. Pollock n'a pas renvoyé Michel-Ange au néant.

Au fond, il ne s'agit que de camelote. Or, on ne peut nier que la camelote américaine soit de meilleure qualité que la nôtre. Les Américains font du meilleur cinéma, de meilleures opérettes, de plus gros avions, des ordinateurs plus perfectionnés, etc. Quant à leur Coca-Cola, ma foi, ce n'est pas désagréable à avaler quand il fait chaud. M. Autant-Lara n'est pas juste quand il prétend qu'il vaut mieux boire du riquewihr. Il y a un temps pour le Coca et un temps pour le vin blanc.

Il n'est pas du tout étonnant que les imbéciles européens, qui forment, comme il se doit, une écrasante majorité, soient épatés par les sottises qui viennent des Etats-Unis et préfèrent Disney à La Fontaine. La différence avec les époques révolues, c'est que l'Europe, alors, tirait sa bêtise de ses terroirs nationaux, de sa propre substance, tandis qu'aujourd'hui elle l'achète à l'étranger.

Il faut espérer qu'un de ces jours elle retrouvera le secret d'être idiote par ses propres moyens, qu'elle retrouvera son mauvais goût originel, qu'elle créera des modes aussi saugrenues que nos chers grands alliés, que nous aurons de nouveau des peintres « hyperréalistes », c'est-à-dire pompiers, des fabricants de vaudevilles, des champions olympiques, etc. Qui sait ? Les jeunes gens seront vêtus de maillots sur lesquels on lira : « Nougat de Montélimar » ou « Ecole hôtelière de Romorantin ». Il en faudra quand même un peu plus pour sauver la culture.

(27 juillet.)

La gauche classique

La gauche se lamente volontiers de la disparition de ce qu'elle appelle la « droite classique ». A l'en croire, cette droite-là avait toutes les vertus : elle était loyale, chevaleresque, honnête, démocratique, composée d'hommes admirables quoique bornés. La droite d'aujourd'hui a renié cette belle tradition. C'est une vilaine bête raciste, capitaliste, impérialiste, usant de violence à l'occasion, en proie à toutes sortes de « vieux démons », le plus nocif étant celui du fascisme.

Il est singulier que la droite, par mesure de représailles, n'ait pas l'idée de verser quelques larmes sur la « gauche classique ». Car il y en a eu une aussi. Et ma foi il faut bien dire qu'elle ne ressemble pas à la gauche d'aujourd'hui. Il est probable même qu'elle lui déplairait beaucoup. Elle était patriote, expansionniste, très chatouilleuse sur le chapitre de l'honneur national. Pendant que Jules Ferry imposait l'école laïque et la gratuité de l'enseignement primaire, renvoyait le duc d'Aumale dans ses foyers, traitait Boulanger de « Saint Arnauld de Café-concert », il méditait la conquête du Tonkin et celle de la Tunisie. C'est à cet homme de gauche que l'on doit la célèbre expression la « ligne bleue des Vosges », qu'aucun homme de gauche d'aujourd'hui n'oserait utiliser, fût-ce pour sauver sa vie.

La gauche classique a vécu jusqu'en 1958. C'est elle qui, M. Mollet étant président du Conseil des ministres, a mené la guerre d'Algérie avec le plus de vigueur. M. Robert Lacoste, grand socialiste, était proconsul à Alger et l'idole des pieds-noirs. On se plaît à penser que, si le général de Gaulle n'était pas revenu au pouvoir, la guerre d'Algérie durerait encore, ce qui nous donnerait une grande supériorité sur les Etats-Unis qui ne se sont maintenus que quelques années au Viêt-nam, et sur l'URSS qui a été obligée d'évacuer l'Afghanistan.

Jules Guesde (1845-1922), qui fit connaître Marx en

France et y fonda le premier journal marxiste *L'Egalité*, appartint au cabinet de guerre de 1914 à 1916 en qualité de ministre d'Etat. M. Poincaré, président de la République, était sans conteste une grande figure de la droite classique. Quel tableau que cette alliance de deux classicismes pour le salut de la patrie ! M. Le Pen, qui n'appartient pas à l'âge classique, devrait dire quelque chose d'aimable un de ces jours sur Jules Guesde, lequel a eu une parole qui devrait l'amuser : « J'en ai vu défiler, des majorités, à la Villette ! »

Il y a évidemment le cas de Jaurès. Mais était-il un vrai classique ? Son amitié avec Barrès est bien suspecte.

(3 août.)

Louc, coule, cho, crache

Les réformateurs de l'orthographe ne vont pas assez loin. Ils devraient exiger que tout candidat au bac n'ayant pas fait au moins quarante fautes dans sa copie fût recalé. A vingt fautes, ses parents paieraient une amende. A zéro faute, je préconise les poursuites judiciaires, la correctionnelle et des peines de prison variant de cinq à huit ans, compte tenu du carnet scolaire de l'intéressé : plusieurs classes redoublées constitueraient évidemment des circonstances atténuantes.

Tant qu'on n'aura pas envisagé des mesures réellement coercitives, il y aura des éléments incontrôlés, des fortes têtes, des inadaptés sociaux qui se livreront à d'intolérables provocations, telles que d'accorder les participes, semer des accents circonflexes sur les chênes, les frênes, les châtaignes, les châssis, les bâillements et les abîmes, encombrer la philosophie de P et d'H alors qu'elle serait tellement plus agile

266

avec des F, surcharger de B et d'Y les pauvres abbayes qui, du reste, sont remplacées par des complexes de grand standing pour le Troisième Age.

Il y a un point sur lequel j'aimerais que les réformateurs de l'orthographe m'éclairassent : comment va-t-on se débrouiller avec les mots étrangers, qui sont de plus en plus nombreux dans notre langue ? Que vont devenir ces vocables exotiques et charmants que sont *look, cool, business, show, clash, crash, patchwork, jackpot, feeling, roots* ? Devra-t-on les écrire : louc, coule, crache, cho, route, etc. ? Personne ne voudra plus les employer, ce qui sera bien triste.

Les noms propres ne seront pas non plus une petite affaire, attendu qu'ils ont plutôt l'air de se compliquer que de se simplifier. Ainsi « Isaac », qui était tout simple, s'écrit à présent « Yithzak », Formose « Taiwan » et Tiflis qui ne dépaysait personne « Tbilissi » qui n'est pas facile à épeler. Que va-t-on faire de tous les CH de M. Khrouchtchev ? Remplacera-t-on le KH du colonel Khadafi par un R, puisque son nom, à en croire les présentateurs de télé, doit se prononcer « Radafi » ?

Il me semble que cette chronique est la vingtième que j'écris sur la réforme de l'orthographe. Depuis soixante ans, c'est la grande querelle du mois d'août. Dieu merci, il n'en sort jamais rien, et il y a encore de beaux jours pour les ignorants. On n'est pas près d'adapter pour eux la loi aux mœurs, comme on disait naguère à propos des brigands.

(12 août.)

L'année terrible

Pierre de L'Estoile était un bon bourgeois parisien du XVIᵉ siècle, grand admirateur de Montaigne, qui vécut sous Henri III et sous Henri IV. Pendant une trentaine d'années, il tint son journal dont la lecture, aujourd'hui, donne une espèce de vertige : on a sans cesse le sentiment que c'est de nous que l'auteur parle, qu'en quatre cents ans, nous n'avons pas changé d'un iota, que ce qui s'appelait alors « Ligue » ou « Réforme » continue aujourd'hui sous d'autres noms. L'Estoile parle de ses contemporains comme nous des nôtres : il les traite de « veaux », de « sot peuple », bref, il est comme nous : il aime la France et il est exaspéré par les Français.

Une de ses idées les plus ancrées est que les diverses catastrophes dont il est le témoin sont des manifestations de la colère de Dieu, qui punit les hommes de leur férocité, de leur luxure, de leurs bêtise, voire de leur frivolité en leur envoyant des drames historiques et des calamités naturelles.

Je ne puis m'empêcher de songer à L'Estoile depuis les trois ou quatre mois que durent la canicule et la sécheresse. Je ne sais si Dieu a envoyé cette plaie à la France pour la punir d'avoir fait la Révolution et d'avoir célébré avec tant de dépense et de bruit le bicentenaire de cet événement, mais il est de fait que l'année 1989 fait un peu figure de désastre agricole.

On en est d'autant plus irrité que l'on a le sentiment que le gouvernement, tout à son Bicentenaire, à ses somptuosités, à ses reconstitutions, à ses mondanités internationales, n'a rien prévu, n'a pensé à rien, ou n'a voulu penser à rien pour ne pas gâcher sa fête, qu'il s'est égoïstement réjoui que le soleil ait brillé pour les revues militaires et les visites officielles, que la nuit ait été douce pour le défilé de M. Goude, etc., alors qu'il aurait dû souhaiter de toute son âme des pluies tropicales.

Pendant qu'une locomotive en carton amusait les badauds parisiens, les vignes et les champs de blé mouraient. A présent, les forêts brûlent. La main de Dieu n'y est peut-être pour rien, mais il est certain que mon porte-monnaie y sera pour quelque chose. En effet, on a alloué cinq cent quatre-vingts millions aux agriculteurs sinistrés, deux cents millions aux éleveurs et encore quatre-vingts millions « aux cas les plus dramatiques ». Tout cela ira au milliard, ou davantage, et où prendra-t-on le milliard ? Où l'on a pris l'argent du Bicentenaire, pardi ! Dans la poche des veaux. Le ministère des Finances a moins d'imagination que celui de la Culture, des Grands Travaux et du Bicentenaire.

(26 août.)

Lettre d'un gendarme à M. Chevènement

Monsieur le ministre,

Laissez-moi vous dire tout d'abord que vous avez tort de vous plaindre parce que mes collègues ne signent pas les lettres de doléances qu'ils vous envoient. Vous devriez plutôt vous en réjouir. Certes, c'est la vieille histoire de la soupe : celui qui ose dire au général qu'elle n'est pas bonne risque quinze jours de salle de police. Mais il n'y a pas que cela. En restant anonymes, nous obéissons d'une certaine façon à la tradition de mutisme de l'armée. Nous vous montrons que nous sommes mécontents et ulcérés mais nous ne nous mutinons pas à visage découvert, ce qui serait embarrassant pour vous, et dangereux pour l'Etat. Nous vous faisons entendre un murmure. Tout peut s'arranger si vous daignez écouter ce murmure et surtout saisir sa vraie signification.

Je vais tâcher de vous l'expliquer, Monsieur le ministre, car je suis un gendarme subtil. Tout le malheur vient de ce que vos amis politiques nous ont mis dans une situation ambiguë. Nous ne savons plus si nous sommes des soldats ou si nous sommes des fonctionnaires.

Jusqu'à présent, enfin je veux dire jusqu'à ces dernières années, nous étions sûrs d'être des soldats, et nous nous conformions aux servitudes de cet état, c'est-à-dire que nous exécutions les ordres de nos chefs, et que nous ne nous plaignions pas de mourir en service commandé. Cela faisait partie du métier. Nous en étions récompensés par ce qui récompense habituellement les soldats : la reconnaissance du pays, les médailles, le respect de la population, la satisfaction du gouvernement. Bref, la gloire, ou tout au moins l'honneur.

Napoléon disait à ses troupes : « Soldats, je suis content de vous ! » Nous ne demandons pas de paroles aussi enivrantes (et du reste, vous n'aimeriez pas que l'on vous comparât à Napoléon, Monsieur le ministre), nous voudrions simplement qu'on n'eût pas honte de nous. Nous voudrions que le gouvernement nous manifestât un semblant de solidarité. Qu'il n'allât point pleurnicher sur MM. Tjibaou et Yeiwéné qui sont nos ennemis, en n'osant pas souffler mot de nos camarades tués par ces mêmes ennemis en Nouvelle-Calédonie.

La question est des plus simple, Monsieur le ministre. Si nous sommes encore des soldats, nous continuerons volontiers à exposer notre vie, à être mal payés et à supporter la vie de caserne. Mais cela suppose qu'on nous traitera en soldats et que, si nous mourons, on dise de nous que nous avons été des héros. Si vous ne voulez pas de héros, si vous rougissez de vos héros, alors il n'y a pas de raison pour que nous ne nous transformions pas en fonctionnaires de modèle courant, qui font la grève parce qu'ils sont mal payés, mal logés et à qui on n'accorde pas les trente-neuf heures.

Mes respects, Monsieur le ministre.

Un gendarme anonyme qui vous veut réellement du bien.

(*2 septembre.*)

Le dernier salon

Le seul côté agréable de la décision que Pivot a prise d'arrêter « Apostrophes » est que l'on va enfin pouvoir dire du bien de lui. Depuis quinze ans, c'était impossible : on aurait eu l'air de lui lécher les pieds pour être invité à son salon littéraire. Car c'est un salon qu'il avait ressuscité, comme il y en avait au XVIIIe et au XIXe siècles. D'où son extraordinaire succès. En dépit de toutes les bêtises scientifiques et industrielles dont nous sommes submergés, la littérature demeure « la passion nationale des Français », comme dit Balzac, et les salons, depuis que Marie-Laure de Noailles et Louise de Vilmorin n'étaient plus là, nous manquaient bien.

Pivot est arrivé pile pour prendre leur succession. Il aura été notre Mme Verdurin, à cette différence près que son « petit clan » n'était pas composé de quinze ou vingt personnes, mais de quelques millions. Comme Mme Verdurin, il aura eu son « jour », à savoir le vendredi. Comme Mme Verdurin, il aura lancé des écrivains, des artistes, et jusqu'à des cocottes.

Je suis désolé, j'ose le dire, que Pivot ferme son salon. Où irons-nous, nous autres, pauvres hommes de lettres, quand nous aurons pondu un bouquin ? Qui nous écoutera le raconter, qui nous fera valoir, qui nous assistera dans nos numéros de chiens savants ? Pivot était incomparable dans ce rôle et, de même que le « petit clan » appelait Mme Verdurin « la Patronne », nous pouvions bien appeler Pivot « le Patron ». Quand « Apostrophes » cessera, on va pleurer dans les chaumières, dans les trois-pièces de Vaugirard, et jusque dans les cabanes du Canada, et jusque dans les paillotes du Sénégal. La littérature n'est pas seulement la passion nationale des Français, mais, par contagion, de toute la francophonie. Un salon qui disparaît, surtout quand il s'agit du dernier salon, c'est un deuil cruel.

Pivot va encore avoir son jour pendant un an, et voilà que déjà je parle de lui au passé. Il aura été un des rares hommes

271

à qui j'ai envoyé des vers deux ou trois fois. Entre autres, ce quatrain qui, finalement, résume assez bien la situation :

> Quand Bernard Pivot dit : « Bravo ! »
> De bonheur, l'écrivain s'inonde
> Plus que si le louait *Le Monde*
> Et s'écrie : « Ah ! Le cher Pivot ! »

(9 septembre.)

Lendemains qui chantent

Ce qui se passe à l'Est est des plus alarmant : l'Est remue. C'est toujours mauvais que quelque chose se mette à remuer, surtout après quarante ou soixante-dix ans d'immobilité. Les gens de ma génération pouvaient espérer que le communisme, né en même temps qu'eux, durerait autant qu'eux. Or, voilà qu'il se désagrège, qu'il tombe en morceaux, que ce bloc d'acier est fendillé comme un bloc de plâtre. Encore quelques années, et ce sera de la poussière. Les satellites auront rejoint l'Europe du marché commun, les pays baltes seront indépendants, les républiques musulmanes de l'Asie soviétique s'allieront avec Dieu sait qui, l'Ukraine pourrait bien, elle aussi, avoir des idées. Il n'y aura plus de russe que le grand-duché de Moscou, comme au XVIᵉ siècle.

On a beaucoup médit du communisme depuis la fin de la dernière guerre. Il est vrai, ma foi, que ses méthodes sont un peu rudes, et l'on comprend que les pays qui en sont affligés désirent s'en débarrasser. Mais pour nous autres, Occidentaux, il a été une bénédiction. Imaginons ce que serait l'Europe s'il n'y avait pas eu de révolution en 1917, et si les tsars étaient restés sur leur trône. On en frémit. La croissance économique de la Russie eût été normale, c'est-à-dire qu'à elle

272

seule elle aurait produit autant que le reste du continent européen. D'où une hégémonie absolue. C'est pour le coup que se serait accomplie la prophétie de Napoléon : « Dans cent ans, l'Europe sera cosaque. »

Le providentiel communisme a tout arrêté. Il a plongé les Russies dans la pauvreté et dans la paresse. Mieux encore, il a fait peur à tout le monde. D'abord en proclamant qu'il allait apporter le bonheur à l'humanité, ce qui ne manque jamais de jeter l'épouvante, et ensuite en équipant une armée formidable pour véhiculer ce bonheur.

Nous devons à l'immobilisme soviétique la séparation de l'Allemagne en deux, ce qui est une grande sécurité pour la politique européenne en général et la France en particulier. Il semble inévitable qu'un jour ou l'autre l'Allemagne de l'Est, c'est-à-dire la Prusse, se recolle à la bonne grosse Allemagne de l'Ouest. Bref, ce n'est pas le moment, pour nous, de nous livrer à des gaietés socialistes. C'est même moins le moment que jamais.

Vous verrez qu'un jour nous regretterons le KGB qui a inspiré tant de films à Hollywood, le cher vieux Staline, le cher vieux Brejnev et la brave Armée rouge avec tous ses missiles pointés sur nous. Nous serons personnellement chargés de notre propre destin, comme autrefois, avant le communisme. L'avantage que j'y vois, c'est qu'au moins on ne parlera plus des vacances.

(23 septembre.)

Tombé pour un symbole

Je me demande souvent si les hommes politiques, quand il leur tombe une tuile sur la tête, font un examen de conscience, c'est-à-dire cherchent sérieusement la raison pour laquelle la tuile est tombée. En fin de compte, je ne crois pas. On a l'impression qu'ils vivent au jour le jour, sans observer les hommes ni les événements, sans tirer de leçon de quoi que ce soit, tâchant de ne pas trop montrer de joie quand la chance leur sourit, feignant le stoïcisme quand elle leur est contraire.

M. Léotard doit être très malheureux en ce moment d'avoir été évincé de la présidence du groupe UDF par M. Millon. Je suppose qu'il est à cent lieues d'imaginer que c'est par sa faute. Car on est toujours responsable des ennuis qui nous arrivent, singulièrement en politique ; la cause d'un échec est en soi-même, parce qu'on a fait telle ou telle erreur dans le passé.

L'erreur de M. Léotard a été du même genre que les maladresses de M. Giscard d'Estaing après son élection à la présidence de la République. A savoir quelques bêtises sans importance, son drapeau armorié, ses chasses en Afrique, ses œufs brouillés, son snobisme gauchisant, etc. Les électeurs ont été exaspérés par cette pose au point de méconnaître ses vraies qualités, et ils le lui ont cruellement fait savoir sept ans plus tard. Un des secrets de la politique, que les politiciens semblent ignorer, c'est que la moindre chose peut tourner au symbole.

M. Léotard, lorsqu'il fut fait ministre de la Culture en 1986, avait un symbole sous la main, et même un double symbole, qui aurait fait de lui un grand homme. Cela consistait à nettoyer le Palais-Royal des colonnes de Buren, et à raser la pyramide du Louvre. Quatre-vingts pour cent de la population aurait poussé des vivats. D'abord parce que cela lui aurait fait plaisir, ensuite parce que ces mesures eussent consacré la victoire de la droite, et montré de façon matérielle qu'on enterrait le socialisme.

Au lieu de cela M. Léotard a poliment conservé les colonnes et la pyramide, et il a fait des discours niais sur les goûts et les couleurs, comme si la question était là. La punition a été rude. Les électeurs ont redonné le pouvoir aux socialistes. Rien ne déplaît au peuple comme le snobisme. M. Giscard d'Estaing a été snob, M. Léotard également. On comprend l'UDF de ne pas vouloir comme président d'un homme qui n'a pas osé contrister, par bonne éducation, son pire ennemi.

(*26 septembre.*)

Canard à la Bercy

Ah ! qu'il est difficile de plaire au *Canard enchaîné* ! Naguère, il estimait que M. Chaban-Delmas ne payait pas assez d'impôts ; aujourd'hui, il reproche à M. Calvet, président des automobiles Peugeot, d'en payer trop. On ne sait vraiment que faire pour trouver grâce aux yeux de l'illustre palmipède.

Il y a un moyen, pourtant, et je m'étonne que personne, jusqu'à présent, n'y ait songé. Il consiste à établir deux déclarations : une pour le percepteur et une pour *Le Canard*. En effet, nous avons deux ministères des Finances. *Le Canard* est le second. Bien entendu, dans la déclaration destinée au fisc, on dira toute la vérité, on ne dissimulera aucun centime, aucun franc, aucun million. Après quoi on paiera ce qu'on doit payer.

En revanche, pour ce qui est de la déclaration au *Canard*, on pourra faire des fantaisies. Mais attention : il y faudra du doigté : ne paraître ni trop pauvre ni trop riche, se méfier des avoirs fiscaux, ne point faire état des revenus annexes, oublier les frais exceptionnels, passer sous silence les augmentations de salaires, etc. Bref, mentir. Mais mentir intelligemment, car *Le Canard* est méfiant. Frauder *Le Canard* n'entraîne pas d'amende (du moins jusqu'à présent). Par conséquent on ne saurait trop en profiter.

Je verrais assez bien une lettre accompagnant la déclaration, et ainsi rédigée :

« Cher Canard, voici le compte de tout ce que j'ai gagné cette année grâce à ma petite industrie. Ce document vous évitera de fatigantes démarches et vous pourrez même, après en avoir pris connaissance, l'expédier à Bercy, ce qui surprendra agréablement vos informateurs habituels qui fonctionnent plutôt en sens inverse. Vous conviendrez qu'un contribuable aussi peu pittoresque que moi ne mérite pas cinq colonnes en page 3. Si vous désirez des précisions supplémentaires sur mes ressources, je suis à votre disposition pour venir vous voir, en chemise et la corde au cou comme il se doit, muni de toutes les pièces comptables adéquates. Vive la transparence fiscale, crénom ! Mes humbles salutations, cher et vertueux Canard que j'achète et que je vénère chaque semaine que Dieu fait. »

Le seul inconvénient de mon projet, c'est qu'il faudra doubler le nombre des imprimés et que cela fera des frais. On pourra imputer à cette dépense le produit de l'impôt sur la fortune.

(*30 septembre.*)

Acier et caoutchouc

Pourquoi dit-on, à propos de l'élection du président du Sénat, que c'est M. Pasqua qui est le vrai vainqueur, et non pas M. Poher, lequel a pourtant été élu ? Certes, M. Pasqua lui a apporté les voix du groupe RPR, qui ont fait le succès, mais on pourrait aussi bien dire que M. Poher, en se conciliant un homme aussi déterminant que M. Pasqua, n'a pas manœuvré comme un bleu.

Ce n'est pas de gaieté de cœur, je suppose, que les sénateurs gaullistes ont voté pour M. Poher, qui n'aimait guère le général de Gaulle et qui fut le concurrent de M. Pompidou aux présidentielles de 1969. Bref, je trouve que M. Poher s'est supérieurement débrouillé pour conserver son perchoir. Etre élu par des gens qui ne vous aiment pas après qu'on a été lâché par son propre parti n'est pas à la portée du premier venu. Lâché est un mot faible : le parti de M. Poher voulait carrément sa peau.

Il ne faut jamais parler de l'âge des gens. Non seulement c'est de mauvais ton, mais encore c'est maladroit. A-t-on fait assez grief à M. Poher d'être octogénaire ! A-t-on assez dit qu'il était grand temps qu'il cédât la place ! Les imprudents qui tiennent ces sortes de propos oublient que nous sommes en France, pays où l'on chérit les vieux. Plus on est chenu, plus on plaît. M. Poher, à quatre-vingts ans et quelque, fait plaisir à une foule de retraités, qui se disent que la vie ne finit pas automatiquement à cinquante-huit ans dans notre univers impitoyable.

Enfin, un homme qui dure aussi longtemps mérite de la considération. Cela signifie qu'il est en acier ou en caoutchouc, qui sont les deux matières dont sont faits les grands politiques. Ceux qui s'attaquent à l'acier s'y meurtrissent. Ceux qui se ruent sur le caoutchouc rebondissent et s'étalent ridiculement par terre.

J'ai rencontré par-ci par-là M. Poher. Il a cette bienveillance et cette urbanité que l'on acquiert, je pense, à la longue, dans les palais nationaux et à force de circuler au milieu du Mobilier national. Un jour, il m'a reçu dans son bureau du Sénat. Son huissier portait une épée, tout comme un Académicien. J'ai rarement éprouvé un tel saisissement, et je me suis dit qu'un personnage sur qui veille un huissier à épée est plus vissé qu'un autre au fauteuil qu'il occupe. Je ne me trompais pas. En outre, M. Poher a une voix très douce, un peu chantonnante, rappelant celle de Guy Mollet. On ne fait pas taire facilement une telle voix.

(7 octobre.)

Requiem pour les taupes

Etant nourri de romans noirs et de films d'espionnage, j'ai tout de suite pensé, devant les trains entiers de gens fuyant l'Allemagne de l'Est, que leurs compartiments devaient être bondés de taupes, c'est-à-dire d'agents secrets communistes trop heureux de sauter sur une si belle occasion d'infiltrer l'Occident.

Cette idée m'a amusé et j'en ai fait part à mes amis. Ceux-ci en ont été un peu choqués, je crois. Du reste, ils m'ont traité de farceur, comme ils le font chaque fois qu'il me vient à l'esprit quelque chose qui n'est venu à l'esprit de personne. Pourtant, si j'étais M. Honecker, président de la RDA, j'aurais battu le rappel de mes taupes les plus remarquables, je les aurais envoyées se réfugier dans les ambassades de la République fédérale, je les aurais enfermées par douzaines dans des wagons plombés et je les aurais expédiées à M. Kohl en m'écriant sardoniquement : « Bon vent ! »

Mais M. Honecker est-il encore capable d'une action aussi audacieuse ? Il doit être bien déprimé, le pauvre homme, ces temps-ci. Comme disait son prédécesseur le grand Frédéric, roi de Prusse : « Toute la boutique s'en va au diable ! » Il a soixante-dix-sept ans, il n'est pas très bien portant, et il doit songer avec tristesse que ce n'était pas la peine d'inonder de taupes l'Allemagne de l'Ouest pendant quarante ans pour en arriver là. Existe-t-il encore un KGB chez le grand frère soviétique ? On finit par en douter.

Quel va être le destin des taupes, désormais ? Celles qui sont en place dans les divers pays d'Occident doivent mourir d'inquiétude. D'ici à ce que les gouvernements du pacte dit de Varsovie en envoient la liste détaillée, avec adresses, boîtes aux lettres, contacts et états de service aux gouvernements occidentaux, il n'y a pas loin.

Je serais taupe, je me hâterais de retourner ma veste. C'est triste, ces petits métiers si romanesques en voie de disparition.

(*14 octobre.*)

L'Europe qui fait peur

Le monde actuel, avec ses idées, ses sentiments, ses joies, ses paniques, est à peu près inintelligible. Depuis quelques jours, je me penche avec angoisse sur le déficit extérieur des Etats-Unis, et je ne parviens pas à deviner pourquoi nous en sommes tant affectés.

Qu'est-ce que cela peut nous faire, à nous les Européens en général et les Français en particulier, que le commerce extérieur des Etats-Unis soit déficitaire ? A mon humble avis, nous devrions plutôt nous en réjouir. Tout ce qui affaiblit une grande puissance est toujours le bienvenu. Cela a au moins l'avantage de l'entraver dans ses entreprises hégémoniques.

L'effroi et l'agitation de la Bourse de Paris me paraissent d'autant plus extravagants que nous n'avons plus rien à apprendre sur les horreurs du commerce extérieur. Nous sommes des vétérans, des briscards du déficit. Le nôtre dure depuis sept ou huit ans. Chaque mois reparaissent dans les journaux les mêmes jérémiades. Nous n'en sommes pas morts, et, d'après ces mêmes journaux, la France est un des « pays les plus riches du monde ». Les Etats-Unis étant encore plus riches que nous, leur déficit ne doit pas leur faire plus de mal qu'une piqûre de puce, et notre Bourse est bien bonne de s'en émouvoir. Quelle affaire parce que, pour une fois, l'Amérique a plus acheté qu'elle n'a vendu, plus importé qu'elle n'a exporté !

J'ai bien une explication du petit krach de cette semaine, mais j'ose à peine la révéler, de peur de paraître antiatlantiste. C'est que les Américains sont fort inquiets à la perspective

279

qu'en fin de compte il va y avoir un de ces jours un gros bloc économique européen, qui sera inéluctablement leur concurrent, et que tout est bon pour retarder cette épouvantable échéance, y compris des baisses brutales de la Bourse de New York.

L'Europe est un très mauvais coup porté à ce qu'on appelle les Supergrands. Et ils n'auront même pas la ressource de s'allier contre elle, attendu qu'un des deux Supergrands est en plein effritement et que ses satellites sont attirés par cette vieille Europe qui n'a besoin que d'un peu de mise en ordre pour dominer encore une fois le monde.

(21 octobre.)

La stabilité qui tue

La droite joue pour la cent millième fois la vieille comédie des chevaux qui se flanquent des coups de pied parce qu'il n'y a pas d'avoine dans leur râtelier. Tous les vaincus sont des chevaux dont la mangeoire est vide. L'union fait la force, mais la faiblesse produit la discorde. Etre vaincu est un rôle difficile. Etre vainqueur aussi, du reste, mais un peu moins.

Si j'étais le destrier Chirac, le poney Léotard, l'alezan Giscard d'Estaing ou le percheron Barre, je trouverais un motif de contentement, et peut-être même m'en nourrirais-je, dans le fait que, s'il n'y a plus d'opposition, il n'y a pas de gouvernement non plus. Où sont les fiers socialistes ? C'était bien la peine de devenir ministre pour faire une vague politique de centre gauche ou de centre droit comme n'importe qui ! Je ne vois pas beaucoup de différence entre le gouvernement que nous avons aujourd'hui et celui que nous avions il y a dix ans. Du temps de M. Giscard, on était peut-être un peu plus progressiste. En tout cas, les fonctionnaires des impôts ne se mettaient jamais en grève, j'en réponds.

Cette Ve République que j'ai appelée de tous mes vœux en 1958 est en train de tourner au cauchemar. Elle me fait songer à l'épée du roi Arthur, appelée Excalibur, qui n'était destinée qu'au roi lui-même, étant trop lourde pour qu'un autre pût la manier. La Constitution de la Ve a été l'Excalibur de De Gaulle. Après lui, nul n'a été vraiment capable de s'en servir.

Il y a une quinzaine d'années, j'avais trouvé une formule qui me semblait assez bien qualifier notre régime : « La Quatrième aggravée par la stabilité ». Je ne me fis pas faute, évidemment, de publier dans *France-Soir* cette trouvaille judicieuse qui passa complètement inaperçue, ce dont je conçus quelque dépit. Cela s'expliquait cependant très bien : les gaullistes tenaient sentimentalement à la Constitution de leur vieux souverain. Quant aux gens en place, elle faisait trop leur affaire pour qu'ils eussent envie d'en changer.

Ma formule de jadis me paraît bien dépassée à présent. La stabilité a paralysé la Ve République ; elle va finir par la tuer un de ces jours. Plus de gouvernement, plus d'opposition : cela fait un vide, et la nature politique a horreur du vide. Sous la IVe, on changeait de ministère tous les trimestres, mais du moins on s'amusait. Et on ne parlait de réformer l'orthographe que quand le monstre du loch Ness était indisponible.

(*28 octobre.*)

C'est Yalta qu'on assassine !

Il est peu probable que MM. Bush et Gorbatchev aient lu Cocteau et qu'ils connaissent la fameuse phrase : « Ces mystères nous dépassent ; feignons d'en être les organisateurs. » Elle serait cependant tout à fait en situation dans la grande conversation qu'ils doivent avoir le mois prochain sur un de leurs vaisseaux au milieu de la mer Méditerranée.

Que dis-je, en situation ! Elle résume d'avance tout ce

qu'ils pourront se raconter. Car de quoi parleront-ils, ces deux petits bonshommes sur leurs coquilles de noix blindées ? De l'Europe, évidemment, qui est le théâtre d'un tremblement de terre tel que nulle échelle de Richter ne saurait en mesurer l'amplitude.

Cette fichue Europe, ils la tenaient encore bien en main il n'y a pas cinq ans, et voilà qu'elle leur a échappé complètement. C'est Yalta qu'on assassine ! Yalta qui fut l'œuvre des Etats-Unis et de l'URSS, autrement dit de Staline et de Roosevelt. Ils étaient les vainqueurs de la guerre ; ils se partagèrent l'Europe exactement comme les deux « Grands » du XVIII\u1d49 siècle, le grand Frédéric et la grande Catherine, s'étaient partagé la Pologne. Les libérateurs, ce n'est vraiment agréable qu'au moment où ils vous libèrent. Ensuite, il faut se libérer d'eux, et cela prend quarante ans ou davantage.

Je serais bien étonné qu'il y eût à Varsovie ou à Budapest une avenue Franklin-Roosevelt ou qu'on en créât une, maintenant qu'on a passé à l'Ouest. Ce grand homme n'a pas laissé un très bon souvenir là-bas. De même il ne doit plus rester beaucoup d'avenues Staline.

Si j'étais M. Bush, je dirais à M. Gorbatchev : « Vous êtes un fou et un imprudent. Nous étions bien tranquilles avec mon Europe de l'Ouest et votre Europe de l'Est qui se regardaient en chiens de faïence. A cause de votre stupide libéralisme, de votre funeste perestroïka, nous allons nous retrouver avec une grosse Europe sur les bras, qui va nous embêter de toutes les façons possibles. Tâchons au moins de trouver ensemble un moyen de limiter les dégâts, de fabriquer une sorte de Yalta " modern style ". » Mais il ne lui dira rien de tel. Le cynisme n'est pas à la mode.

(4 novembre.)

Deuils à Hollywood

Hollywood n'a pas de chance en ce moment. Les Japonais ont acheté le quart ou la moitié de ses studios, ce qui a jeté la consternation en Amérique. Et voilà maintenant qu'un de ses principaux sujets d'inspiration est en train de disparaître. Je parle du communisme, de l'URSS, du KGB, du bloc de l'Est, qui pendant quarante ans lui ont fourni des films d'espionnage, de juteuses menaces atomiques, des guerres nucléaires évitées à l'ultime seconde, des taupes en tout genre. Dans quoi le cinéma américain va-t-il se recycler ? Il faudra bien trouver quelque chose. Ah ! on va le regretter, Staline, en Californie, et Iagoda, et Béria, et Kroutchev, et Brejnev, et tous les ogres délicieux qui ont bercé notre enfance et notre âge mûr !

Un grand pays ne peut pas vivre sans ennemi. Il se défait, il se délite lorsqu'il n'a personne à haïr. L'URSS était un ennemi épatant pour les Etats-Unis : l'un et l'autre savaient qu'ils ne se feraient jamais la guerre directement. Moyennant quoi, pendant quarante ans, ils ont joué le rôle de Marius et Olive : « Qu'on me retienne, ou je fais un malheur ! » Il y avait presque toujours quelqu'un qui les retenait, c'est-à-dire qui prenait l'initiative d'organiser une conférence à Genève, à moins que ce ne fût à l'ONU. Et quand, par hasard, il n'y avait personne, ils se retenaient eux-mêmes.

Pendant ce temps-là, Hollywood fabriquait par douzaines des films formidablement patriotiques dans lesquels les vilains Soviétiques étaient déjoués par de rayonnants espions de la CIA. On peut dire que Hollywood a vécu des années merveilleuses avec la guerre froide, la guerre tiède, la guerre presque chaude, la guerre imminente, la Troisième Guerre mondiale, l'apocalypse pour demain, etc. Cette période bénie a pris fin à cause de cet étourdi de Gorbatchev, cette espèce de Carter russe qui flanque l'Empire par terre avec sa perestroïka de malheur.

Combien de temps va-t-on pouvoir encore exploiter la

guerre du Viêt-nam ? C'est très bon, cette guerre-là, cela a très opportunément pris le relais de la guerre de Sécession qui était usée jusqu'à la corde, mais il ne faut pas se dissimuler que, dans quelques années, les anciens combattants du Viêt-nam auront sérieusement pris de la bouteille. Rambo va bien finir par attraper des rhumatismes. L'avenir n'est pas rose dans la pellicule.

(*11 novembre.*)

La Marche-de-l'Histoire

Il y a un vieux cadavre que je serais heureux de voir enterré en grande pompe, c'est-à-dire au milieu des danses villageoises, des lampions, des feux de joie, des réjouissances populaires. Ce vieux cadavre est la Marche-de-l'Histoire. La Marche-de-l'Histoire est morte, mes bons amis. Dieu sait si elle nous avait empoisonné l'existence depuis quarante-cinq ans ! L'année dernière, l'Histoire cheminait encore sur sa triste route vers les lendemains chanteurs. Et voilà que cette année, plouf ! elle est tombée par terre. Ce Juif errant n'a plus de pieds, à moins que ce ne soit la route qui est devenue, ô merveille ! un cul-de-sac.

Toute ma vie a été gâchée par la Marche-de-l'Histoire. C'était la grande découverte de la seconde moitié du XXᵉ siècle. Je serais né en 1700 ou en 1800, j'aurais connu un monde un peu remuant, certes, mais non pas inexorable comme celui au cours duquel, pour la première fois en cent millions d'années, l'Histoire s'est mise à marcher. Car elle marchait dans une direction bien précise, la coquine, et c'était justement celle où je n'avais pas envie de la suivre.

Marcher pendant quarante-cinq ans pour n'arriver nulle part, c'est quand même une aventure qui mérite quelque glose, et je trouve décidément que l'on devrait donner des fêtes pour célébrer la fin de la grande mystification du siècle.

Cela prolongerait les fêtes du Bicentenaire de la Révolution française. Les deux choses se complètent très bien. La Révolution, elle aussi, croyait dans la Marche-de-l'Histoire.

Un des enseignements les plus réconfortants des événements actuels, c'est que les empires ne sont pas éternels. On le savait, sans doute, mais l'Empire romain nous prouvait qu'ils étaient néanmoins capables de durer longtemps. L'Empire soviétique, apparemment, était moins solide. Le voilà logé à la même enseigne que les vieilles démocraties occidentales quand leurs colonies leur sont tombées des mains. A quand l'effritement de l'Empire américain ? Car tout se tient, et les empires, même antagonistes, sont solidaires ; la chute de l'un retentit sur l'autre, ou le contamine, si l'on préfère.

Il est probable que, d'ici à quelques mois, l'Histoire va reprendre son pas tranquille et incertain, avec de longues périodes de repos, des retours en arrière, des zigzags, des rêveries au bord des sentiers. Enfin, les lendemains ne chanteront plus. Quel charmant silence, tout à coup !

(18 novembre.)

Dracula

D'après les gazettes, M. Ceaucescu, *conducator* de la Roumanie, c'est-à-dire Führer ou Duce en français, a raconté des blagues grosses comme lui au XIVe congrès du Parti communiste roumain : que tout va très bien, qu'il prévoit une récolte de soixante millions de tonnes de céréales, et que, d'ici à 1995, l'énergie atomique couvrira la moitié des besoins nationaux. Le cher homme aurait tort de se gêner : il avait pour auditoire les seules personnes qui mangent à leur faim dans son pays, à savoir les dignitaires du Parti. Ils étaient là quinze cents, qui l'ont beaucoup applaudi.

On a tout dit sur M. Ceaucescu, et en particulier qu'il était fou. Mais comment n'être pas fou quand on a le pouvoir absolu, quand on peut faire tuer qui l'on veut, quand les gens vous adorent comme une divinité ? Il n'est pas le premier fou de l'Histoire, ni le dernier. Et, sans doute, à cause de sa folie, il durera plus longtemps que les autres potentats de l'Europe de l'Est qui se sont mis, depuis quelques mois, à avoir peur du peuple. Lui, il n'a pas peur de son peuple. Il faut dire qu'il l'a tant persécuté, spolié, affamé, déporté, tourné en bourrique, que ce pauvre peuple n'a plus guère de forces. Peut-il encore descendre dans la rue ?

On dirait que la folie a assez bien réussi à M. Ceaucescu jusqu'à présent. C'était folie de sa part, en effet, de prendre ses distances avec l'URSS, de refuser d'être un satellite de l'Empire. Grâce à quoi, il y a une dizaine d'années ou un peu plus, il passait pour un homme courageux, un patriote, etc. Je m'en souviens parfaitement. L'Occident le regardait d'un œil attendri. On savait qu'il avait la poigne assez dure, mais on lui pardonnait ses vivacités parce qu'il disait zut à Brejnev.

Etant seul de son espèce parmi les potentats des pays de l'Est, il sera le dernier à être renversé, supposé qu'il le soit. M. Gorbatchev pourra bien l'exhorter tant et plus à se convertir à la perestroïka, il ne fera qu'en rire. C'est Dracula, et Dracula n'écoute personne. Il a transféré ses pénates de la Transylvanie à Bucarest. Il lui faut sa ration quotidienne de sang humain pour continuer son heureuse vie de vampire. Il n'y a que dans les films qu'on se débarrasse des vampires, et encore il faut toutes sortes d'ingrédients. Des chapelets de gousses d'ail, entre autres, et des crucifix. Or, il n'y a pas plus d'ail que de crucifix dans la Roumanie du XXe siècle. Le pape lui-même n'y entrerait pas.

(25 novembre.)

286

Dans un verre d'eau

C'est une chose prodigieuse de voir un gouvernement tout entier, composé de quarante ministres et secrétaires d'Etat, se noyer dans un verre d'eau. Cette noyade a duré je ne sais combien de semaines. Le gouvernement n'arrivait pas à sortir du verre d'eau. C'était pathétique. Les ministres suffoquaient. De temps à autre une tête exsangue émergeait, bredouillait quelques paroles confuses, avalait une goulée d'air et replongeait.

On a compris que je parle de l'affaire du voile islamique. N'importe qui aurait réglé dans la minute une bagatelle comme celle-là. Il suffisait de rappeler que la loi est la même pour tout le monde, Français, étrangers, musulmans, bouddhistes, animistes et chrétiens. Cela ne devait même pas monter jusqu'au gouvernement. Le préfet était encore un trop haut personnage pour s'en occuper. Il fallait que cela restât au ras des règlements de l'école laïque.

Que font quarante personnes qui se noient, fût-ce dans un verre d'eau ? Elles appellent au secours. Le Conseil d'Etat passait par là. « Nous ne savons pas nager, criaient les ministres, nous allons couler. Cher Conseil d'Etat, trouve un moyen de nous tirer du gouffre bouillonnant qui est en train de nous engloutir ! » Le Conseil d'Etat n'aime pas être mouillé, probablement parce que cela brouille le pli du pantalon. Néanmoins il se pencha sur le verre d'eau et tendit le petit doigt, auquel s'accrocha le gouvernement.

Ce ne fut pas un grand et beau sauvetage comme on en voit parfois en Bretagne au large de l'île de Sein. Ce fut plutôt un sauvetage dédaigneux. J'oserai presque dire un sauvetage moqueur. Mais enfin c'en fut un. Les ministres et secrétaires d'Etat furent de nouveau au sec. Prêts à affronter de nouveaux verres d'eau. Ceux-ci ne manquent pas dans le monde déconcertant qui est le nôtre.

Ce qui est cocasse dans l'histoire du voile, c'est qu'elle n'est rien d'autre que ce que Saint-Simon appelait « une entreprise », c'est-à-dire un coup d'audace pour imposer une préséance indue. Une minorité d'intégristes musulmans ont tenté cette entreprise pour voir si cela réussirait et si le gouvernement s'aplatirait une fois de plus. La plupart des musulmans vivant en France le font à notre manière, pensant avec sagesse qu'il faut se conformer à nos coutumes.

Il est amusant de penser à la bonne conscience du gouvernement, à son courroux et aux foudres qu'il aurait lancées si, au lieu du voile islamique, il avait eu affaire à quelque curé de choc qui aurait commandé aux jeunes chrétiens de réciter tout haut un *pater* et un *ave* au commencement de chaque classe. Au fond, pourquoi ne décréterait-on pas que la seule religion prohibée à l'école laïque est la religion catholique ? Tout serait beaucoup plus simple, politiquement et humainement.

(2 décembre.)

La dernière fête du Bicentenaire

Personne ne nous a dit si c'est M. Jean-Paul Goude qui a été l'organisateur de la manifestation de mardi soir, au cours de laquelle trois ou quatre douzaines de parlementaires de l'opposition furent matraqués par les CRS. J'inclinerais à le croire. Ce fut une réussite aussi colorée et symbolique que son défilé du 14 Juillet. Que la chose ait eu lieu le 5 décembre n'est pas fortuit. On a clos ainsi la série des fêtes prévues pour le Bicentenaire.

Un des aspects les plus originaux de la Révolution française a été les épurations successives de la Convention. Le métier de député, à cette époque glorieuse, n'était pas aussi tranquille qu'il l'est devenu par la suite : on commença par couper le cou des Girondins, puis celui des Cordeliers ; enfin Thermidor raccourcit Robespierre et une bonne pincée de Montagnards. Bref, il y eut une hécatombe de représentants du peuple, parmi lesquels Danton et Desmoulins. C'est même la profession qui fut la plus guillotinée.

Il est fâcheux que M. Goude (si c'est lui le metteur en scène de la fête, ce dont je n'arrive pas à avoir confirmation) ne soit pas allé jusqu'au bout. Il aurait été pittoresque et évocateur de voir Mme Isaac-Sibille, MM. Philippe de Villiers, Léotard, Longuet, Baudis, Deniau, ainsi que leurs quarante collègues, traversant les rues de Paris dans des charrettes cahotant sur le pavé et monter à l'échafaud, dressé place de la Concorde. On aurait pu aussi, préalablement, les interner pendant quelques jours à la Conciergerie.

C'est grâce à de tels spectacles que l'on se rend compte qu'il est heureux que ce soit les socialistes qui aient gagné les élections de 1988. Si M. Pasqua était ministre de l'Intérieur en ce moment, au lieu de M. Joxe, et si les députés matraqués avaient été socialistes au lieu d'appartenir à la droite, l'affaire aurait eu quelque chose d'odieux, de fasciste, de nazi, qui eût fait pousser des hurlements d'indignation et de douleur. On aurait organisé des défilés de protestation, avec des banderoles « Pasqua-la-matraque », « Chirac-Pinochet même combat », et autres joyeusetés.

Le pauvre M. Philippe de Villiers qui a trois côtes cassées aura peut-être la force de monter à la tribune de l'Assemblée en brandissant un chiffon tricolore maculé de boue, et de s'écrier à l'intention de M. Joxe : « Bourreau, tu montreras mon écharpe au peuple, elle en vaut la peine ! » Voilà ce que j'appellerais finir en beauté l'année du Bicentenaire.

(9 décembre.)

Le pur et l'impur

Il n'y avait que deux moyens de tuer Ceaucescu et sa femme : les assassiner de nuit, au coin d'une rue, ou les faire comparaître devant une Haute Cour, longuement, solennellement, publiquement. On les a expédiés de la pire façon possible, à la sauvette. Le plus singulier est que le tribunal militaire ait laissé filmer cette comédie, où l'on ne voyait que deux vieux assis dans un coin, tandis qu'un procureur invisible accusait, qu'un avocat invisible secondait l'accusation de son mieux et qu'un président invisible présidait. Pour tout dire, j'ai trouvé ce procès parfaitement répugnant. Je n'en ai regardé les images jusqu'à la fin que par probité. J'aurais volontiers tourné le bouton après cinq minutes.

Ce qui m'a le plus surpris est la passivité morne des accusés. A quoi bon être un fils du peuple si c'est pour être aussi muet et sans ressort qu'un roi héréditaire ? On était loin de Danton engueulant ses juges et se justifiant comme un forcené. Il me semble que, si j'avais été à la place du ci-devant tyran, j'aurais tonné sans arrêt, vociféré, coupé la parole à tout le monde, crié les noms de mes milliers de complices, j'aurais hautement revendiqué ce dont on me faisait des crimes, bref, j'aurais vendu chèrement ma peau. Quand on est condamné d'avance, comme c'était le cas, il n'y a pas à se gêner.

La bataille, la révolution, la guerre civile, c'est sanglant, mais c'est pur. C'est ce qui vient après qui ne l'est pas. Je ne vois pas beaucoup de pureté parmi les gens qui ont constitué un gouvernement en Roumanie cette semaine. On a l'impression qu'ils voulaient abattre Ceaucescu pour prendre sa place, plutôt que pour apporter un peu de liberté au peuple et lui donner à manger. D'ailleurs ils disent des choses incompréhensibles. Qu'est-ce que cet « ami de Gorbatchev » qui veut bien du pluralisme politique mais répudie le multipartisme ? On aimerait qu'il expliquât les nuances de sa pensée.

Il n'en aura sans doute pas le temps. Lorsqu'un régime est flanqué par terre, les événements vont à toute vitesse et nul ne parvient à les arrêter. Malheur aux hommes de transition qui cherchent à sauver des bribes de l'ancien ordre ! Ils durent huit ou quinze jours. Exemple Egon Krenz en Allemagne de l'Est. Les peuples sont comme des comètes : lorsqu'ils ont tant fait que de se mettre en mouvement, ils vont jusqu'au bout de leur trajectoire. La révolution roumaine a fait à présent le plus dur, mais elle n'est pas finie. Je pense qu'elle ne finira que quand la Roumanie se sera agrégée à l'Europe de l'Ouest. C'est-à-dire quand elle aura tout à fait tué chez elle cette nouvelle forme de la monarchie absolue qu'est le communisme.

(*30 décembre.*)

1990

Tous fous !

Tout a été écrit, donc tout a été prédit. L'avenir est raconté dans les livres sous une forme à peine allégorique. Corneille a décrit Napoléon deux siècles à l'avance dans la tragédie d'*Attila*, et aucun détail ne manque. Les guerres d'aujourd'hui sont dans Tite-Live et les caprices des puissants dans Suétone. Mais les hommes ne lisent pas. Tocqueville reproduit dans ses Souvenirs une conversation qu'il eut le 15 mai 1848 avec Trélat, « révolutionnaire du genre sentimental et rêveur ». C'était « un médecin de mérite » qui dirigeait alors un des principaux hôpitaux de fous de Paris « quoiqu'il fût un peu timbré lui-même », note l'auteur.

On était dans une de ces crises absurdes qui jalonnèrent la courte vie de la IIe République. Trélat dit à son ami et collègue : « Ce sont des fous, des fous véritables qui ont amené ceci ! Je les ai tous pratiqués ou traités : Blanqui est un fou, Barbès est un fou, Huber surtout est un fou, tous fous, monsieur, qui devraient être à ma Salpêtrière et non ici. » A quoi Tocqueville ajoute qu'il a toujours pensé que dans les révolutions, et surtout les révolutions démocratiques, les fous, les véritables fous, les dérangés mentaux, ont joué un rôle politique considérable. Ce qu'il y a de certain, conclut-il, c'est

295

qu'une demi-folie ne messied pas dans ces temps-là et sert même souvent au succès.

Il faut avouer que, au XXe siècle, nous avons été comblés en fait de fous. Et ils ont été d'une autre conséquence que les fous du bon docteur Trélat. La Révolution soviétique, qui aura duré soixante-douze ans, leur a donné une sorte de statut qu'ils n'avaient pas dans l'Europe monarchique. Elle a pour ainsi dire officialisé la folie, elle l'a installée au pouvoir. Le premier des fous a été Lénine. Hitler et Staline étaient d'autres fous. Ceaucescu est le dernier en date. Mais le siècle n'est pas fini, et la Chine, le Viêt-nam, Cuba sont toujours aux mains des fous. La république de Panama appartenait à un fou doublé d'un brigand.

On se dit parfois que rien ne peut résister aux fous. Pourtant il y a quelque chose de plus fort qu'eux, à la longue : c'est les peuples sur lesquels ils exercent leur démence, qui cessent soudain d'être frappés d'enchantement, qui finissent par les voir tels qu'ils sont et qui les tuent. Car le destin des fous, dès qu'ils cessent d'être les plus forts, est sanglant. Ils en sont évidemment les premiers étonnés. L'humanité qui, dans l'ensemble, est plutôt raisonnable, n'est pas moins étonnée qu'eux. Elle ne s'était pas avisée qu'ils étaient fous. Elle les prenait pour des idéologues.

(6 janvier.)

Toulouse-Bucarest et retour

Je suis très partagé en ce qui concerne M. Petre Roman, Premier ministre de Roumanie. Dimanche dernier, à l'émission de Mme Sinclair, il a parlé pendant plus d'une heure pour ne rien dire. Par exemple, on aurait assez aimé qu'il nous entretînt de M. Iliescu, ci-devant Secrétaire général du Parti communiste roumain, avec lequel il semble s'entendre à merveille. Pas un mot. On eût aimé également qu'il nous expliquât comment un quarteron de vieux communistes, lui en tête, tout jeune qu'il soit, est parvenu à escamoter à son profit le mouvement populaire qui a flanqué par terre le régime de Ceaucescu. Bref, on aurait voulu qu'il nous parlât comme à des Occidentaux adultes et non qu'il nous servît la bouillie dont on nourrit les peuples-enfants des démocraties dites populaires.

Tout cela est incontestable. Mais il y a un détail important : cette bouillie il nous l'a servie en français. En excellent français, même, sans trace d'accent, sans rouler les *r* à la roumaine, ni à la toulousaine, ce qui est encore plus méritoire de sa part car il a, paraît-il, fait ses études dans le chef-lieu de la Haute-Garonne.

Or la question que je me posais, en l'écoutant mentir comme un politicien de chez nous, était la suivante, et l'on conviendra qu'elle est primordiale : qu'est-ce qui vaut mieux pour la France : un Premier ministre roumain communiste, crypto-communiste, gorbatchévien, qui parle français, dont le français est quasiment la langue maternelle, ou bien un Premier ministre libéral, social-démocrate qui baragouine l'anglais comme n'importe quel agent de publicité ?

Sur le moment, c'est-à-dire dans la conjoncture actuelle, le second serait préférable, je suppose, encore qu'on puisse être un imbécile dans toutes les langues, mais le sera-t-il à long terme ? Notre influence dans le monde, c'est notre langue. Une Roumanie où l'on parle français me semble à tout point de vue désirable, quel qu'en soit le prix. Rappelons-nous notre divine surprise, notre émerveillement, lorsque la télévision nous a montré les images et les sons de la révolution roumaine, en constatant qu'un si grand nombre de Roumains parlaient français là-bas, que quarante ans d'éteignoir communiste ne leur avaient pas fait oublier notre musique, qu'ils aimaient tant jadis.

Le grand Frédéric a été notre ennemi le plus déterminé au XVIIIᵉ siècle, mais il ne parlait que français. Quoique roi de Prusse, il comprenait à peine l'allemand, et finalement il a été l'un de nos plus efficaces propagandistes en Europe. A Dieu ne plaise que je compare le jeune M. Petre Roman au vieux Fritz ! Mais on me permettra de souhaiter que ce petit Toulousain d'exportation soit un peu souple, un peu opportuniste, et qu'il continue à parler français à Bucarest, en présidant des gouvernements de droite. M. Baudis, maire de Toulouse, qu'il connaît sûrement, devrait aller lui dire cela.

(*13 janvier.*)

La preuve par Dostoïevski

On m'a dit, il y a un an ou deux, que M. Gorbatchev était probablement chrétien. J'ai commencé par ne pas le croire. Puis on m'a raconté que sa bonne grand-mère, quand il était petit, l'avait fait baptiser en secret. On m'a affirmé aussi que Mme Raïssa, son épouse, était très pieuse. Tout cela me semblait un peu trop miraculeux pour être vrai.

J'ai commencé à changer d'avis lorsque M. Gorbatchev s'est engagé dans sa perestroïka et que les effets de celle-ci se sont fait sentir, c'est-à-dire lorsque l'Empire soviétique s'est désagrégé. Les chrétiens sont incomparables pour détruire les empires. Le vénérable Empire romain, qui était autrement sérieux et solide que l'URSS, n'a pas résisté au christianisme. Il est possible, après tout, que M. Gorbatchev soit un envoyé de Dieu dont la mission consisterait à remplacer par la lampe du Saint Sacrement l'éteignoir de Lénine. Auquel cas nous vivrions des temps mémorables.

Ce qui renforce mon idée que M. Gorbatchev est chrétien, c'est tout le tintouin qu'il s'est mis sur les bras. Etant maître de l'URSS, rien ne l'empêchait de recueillir la succession de Staline et de Brejnev, de continuer le serrage de vis, le surarmement, le goulag, de réprimer d'une poigne de fer les velléités d'indépendance des satellites, de chouchouter le KGB et la Nomenklatura. Nul n'attendait autre chose de lui.

Les experts expliquent doctement que la situation économique de son pays l'acculait au libéralisme. Je n'en crois pas un mot. L'immobilité politique et la pauvreté de l'URSS pouvaient durer encore dix ans, vingt ans, cent ans, indéfiniment. Quand les peuples savent que rien n'est possible, leur désespoir ne prend pas la forme de la révolte, mais celle de la résignation.

Dostoïevski dit : « Si Dieu n'existe pas, tout est permis. » Pendant soixante-dix ans, Dieu n'a pas existé en URSS, et tout, effectivement, était permis aux gens qui la gouvernaient. M. Gorbatchev, par ses actes, démontre que pour lui Dieu existe, puisqu'il ne se permet pas tout, et qu'il va même jusqu'à compromettre l'ordre du monde. Bref, s'il n'est pas chrétien, il en a bien l'air. Et sa visite au pape n'est peut-être pas seulement un acte diplomatique.

(27 janvier.)

Canal lacrymal

Personne n'a mesuré l'importance des larmes que Mme Barzach a répandues à la télévision dimanche dernier, après avoir été « congédiée », comme elle dit, de la direction du RPR. Ces larmes marquent une étape de plus dans la conquête du pouvoir par les femmes. Aucune amazone, jusqu'à présent, n'avait osé employer cette arme secrète, ce rayon mouillé mais mortel dont nul individu du sexe masculin ne saurait se servir.

Avant la guerre, le président Lebrun larmoyait au moindre prétexte. Résultat : tout le monde se fichait de lui. Un homme politique qui n'a pas les nerfs assez solides pour garder un visage de marbre au milieu des catastrophes ne fait pas sérieux. Une femme qui pleure, en revanche, surtout si elle est mignonne comme Mme Barzach (et pour une bêtise, par-dessus le marché, car ce n'est pas bien grave d'être éjectée du pauvre RPR en détresse), c'est touchant, c'est bouleversant, c'est romanesque. On en veut au cruel Chirac qui a brisé le cœur d'une aussi intéressante créature.

Les hommes sont sans force contre les larmes des femmes ; spécialement de celles qui ne sont ni leurs épouses ni leurs maîtresses. Les électeurs mâles ont été remués dans des profondeurs secrètes par les larmes de Mme Barzach, cela ne fait pas de doute. Quant aux électrices, qui pourtant savent à quoi s'en tenir sur les possibilités du canal lacrymal, il est probable qu'elle se sont senti une espèce de solidarité envers la jolie femme battue qui racontait son infortune en se frottant les yeux.

On ne peut pas savoir d'avance si une femme pleurera ou non, mais c'est une éventualité qu'il faut toujours envisager. A mon avis, M. Chirac n'a pas été prudent en supprimant ses fonctions à Mme Barzach. C'est comme si, tout à coup, il lui avait repris des bijoux dont elle était sûre qu'elle les garderait toujours. D'une personne qui lui était dévouée, il s'est fait une ennemie, et certainement une ennemie irréconciliable. Il devrait savoir pourtant que les femmes savent mieux haïr que les hommes. Je le sais bien, moi qui n'ai jamais été candidat à la présidence de la République, ni maire de la moindre commune.

(24 février.)

La littérature au pouvoir !

J'ai toujours pensé que les littéraires réussissaient mieux dans la politique que les matheux. D'ailleurs la réalité ne me dément pas. Les matheux sont des gestionnaires, des comptables, des gens prudents, des dévots de l'économie. Or, on a beau dire que l'économique prime le politique et que la puissance d'un Etat se mesure à présent à son Produit national brut, ses exportations, son industrie, ses réserves de devises, son encaisse-or, etc., ce n'est pas vrai. Aujourd'hui

300

comme autrefois, une nation est forte tout simplement quand ceux qui la gouvernent sont intelligents et qu'ils ont de l'imagination. Sinon forte, au moins libre, ce qui n'est déjà pas mal.

Les Tchèques ont été sages en se donnant pour président un homme de lettres, M. Vaclav Havel, qui probablement ne connaît rien à l'économie, et qui, je l'espère pour lui, n'ira pas s'ennuyer à y comprendre quelque chose. Il y a bien assez de matheux en Tchécoslovaquie pour le faire à sa place et, à l'occasion, lui dire de quoi il retourne. Ce que l'on demande à un Président, c'est d'incarner une grande âme collective, non de se laisser intimider par des additions et des soustractions.

On lui demande aussi — et c'est en quoi l'homme de lettres est utile — de connaître le sens des mots. Il y avait entre la Tchécoslovaquie et l'Union soviétique un « traité d'amitié, de coopération et d'assistance mutuelle », ce qui est d'une complète effronterie. D'abord parce qu'il ne peut y avoir d'amitié entre deux voisins quand l'un est gros et l'autre petit, que la coopération consiste pour le gros à prendre ce qui lui plaît dans la poche du petit et que, si l'on ne voit pas comment le petit pourrait assister le gros, celui-ci assiste le petit en envoyant ses soldats chez lui pour faire la police.

Le péché mignon des hommes de lettres est de détester le mensonge et les euphémismes qui l'expriment avec noblesse. M. Vaclav Havel a fait barrer sur le traité avec l'URSS les mots d'amitié, de coopération et d'assistance mutuelle. Je ne sais si un matheux y serait parvenu, ou en aurait seulement eu l'idée. Il aurait pensé que les mots n'ont pas d'importance, ce qui est une erreur que font souvent les matheux avec leur esprit pragmatique. Or la politique, comme les poèmes, se fait avec des mots, et l'on est parfois prisonnier de mots auxquels on n'a pas fait attention.

Dernier avantage des hommes de lettres au gouvernement : ils ont de bonnes lectures. Cela leur permet d'être insolents, et l'insolence, dans certains cas, est une forme de patriotisme. C'est ainsi que M. Havel a eu le plaisir de dire perfidement à M. Gorbatchev : « La culture russe est très répandue en Tchécoslovaquie ; nous avons tous lu Pasternak et Soljenitsyne. »

(3 mars.)

Un fichier, pour quoi faire ?

Je ne vois pas bien pourquoi l'affaire du fichier informatique des Renseignements généraux soulève tant d'émotion. Si j'ai bien compris, il s'agit de mettre toute la population de la France dans un ordinateur et, quand on aura besoin de savoir quelque chose sur quelqu'un, d'appuyer sur un bouton. Ma foi, je ne vois pas là de quoi pousser de si hauts cris. Lorsque la police, le ministère des Finances ou n'importe quel bureaucrate veut se renseigner sur un citoyen, il est informé dans l'heure de tout ce qui concerne le malheureux, ordinateur ou non. Cela marche de la sorte depuis Colbert.

Ce qui fait le plus crier, semble-t-il, c'est que, dans le fichier, il y aura la race et la religion des gens. D'abord, qu'est-ce que la race ? Cette notion n'existe plus depuis que Darwin nous a expliqué que l'homme descendait du singe. Il y a en France des singes de toute sorte. L'important est qu'ils parlent français. Quant à la religion, qui s'en soucie, hors celui qui la pratique ? Il me paraît infiniment plus grave que le pouvoir sache combien j'ai gagné cette année, et cela, il le sait, depuis que M. Caillaux a inventé l'impôt sur le revenu, ainsi que la façon de me détrousser. Le plus cruel des questionnaires du monde moderne est la déclaration d'impôt que les Français remplissent en ce moment.

Il est curieux que personne ne se souvienne de l'affaire des Fiches, qui fit un beau raffut entre 1900 et 1904, et sur laquelle vient de paraître un volume fort instructif de M. François Vindé. Le général André, qui était ministre de la Guerre en ce temps-là, eut l'idée de faire une armée vraiment républicaine. Cela consistait tout simplement à bloquer l'avancement des officiers soupçonnés d'être catholiques ou de droite. Il n'y avait pas d'ordinateur ; les informations étaient fournies par le Grand Orient qui y suppléait très bien.

Un des détails les plus beaux de l'affaire des Fiches est le soufflet que M. Syveton, député de Paris, appliqua au général André. A la suite de quoi on retrouva le pauvre Syveton, un matin, mort à son domicile. D'où le verbe « syvetonner », pour dire assassiner, qui eut quelque succès. Comme quoi les fiches et les fichiers sont des choses délicates et dangereuses. Le gouvernement d'aujourd'hui a bien raison d'abandonner son projet. Il serait déplorable que M. Gaudin, par exemple, ou M. Toubon se livrât à des voies de fait sur la personne de M. Joxe. Et les mœurs se sont tellement affadies dans les milieux politiques depuis 1904 que nous n'aurions même pas, pour nous consoler, le verbe « gaudiner » ou « toubonner ».

(10 mars.)

La mauvaise volonté

Lorsque je lus *Les Hommes de bonne volonté* de Jules Romains, je fus très étonné de trouver, parmi les personnages, des politiciens. Le politicien, en effet, m'a toujours semblé être le contraire d'un homme de bonne volonté. Cela se conçoit très bien, d'ailleurs : il est entouré d'ennemis qui veulent l'abattre et il lui faut à chaque instant parer à des événements plus ou moins imprévus dont il risque d'être la victime.

Il n'y a que les politiciens tout-puissants, rois, tsars, empereurs, dictateurs, présidents, qui pourraient à la rigueur s'offrir le luxe d'avoir de la bonne volonté par-ci par-là, dans de petits domaines. Par exemple améliorer le sort de quelques catégories de pauvres, récompenser des vertus incomprises, subventionner des artistes méconnus. Mais ils ne le font pas, ou guère, car ils ont de plus grands soucis, qui passent avant ces bagatelles. En outre, quand on a l'habitude d'être un homme de mauvaise volonté, on ne devient pas un homme de bonne volonté du jour au lendemain. Le seul roi dont on puisse dire qu'il était vraiment un homme de bonne volonté est le pauvre Louis XVI. On sait où cela l'a mené.

Je songeais à ces choses en contemplant l'ascension de M. Gorbatchev, à propos duquel on a des jugements très contradictoires. Certains le tiennent pour un démocrate sincère, désireux d'apporter, autant qu'il sera possible, de la liberté et de la prospérité à son pays, lequel manque singulièrement de l'une et de l'autre. Certains croient au contraire qu'il est d'une ambition effrenée, qu'il veut être autocrate de toutes les Russies, qu'il jette de la poudre aux yeux avec ses réformes et qu'au fond il ne veut que donner une couche de peinture au vieux marxisme.

Quels que soient son caractère et ses intentions, il doit être bien ennuyé avec l'affaire de la Lithuanie. Acceptera-t-il la sécession de cet Etat ou l'empêchera-t-il par la force ? Voilà exactement le genre de circonstance où la mauvaise volonté est indispensable. La question est de savoir à qui il est plus avantageux de la manifester : à la Lithuanie ou à l'URSS. A l'URSS, je pense. Le Soviet suprême est moins dangereux pour lui que le petit parlement de Vilnius.

(17 mars.)

Le ciment de la désunion

Le mur de Berlin n'était pas à sa place ; c'est en France qu'il aurait dû être construit, pour séparer la droite de la gauche. Il y aurait eu ainsi deux France, et qui n'eussent certes pas inquiété l'Europe par des velléités de réunification.

L'agrément des murs est qu'on peut en édifier indéfiniment. D'ailleurs on ne s'en prive pas. Il y a un mur entre l'UDF et le RPR, un autre qui coupe en deux le RPR, un mur entre la droite et le Front national, un mur qui isole les radicaux de droite des radicaux de gauche, etc. Le plus beau de ces murs, le plus neuf est celui que vient de fabriquer à son propre usage le Parti socialiste à Rennes. En quelques jours il a atteint une hauteur remarquable.

M. Fabius se tient d'un côté, M. Jospin de l'autre. M. Mauroy est à cheval sur le faîte, mais on a pris soin de placer au-dessous de lui M. Debarge pour le tirer par les pieds. M. Poperen glapit dans un mirador. M. Rocard est séparé du monde socialiste par une série de fortifications. Je n'ai pas bien vu où était M. Chevènement, mais il doit sûrement, dans quelque endroit, manier la truelle, ainsi que M. Mermaz et M. Laignel, grands maçons s'il en fut.

Il me semble que l'on s'est trompé sur le sentiment des Français lorsqu'on leur a appris la réunification de la RFA et de la RDA. On a dit qu'ils étaient remplis de crainte. En aucun cas. Les Français ne connaissent pas la peur, attendu qu'ils ne voient jamais plus loin que le bout de leur nez. A la vérité, ils ont été ébahis, pour ne pas dire stupéfaits. L'Allemagne ayant eu la chance d'être coupée en deux, ils ne comprenaient pas qu'elle ait eu le moindre désir de recoller ses deux morceaux quarante-cinq ans après.

Il est vrai qu'on tirait au fusil sur les gens qui voulaient passer en fraude le mur de Berlin. Nous n'en sommes pas encore là, avec nos nombreux murs, mais ce n'est pas l'envie qui nous en manque. C'est seulement que nous n'avons pas d'organisation. *Nicht organisiert*, comme on dit en allemand.

(*24 mars.*)

L'ennemi public numéro 1

Il y a des lacunes dans les projets du gouvernement sur l'usage du tabac. J'aimerais savoir s'il sera interdit de fumer aux pirates de l'air. Cela n'est dit nulle part. Pourtant ce serait une chose intéressante à savoir. Il n'est pas très grave de détourner un avion. D'ailleurs cela s'est souvent fait, et il faut avouer que cela n'a mal tourné que dans de rares occasions. Les pirates sont armés de pistolets-mitrailleurs et de grenades, objets parfaitement inoffensifs, qui ne donnent pas le cancer. On peut être sûr, d'autre part, qu'ils ne s'en serviront jamais, car les coups de feu et plus encore le dégoupillage des grenades feraient exploser l'avion, tuant indistinctement les otages et les pirates.

En revanche, il est très grave d'allumer une cigarette ou, comme on disait dans mon enfance, de « griller une sèche », spécialement dans la partie de l'appareil réservée aux non-fumeurs. Cela, comme on sait, les incommode. Pis encore : la fumée de votre cigarette entre dans leurs pauvres poumons et les ravage. Imaginez enfin que le pirate, encombré par ses pistolets-mitrailleurs et ses grenades, écrase mal son mégot dans le cendrier *ad hoc*. Le mégot incandescent tombe sur le tapis et y fait un trou. Cela signifie des frais pour la compagnie, obligée de changer le tapis endommagé.

Le plus atroce est d'imaginer un pirate fumant, non la cigarette, mais le cigare, qui dégage une fumée épaisse et suffocante. Le supplice des voyageurs devient intolérable. L'hôtesse de l'air a beau faire les gros yeux au pirate, le sermonner, lui montrer la pâleur alarmante des infortunés non-fumeurs, en appeler à son humanité, le monstre ne fait qu'en rire.

Il n'a pas tort. Car enfin il faut bien le dire : empêcher de fumer un pauvre pirate de l'air est une atteinte impardonnable aux Droits de l'homme et, dans certains cas, une insidieuse manifestation de racisme.

Les pilleurs de banque, eux, ne fument pas. Peut-être parce qu'ils ont un bas de nylon sur la tête. Quoi qu'il en soit, le gouvernement devrait inscrire dans son projet antitabac que tout bandit s'étant abstenu de fumer pendant son hold-up bénéficiera des circonstances atténuantes.

(31 mars.)

Le syndrome de la Légion d'honneur

Comme d'habitude, j'ai trouvé le moyen de résoudre l'épineuse question de l'immigration. Je ne me fais du reste aucune illusion : personne ne me prendra au sérieux. Cependant mon système serait infaillible. Il consiste à observer le comportement des gens qui désirent la Légion d'honneur et qui finissent par l'obtenir.

Tant qu'ils n'ont pas été décorés, ils trouvent qu'on la donne à n'importe qui et qu'elle est bien galvaudée. Vient enfin le jour béni où leur nom paraît au *Journal officiel*. C'est une grande joie pour eux, mais qui ne tarde pas à être empoisonnée. En effet, aux fournées suivantes, ils constatent que la Légion d'honneur, quoiqu'ils l'aient (ce qui n'était que justice), continue à être prodiguée à tort et à travers. Ce qui leur ferait vraiment plaisir, c'est que le robinet des croix se fût brusquement tari, c'est d'avoir été les derniers bénéficiaires de cette fabuleuse distinction et que nul après eux n'en fût jugé digne.

Devenir citoyens français, pour les immigrés, est une félicité aussi désirable que pour un citoyen français d'être orné du ruban rouge. Mon système, dont je garantis l'efficacité, est de naturaliser instantanément tous les immigrés qui se trouvent en France, sans chercher comment ils y sont venus. Puisqu'ils sont là, c'est qu'ils le voulaient, c'est qu'ils ont choisi notre pays, parce qu'on y mange à sa faim, parce qu'on y est libre, parce que c'est la patrie de Victor Hugo et du général de Gaulle, ou pour toute autre raison.

Donc on les naturalise. Les voilà français à part entière. Après quoi, on organise parmi eux un référendum dont la question est celle-ci : « Doit-on, selon vous, arrêter complètement l'immigration ? » Si l'on en croit le syndrome de la Légion d'honneur, ils répondront OUI à quatre-vingt-dix-neuf pour cent. La plupart d'entre eux, j'en prends le pari, écriront même sur leur bulletin : « Les étrangers, ça suffit ; restons entre Français ! »

Rien n'est confortable, pour un gouvernement qui a une

décision embêtante à prendre, comme de s'abriter derrière un référendum. Mais demander leur avis aux immigrés sur l'immigration paraîtra trop simple au nôtre, sans doute. Les choses simples ne plaisent pas, en démocratie.

(7 avril.)

Vivre dangereusement

Un des détails les plus cocasses dans la guerre contre le tabac que le gouvernement livre depuis quatorze ans, est la mention « Abus dangereux, loi du 29 juillet 1976 », qu'on lit sur les paquets de cigarettes vendus par la Régie.

Cette mention est cocasse pour plusieurs raisons. La première est qu'elle montre l'ingénuité des pouvoirs publics. Ceux-ci paraissent croire en effet que les gens lisent ce qui est écrit. Or ce n'est pas vrai. Les gens ne lisent rien et quand, par hasard, ils lisent, ils oublient aussitôt.

Deuxièmement, la formule « Abus dangereux » est des plus tentatrice, j'oserai dire des plus publicitaire, étant composée de deux mots magiques. L'espèce humaine méprise ce qui est inoffensif et adore ce qui est dangereux. Du moins c'est l'enseignement qu'on peut tirer de l'Histoire depuis qu'il y a des historiens qui l'écrivent.

« L'homme est un animal courageux, dit Alain ; indiquez-lui un péril, il y court. » J'ajoute que l'homme est également un animal excessif. Indiquez-lui un abus, il en profite jusqu'à la catastrophe. On peut toujours espérer que si l'on ne désigne pas un abus, celui-ci passera inaperçu à certaines personnes inattentives. Lorsque les lycéens (qui savent encore un peu lire, par obligation) déchiffrent « Abus dangereux » sur les paquets de cigarettes, ils les achètent plus volontiers qu'avant. Les jeunes Français cherchent désespérément du danger quelque part. Leur dire qu'il y en a dans les cigarettes, c'est les envoyer directement chez le buraliste.

Enfin, pourquoi cet ostracisme du tabac ? Je vois cent habitudes modernes dont l'abus est aussi nocif, sinon davantage. La télévision, par exemple, qui a tué toute vie collective, les abominables jargons franglais et « hexagonal », qui sont en train de tuer la langue française, les impôts qui tuent le travail, l'avortement qui tue les bébés, les Canaques qui tuent les gendarmes, les amnisties qui tuent la justice, les bagnoles qui tuent tout le monde, etc. Mais il en est du tabac comme de l'âne de la fable : il faut bien crier haro sur quelqu'un.

(16 avril.)

Les mêmes...

Ce qui est charmant avec les grands hommes, c'est leur ingénuité. Je l'ai constaté une fois de plus avant-hier en lisant dans le journal une diatribe de mon confrère Eugène Ionesco, pleine d'indignation et de désespoir. Il avait assisté à une réception du président de la Tchécoslovaquie, Vaclav Havel, au ministère de la Culture. « Ils étaient là, tous au complet, s'écrie-t-il tragiquement, anciens staliniens, anciens communistes, anciens maoïstes, anciens et actuels castristes !... »

Le pauvre Eugène était particulièrement exaspéré, semble-t-il, par la présence de M. Jean-Marie Serreau, « l'un des plus fervents et des plus acharnés gauchistes que j'aie connus ». Et de raconter comment ledit Serreau refusa naguère de jouer et de publier une pièce de Vaclav Havel arrivée secrètement en France, la jugeant « réactionnaire ».

Voilà ce que c'est que d'accepter étourdiment les invitations. Qu'allait donc faire Eugène dans cette galère ? Quelles têtes espérait-il voir au ministère de la Culture, sinon celles de ces bonnes gens qui, depuis quarante ans, célèbrent les douceurs et les bienfaits du marxisme ?

« Ils retombent toujours sur leurs pattes ! » conclut Eugène avec amertume. Mais bien sûr, cher Eugène, et c'est très bien ainsi. J'ajouterai même que c'est justice. Pendant quarante ans ils ont joué un rôle très ingrat, pour ne pas dire affreux, qui consistait à acclamer les bourreaux et à flétrir les victimes. C'est bien le moins qu'ils en soient récompensés en mangeant des petits fours dans les palais nationaux.

Et puis ils ont changé, ils ont marché avec leur temps. Je suis sûr que M. Serreau, maintenant, doit trouver la pièce de M. Vaclav Havel beaucoup moins réactionnaire qu'elle ne le lui paraissait il y a deux ans. Encore un peu de patience, cher Eugène, et vous serez à la gauche de l'intelligentsia parisienne. Vous aurez le plaisir de me trouver à vos côtés.

(21 avril.)

Bonne journée !

Une « journée de la Terre », c'est un peu vaste pour les petites natures comme moi. Je n'arrive pas à assumer le globe. Il me faut des sujets plus restreints si l'on veut que je me mobilise. D'autant plus que ce qui est vaste est généralement vague, donc inutile. Ce n'est pas parce que je m'indignerai sur le sort des baleines qu'on cessera de les pêcher, ni parce que je tonnerai contre les déchets atomiques qu'on fermera les usines qui les produisent. L'opinion publique est sans force contre l'argent ou la volonté de puissance.

Pourquoi n'organise-t-on pas une « journée du calcul mental », par exemple, au cours de laquelle les commerçants ne devraient pas se servir de leur calculette et feraient leurs additions de tête, comme leurs pères, qui étaient incomparables dans cet exercice ? Je verrais bien, aussi, une journée sans drogue, une journée sans crottes de chiens sur les trottoirs, une journée de l'histoire de France, où l'on parlerait aux écoliers émerveillés de Saint Louis, du Chevalier d'Assas, de la bataille de la Marne, de Mme de Pompadour, du général de Gaulle.

Enfin, ce qui me ferait plaisir, je l'avoue, qui me « motiverait » et même « m'hypermotiverait », ce serait une journée du français. La population n'aurait pas le droit, pendant vingt-quatre heures, de prononcer un seul mot de charabia ni un seul mot étranger. Quel repos, tout à coup ! Quelle écologie linguistique ! J'en pleure d'attendrissement rien qu'en l'évoquant. Les boutiques seraient obligées de mettre un calicot sur leurs enseignes en sabir, la télévision de parler comme Voltaire, les professeurs d'abandonner leur jargon pédant, et tout le monde de chercher le mot juste pour dire des choses simples.

Je rêve, comme on peut constater. Ce n'est pas demain la veille qu'on demandera au pauvre peuple de manifester pour quelque chose qui en vaille la peine. On ne lui propose que de hautes et nobles idées parfaitement anodines, et dont le seul but est de montrer qu'on réprouve platoniquement ce qu'on n'a pas le pouvoir d'empêcher.

En effet, pour que l'homme puisse continuer tranquillement à exterminer les baleines et à empoisonner la planète avec la radioactivité, il est nécessaire que, de temps à autre, quelques bonnes âmes, ou quelques millions de bonnes âmes, bêlent que c'est très mal. Il faut parler pour ne rien dire, agir pour ne rien faire. La bonne conscience est à ce prix. Et c'est sans danger : on ne vexe personne.

(*28 avril.*)

L'arboricide

A mon avis, la grande information nationale de cette semaine n'est pas le scandale des amnisties. Des puissants que l'on absout de leurs péchés, et des moins puissants que l'on envoie en correctionnelle, cela se voit depuis le commencement du monde. C'est raconté dans dix fables de La Fontaine. On n'a pas attendu M. Nucci et ses amis pour s'indigner. Tout ce qu'on peut dire, c'est que ce coup-ci, on a été très maladroit et très cynique. L'opinion publique a horreur du cynisme, et il est possible qu'elle se souvienne des parlementaires amnistiés par leurs collègues la prochaine fois qu'il faudra voter.

Les neuf mille cerisiers de M. Garbes, arrachés par fureur et par désespoir, sont beaucoup plus importants. La société, l'Etat, la vie telle qu'elle est devenue, la loi sur les retraites, l'inhumanité de la Mutuelle sociale agricole ont poussé un père à tuer ses neuf mille enfants. N'y a-t-il pas là une sorte de chef-d'œuvre du monde moderne ? Quelque chose qui eût été inconcevable il y a cent ans ou deux cents ans ?

Le pauvre M. Garbes, ayant atteint l'âge de la retraite, était contraint soit de payer cinquante mille francs par an, soit d'arracher ses arbres. Cette affaire dure depuis 1987. Il a payé pendant trois ans. Cela revient cher d'être vieux, surtout quand on a bien travaillé toute sa vie. Cela doit être un peu plus avantageux quand on n'a rien fichu.

Pour toucher six mille sept cent cinquante-six francs par trimestre, et continuer à bénéficier de la Sécurité sociale, il faut faire la preuve qu'on n'a rien d'autre, et surtout qu'on ne lève pas le petit doigt, qu'on « se repose », qu'on n'apporte absolument plus rien à la vie nationale, bref, qu'on savoure à chaque minute le bonheur, le grand bonheur moderne qui est l'inaction. M. Garbes, en travaillant « comme à Cayenne » pendant trente ans, avait créé la plus belle cerisaie de France. On imagine son crève-cœur en la sacrifiant sur l'autel de la stupidité du XXᵉ siècle. C'est une espèce de hara-kiri occidental.

Et M. Garbes n'est pas seul. Je connais dix, vingt sexagénaires de valeur dans les professions dites « libérales » qui sont dans son cas, c'est-à-dire qui ont cotisé toute leur vie et qui, s'ils veulent récupérer un peu de leur argent, n'ont plus le droit de rien faire, sont acculés à un suicide professionnel. Cela est d'autant plus bête que soixante ans d'aujourd'hui c'est la force de l'âge et le sommet de l'expérience, c'est comme quarante ans sous Louis XV. Les cerisiers abattus ne jonchent pas seulement les garrigues de l'Hérault, mais toute la France.

(5 mai.)

Le 8 Mai à Berlin

Je ne me rappelle plus quel président de la Ve République a décidé que le 8 Mai serait de nouveau jour férié et fête nationale. Il me semble que c'est Giscard. Je me souviens en tout cas que cette initiative ne me plut pas du tout. D'abord parce que cela ajoutait un congé à un mois qui en compte déjà beaucoup ; ensuite parce que cette date ne parle guère à mon cœur.

Que fêtons-nous, en effet, nous autres Français, le 8 mai ? La fin d'un long embêtement, la fin d'une oppression, d'une humiliation, le retour à une vie paisible. Tout cela est bien négatif. Pour moi la fête de la Victoire demeure le 11 novembre. Cette victoire-là, c'était vraiment la nôtre. Nous l'avions remportée avec notre sang, notre courage, notre patriotisme, nous pouvions en être fiers, nous avions le droit et même le devoir de le marquer chaque année.

En mille ans, la France a gagné suffisamment de guerres pour ne pas avoir besoin d'en célébrer une que les Alliés ont gagnée à sa place. Certes nous étions présents, les petits bataillons de la France libre étaient là. Il y a eu Leclerc, Koenig, Juin, de Lattre, et il y a eu surtout de Gaulle, mais le gros du travail, il faut bien le dire, n'a pas été fait par nous. Eisenhower n'était pas Foch ; Montgomery n'était pas Joffre.

Les Allemands auraient plus de raisons que nous de faire du 8 Mai un jour chômé. Ils ont été vaincus, sans doute, mais après combien de victoires ? Ils avaient concassé le monde pendant sept ans. Leur défaite, sur le plan militaire au moins, n'avait rien de déshonorant. Leurs ruines et leurs morts en témoignent. Et surtout la haine qu'ils avaient suscitée partout.

Outre cela, le 8 mai 1945 est pour eux le début d'une grande renaissance, d'une prospérité, d'une richesse sans rivales en Europe. Et voilà maintenant que les deux Allemagnes sont réunies en un seul peuple qui va être un bien gros animal dans la ménagerie européenne. Lorsque M. Kohl ira s'installer à Berlin, et mettra son ministère des Affaires étrangères dans la Wilhelmstrasse, il n'y aura plus d'obstacle à ce que le 8 Mai soit une fête nationale allemande. Mieux encore : une fête pacifique, avec toutes sortes de sous-entendus sur l'hégémonie du mark.

(12 mai.)

Centenaire de Van Gogh

On racontait à Degas qu'une de ses toiles avait fait une jolie cote. « Je suis un cheval de course, dit-il ; je cours les grandes épreuves, mais je me contente de mon picotin d'avoine. » Il n'éprouvait que mépris pour les gens qui payaient ses tableaux des prix qu'il jugeait excessifs et les traitait d'un mot de trois lettres dont le sens s'est beaucoup affadi depuis 1913.

Il y a en effet quelque chose d'insultant pour un artiste de voir ses œuvres devenir un objet de spéculation bourgeoise, au même titre que des valeurs cotées en Bourse. Cela signifie qu'on se fiche complètement du tableau, qu'on l'achète avec l'espoir de le revendre plus cher à un autre spéculateur. A la rigueur, le tableau pourrait ne pas exister. Il devient une espèce de fiction. Je ne vois pas de différence entre les bourgeois japonais de 1990 qui paient quatre-vingt-deux millions et demi de dollars le *Portrait du docteur Gachet* par Van Gogh et les bourgeois français de 1890 qui n'en auraient pas donné quarante francs. Ni les uns ni les autres n'ont regardé la toile.

Une des expressions les plus désolantes que l'on puisse entendre aujourd'hui est le « marché de l'art ». Elle signifie qu'une foule de commerçants et d'investisseurs se pressent autour des ouvrages de l'esprit et en font des « produits ». La seule note un peu réconfortante est que quelquefois les spéculateurs prennent une culotte. Henry James raconte qu'en 1876 un homme d'affaires américain acheta soixante-seize mille dollars (or) un tableau de Meissonier. C'était évidemment la signature qu'il payait. Tout comme bien des prétendus amateurs d'aujourd'hui paient la signature de Picasso.

D'une certaine façon, mieux vaut être écrivain que peintre. Même s'il faut attendre d'être mort pour être enfin reconnu, du moins l'est-on pour de bonnes raisons, par des gens qui n'ont rien à y gagner, et qui n'achètent pas cent francs un de vos livres pour le revendre deux cents.

Van Gogh est mort dans la misère à trente-sept ans en 1890. Il était chez ce bon docteur Gachet qui l'avait recueilli chez lui à Auvers-sur-Oise. Encore un cheval de course qui a gagné le grand prix et qui n'a pas eu souvent son picotin d'avoine.

(19 mai.)

Mélancolie des godillots

Lorsque l'Etat organise des fêtes, je me demande toujours à qui il veut faire plaisir. A personne peut-être. Les seules fêtes qui soient vraiment distrayantes sont celles où le sang coule. Les tournois du Moyen Age, par exemple, et surtout les combats de gladiateurs. En fait de réjouissances populaires, on n'égalera jamais les Romains de l'Antiquité, qui organisaient des safaris et des batailles navales dans l'arène du Colisée.

315

A qui feront plaisir les festivités prévues en l'honneur du centenaire du général de Gaulle ? Pas aux gaullistes, en tout cas, ni aux anciens de la France libre, ni aux braves militants du RPF, ni à tous ceux qui ont aimé « le vieux » comme on aime un suzerain et qui lui ont été fidèles pendant trente ans. Chez eux, le souvenir du Général est à la fois intime, exaltant et plein de tristesse. Ce n'est pas un chef que nous avons perdu en 1969 et 1970 ; c'est un père, à l'égard de qui nous éprouvions les colères et les tendresses qu'éprouvent les fils. Il était la France, il était notre famille. Depuis qu'il n'est plus là, la France a l'air un peu absente, elle aussi.

Et qui va célébrer son souvenir ? Des gens qui l'ont combattu et qui le récupèrent aujourd'hui ; au mieux des gens pour qui il n'était rien. Lui qui avait horreur de la chienlit et qui, pour tout ce qui le concernait personnellement, était d'une discrétion farouche, il sera servi ! J'imagine les plaisanteries qu'il fera de Là-Haut s'il a la curiosité de se pencher sur l'Hexagone le 18 juin, car il n'a évidemment pas perdu son esprit caustique en mourant.

Il me semble que ce que nous autres gaullistes pouvons faire de mieux dans toute cette affaire, c'est de ne pas nous montrer, de n'être pas là, tout comme il n'est pas là lui-même. Restons chez nous, et pensons à lui comme nous y pensons chaque jour. Nous n'avons pas besoin de Centenaire pour cela. Ou alors allons à Londres. C'est là que la vraie commémoration aura lieu. Même s'il n'y a que dix per sonnes.

(26 mai.)

Vers le cran d'arrêt

M. Joxe a une qualité que ne possèdent pas ses collègues du gouvernement : il provoque la rêverie. On se demande quel homme il est sous ses traits rugueux, quel regard poétique et tendre ses gros sourcils broussailleux dissimulent. On a le sentiment qu'il a quelques os de plus que le commun des mortels, deux ou trois côtes supplémentaires, des pommettes d'acier, un front d'enclume, des cheveux en paille de fer. Et dire que tout cela enveloppe peut-être une sensibilité de jeune fille !

Car il faut bien constater que les actions de M. Joxe ne sont pas en rapport avec sa physionomie. A première vue, il effraie. On se dit qu'un pareil homme n'est pas à sa place dans notre société pleurnicharde et débonnaire, qu'il a le masque terrible des Grands Ancêtres, qu'il est le garant de la République une et indivisible, qu'il refuse la liberté aux ennemis de la liberté, que pour un rien il mettrait la Terreur à l'ordre du jour. Or pas du tout. Il a si peu envie de terroriser qu'il parle à présent de supprimer les armes des policiers municipaux. Ces objets offusquent ses yeux, sans doute.

Je ne vois pas d'autre explication, car lui-même convient qu'ils ne s'en servent guère. Dans ces conditions, pourquoi les leur retirer ? C'est un ornement de leur uniforme auquel ils sont très attachés. Si on le leur enlevait, ils auraient l'impression désolante d'être castrés. Leur moral en serait sûrement très atteint.

Il est probable aussi que la vue d'un revolver à la ceinture d'un gardien de la paix intimide les vauriens, qui sont assez nombreux, à ce que j'ai entendu dire, mais que M. Joxe semble ignorer. Il ignore de même un vieil axiome de politique : à savoir qu'il faut montrer sa force pour ne pas avoir à s'en servir. L'aspect d'un revolver calme toutes sortes de passions mauvaises qui, sans cela, ne manqueraient pas de se manifester.

A la réflexion, le revolver est très surfait. Quand on s'en sert, on rate la cible huit fois sur dix. Ce qui est vraiment efficace, à en croire les faits divers, c'est le couteau à cran d'arrêt. Voilà ce que les syndicats de la police devraient demander au ministre de l'Intérieur, en remplacement des armes à feu. M. Joxe leur accorderait sans doute cette faveur. A condition, bien sûr, que le couteau ne soit pas visible. On pourrait prévoir pour cet engin une poche intérieure au blouson-vareuse des agents. Enfin, pour faire vraiment plaisir à la place Beauvau, je suggère de ne plus dire désormais les « Forces de l'Ordre » mais les « Faiblesses de l'Ordre ».

(*2 juin.*)

L'affreux petit examen

Anatole France qualifiait le baccalauréat d'« affreux petit examen ». Il le passa quand même. Moi aussi, encore qu'il me fallût m'y reprendre à trois fois pour y parvenir. J'ose dire que j'eus du mérite, car je ne voyais pas en quoi cet affreux petit diplôme pourrait bien me servir dans la suite de ma vie, et lorsqu'on ne voit pas l'utilité de quelque chose, on ne met guère d'entrain à l'obtenir.

Effectivement le bac ne me servit jamais à rien. Il n'est nullement nécessaire d'être bachelier pour devenir écrivain et — un peu plus tard — membre de l'Académie française. Un au moins des confrères que j'ai dans cette illustre Compagnie qui a compté dans ses rangs, depuis trois siècles et demi, tant d'auteurs au programme des lycées, ne l'est pas. Il me l'a dit parlant à ma personne et, ma foi, il en est assez fier. Mais l'Académie est une chose un peu particulière. C'est le seul corps de l'Etat où, pour vous accueillir, on ne vous demande aucun titre. Il est arrivé que l'on offrît des fauteuils à des gens n'ayant pas la moindre notion d'orthographe, comme le maréchal de Saxe qui, lorsqu'on le lui proposa, écrivit à sa maîtresse, laquelle était, je crois, Mme Favart : « Il veule me mètre de la cadémie. cela mira come une bage à un chas. »

Lorsque j'étais écolier, mes camarades et moi nous pensions que, pour être reçu, il fallait mettre dans nos copies ce qui était susceptible de plaire aux profs ou de flatter leurs marottes. Ce système est en général assez satisfaisant, car il est toujours dangereux d'être original ou d'avoir l'air de

318

penser par soi-même. Vu les sujets de philo qu'on a donnés cette année, je suppose qu'il faut, pour avoir une note convenable, entonner des hymnes à la Science, débiter des lieux communs sur la liberté, la personne humaine, le progrès des connaissances, le pacifisme et autres balançoires.

L'imprudent qui s'amuserait à raconter que la guerre est une école de courage, que le progrès est une farce, qu'une injustice vaut mieux qu'un désordre, que les privilèges aristocratiques sont plus amusants que l'égalité républicaine, récolterait un irrémédiable zéro.

Ne désespérez pourtant pas, chers enfants. On a quelquefois la chance de tomber sur un examinateur fantaisiste. Cela m'est arrivé à mon troisième bachot. J'ai rendu une copie où j'avais tâché de ne mettre que mes idées, les découvertes que j'avais faites à l'intérieur de moi, et dans laquelle, même, pour étayer mon propos, j'avais fabriqué sans vergogne des citations de Montesquieu, Schopenhauer, voire de Saint-Augustin. J'étais sûr d'être recalé une fois de plus. J'eus 18 sur 20 et ma copie fut publiée dans *Le Figaro*, avec celles de deux forts en thème, sous le titre : « Les As du baccalauréat ». Je n'aurais pas trouvé ce titre-là tout seul.

(9 juin.)

Délestage

Une de mes préoccupations récurrentes est : comment sauver le mois de mai ? J'y pense dès le 15 mars. Je me prépare à affronter ce mois effrayant au cours duquel un jour sur deux à peu près est chômé.

Je hais les jours chômés, et je ne dois sûrement pas être le seul : un silence sépulcral tombe sur le pays ; les boutiques sont fermées comme pour un deuil national ; les gens errent dans les rues avec des têtes de fantômes ; les enfants s'enfoncent dans l'imbécillité et l'analphabétisme en regardant la

319

télévision. Et je ne parle pas du commerce extérieur. Les onze autres mois de l'année, il n'est pas bien fameux, mais, pendant ces quatre semaines-là, c'est la banqueroute.

Sauver complètement le mois de mai est sans doute impossible. Comme on dit dans les gazettes, il y a trop de « pesanteurs ». Mais on peut, comme on dit à l'EDF, « opérer des délestages ». Récemment, j'ai écrit ici une chronique demandant qu'on rende le 8 à la vie, attendu que cette date-là marque une victoire américano-russe sur les Allemands, et qu'il y a quelque chose de niais à célébrer de la sorte les succès des autres. Je reçus plusieurs lettres me traitant de négrier ou d'ingrat.

Je comprends bien qu'il y a quelque chose de monstrueux et de sacrilège à vouloir supprimer un jour férié. Mais peut-être peut-on le faire permuter avec un jour qui ne l'est pas et qui, ainsi, le deviendrait. Je propose donc au gouvernement, qui aime tant le général de Gaulle et ne sait qu'inventer pour honorer sa mémoire, de remplacer le 8 mai par le 18 juin. C'est une date qui fera plaisir à tous les élus et militants socialistes, aux ministres, aux communistes, aux radicaux de gauche et de droite, aux giscardiens, et même aux chefs du RPR, qui seraient plutôt de nuance pompidolienne.

On disait autrefois de De Gaulle qu'il se prenait pour Jeanne d'Arc. Ma foi, il avait raison. Il n'était pas seulement Jeanne, il était aussi le roi de Bourges. En 1940, il n'y avait que lui pour bouter l'Allemand hors de France. Et il l'a fait. Cela vaut bien une fête nationale. Après tout, les fêtes nationales, c'est plus amusant que les fêtes internationales.

(*16 juin.*)

Plaintes d'un pêcheur à la ligne

Chaque fois qu'il y a un grand nombre d'abstentionnistes à une élection (par exemple aux cantonales de Villeurbanne où ils étaient 75 pour cent), les gazettes expliquent que le premier parti de France est celui des pêcheurs à la ligne. Autrement dit, la moitié de la population ou davantage se moque d'être gouvernée par la droite ou par la gauche et ne se donne même pas la peine de parcourir les cinquante mètres qui la séparent du bureau de vote.

Je crois que les hommes politiques sont assez ennuyés lorsqu'ils constatent qu'ils ne font pas recette. Cela se comprend. La démocratie est une espèce de commerce. Si les chalands n'entrent pas dans les boutiques et dédaignent même de jeter un coup d'œil sur la vitrine, c'est le marasme.

Pourtant les étalages sont bien jolis. Le Parti socialiste en 1981 proposait cent dix produits de luxe livrés à l'acheteur en paquets-cadeaux, le RPR dressait orgueilleusement son grand magasin en face du Bazar de l'Hôtel-de-Ville, le PC étalait non moins fièrement sa grande surface à la frontière du 10e et du 19e arrondissement, sans parler de ses succursales de province. Quand on considère les dizaines et centaines de millions dépensées en publicité par les firmes, il est bien normal que l'on soit consterné par le petit nombre des acheteurs.

Il ne me semble pas très sérieux de gronder les électeurs et de leur dire qu'ils manquent de sens civique. Mieux vaudrait tâcher de trouver les vraies causes de leur indifférence. Pour ma part, j'en vois deux. La première va de soi : c'est que les officines politiques ne vendent rien qui nous enthousiasme, nous transporte, nous amuse, ou même nous plaise. Elles ne tiennent que des vieux machins usés ou des nouveautés saugrenues. Le boniment des vendeurs n'est pas bien distrayant non plus. Ils répètent indéfiniment la même chose. On a l'impression qu'ils ne croient pas à leur affaire, qu'ils récitent un laïus qui n'a pas changé depuis trente ans.

La seconde raison est que la démocratie est un régime exténuant. A chaque instant on sollicite votre avis sur des sujets dont vous ignorez tout, on vous demande de donner le pouvoir à des gens que vous ne connaissez ni d'Eve ni d'Adam, on vous explique que vous êtes roi parce que vous mettez périodiquement un bulletin dans une boîte en fer-blanc. Joli roi, en vérité, qui ne voit à peu près rien s'améliorer tout au long de sa vie et qui paie des fortunes dont il ne sait dans quelles bêtises elles passent. Je préfère la monarchie. Ce n'est pas mieux que la démocratie, mais au moins on vous fiche la paix. Et puis on peut couper la tête au souverain si on n'est pas content.

(23 juin.)

La crise du livre

Dans mon enfance on ne parlait pas de la crise du livre. Tout au moins, si elle sévissait déjà, ce n'était pas à moi qu'on pouvait l'imputer. Je dépensais intégralement mon argent de poche (sept francs par semaine) à acheter des volumes de la Bibliothèque Verte et de la Collection Nelson. Ma famille trouvait que je lisais trop et que je ne dormais pas assez.

J'ai appris qu'il existait une crise du livre vers l'âge de vingt-cinq ans, lorsque j'ai écrit mon premier ouvrage. Quoique l'éditeur eût judicieusement choisi la date de sa publication, il s'avéra que c'était le pire moment pour offrir ce chef-d'œuvre au public. La crise du livre était dans une période aiguë. J'écrivis par la suite une quarantaine de volumes, qui furent publiés tantôt en mai, tantôt en octobre, tantôt en février, mois furieusement favorables à la vente, à ce qu'il paraît, mais chaque fois on m'expliquait que je ne pouvais pas tomber plus mal, et que je ne devais pas m'étonner si ma marchandise restait en stock.

Bref, aucun de mes bouquins n'a vu le jour autrement qu'aux plus atroces méventes de la crise du livre. Le plus curieux est que quelques-uns d'entre eux n'en pâtirent point et firent même d'assez jolis tirages. J'ose affirmer que ce ne fut ni par ma faute ni par celle de l'éditeur. J'en étais du reste le premier étonné. Toute mon ambition se bornait à quatre ou

322

cinq mille lecteurs, c'est-à-dire à peu près le public des classiques. On voit que la modestie ne m'étouffait pas.

Vint un beau jour (j'étais encore assez jeune) où je me dis que la crise du livre n'existait pas, qu'elle était peut-être l'affaire des éditeurs et des courriéristes littéraires, mais certainement pas la mienne. La seule crise qui m'importait, en fait, était celle de l'inspiration. Si je faisais tant que d'écrire de bons livres, et qu'ils ne se vendissent point, il n'y avait pas la moindre crise en vue. Tout au plus des histoires de boutiquiers qui ne me concernaient en rien.

Je ne dois pas être le seul à penser de la sorte. Mon ami le photographe Louis Monier, qui me tire le portrait depuis plus de vingt ans, vient en effet de publier un album où il y a cent trente et une photos d'hommes de lettres français contemporains, aussi amusantes et jolies que celles de Nadar. Sur les cent trente et une, j'en compte au moins cent qui sont fort connus et que la crise du livre n'empêche pas de sourire à l'objectif. Le plus hilare est Robbe-Grillet.

(28 juin.)

Les beaux mots

Au rendez-vous de Bernard Pivot, pour la dernière d'« Apostrophes », nous étions quatre-vingts chasseurs. Je veux dire quatre-vingts chasseurs de mots, et quelquefois de pensées. Parmi ces quatre-vingts chasseurs, il y avait une vingtaine de chasseresses. Qu'on ne vienne plus me dire que les gens de lettres sont ingrats.

Pendant quinze ans, Pivot nous a montrés au bon peuple téléphage, il a raconté nos bouquins, il nous a laissés nous expliquer complaisamment, faire les paons ou nous crêper le chignon en public. Et voilà que nous sommes là quand il s'en va, étagés sur des gradins, un peu dépités, quand même, de le voir si frais, si jeune, si fringant. C'était lui qui prenait congé de nous, et non pas nous de lui. On avait l'impression qu'il était enchanté de voir arriver la quille. Nous, nous l'aurions bien gardé quinze ans de plus.

Parmi les réjouissances de cette soirée mémorable, Pivot s'est amusé à demander à chacun de nous quel était le mot de la langue française qu'il préférait. J'ai été émerveillé par l'élévation morale de mes confrères qui, dans l'ensemble, ont choisi des termes désignant de grandes choses abstraites, du genre « sérénité », « liberté », « fierté », « transparence », etc. Quant à moi qui ne monte jamais à ces altitudes, lorsqu'on m'a interrogé, j'ai dit que le mot préféré des écrivains français depuis une quinzaine d'années était tout simplement « pivot ». Cette drôlerie tomba tout à fait à plat. Il est difficile de plaisanter devant quatre-vingts personnes.

Autre chose m'a étonné. Puisqu'on était dans les expressions nobles, je m'attendais à ce que quelqu'un s'écriât : « Solidarité. » Voilà un beau mot, et qui a fait battre le cœur de l'Occident depuis deux lustres au moins. « Solidarité », c'est la Pologne héroïque se libérant de l'oppression marxiste. Dans la rue, à Paris, les jeunes gens ont arboré tant et plus l'insigne *Solidarnosc*. On lisait cela aussi sur les calicots des manifestations. Et pourtant nul n'a prononcé cette parole magique à la dernière d'« Apostrophes ». Peut-être est-ce dû au fait que la solidarité, en France, est devenue un impôt. Il n'y a rien de tel que le gouvernement pour dépoétiser les choses les plus sublimes.

(30 juin.)

L'amnistie pour Stirn

On s'est bien pressé de blâmer M. Stirn et de le chasser du ministère parce qu'il louait des chômeurs pour écouter ses discours. Je ne vois rien là de répréhensible. D'abord cela a fait gagner un peu d'argent à ces bons bougres qui en avaient sûrement grand besoin. En effet, un discours de ministre est une rude épreuve et il faut être acculé par la nécessité pour l'endurer. D'après ce que j'ai lu dans les gazettes, M. Stirn payait trois cent cinquante francs par tête. Ce n'est pas cher. Les applaudissements, quand même, étaient compris dans le forfait, du moins je le suppose.

On doit penser aussi à M. Stirn. Rien n'est accablant comme de haranguer huit personnes dans une salle qui pourrait en contenir quatre cents. D'ailleurs, si j'ai bien compris, c'est pour être agréable à quelques-uns de ses collègues du gouvernement que M. Stirn avait embauché des figurants, M. Kouchner l'ayant querellé sur la maigreur de son auditoire et lui ayant dit qu'on ne saurait déplacer des ministres pour endoctriner deux pelés et trois tondus. Après cela, allez faire plaisir, montrez-vous délicat et attentionné !

La question du chômage est lancinante. Pour une fois qu'un ministre prend une initiative pour lutter contre ce fléau, en fournissant un travail, ennuyeux, certes, mais facile, à une poignée de malheureux qui piétinent à la porte de l'ANPE, je trouve qu'il en est bien mal récompensé. Toute la classe politique le couvre d'opprobre. Enfin, il aura au moins la satisfaction d'avoir donné trois cent cinquante francs à quelques douzaines de braves types qui ne s'y attendaient pas. J'ose espérer qu'ils voteront pour lui le moment venu.

Il ressort de cette grande affaire qu'il est plus avantageux de prendre de l'argent que d'en donner. Un député ou un ministre qui tripote est amnistié, tandis qu'on traîne dans la boue un philanthrope dont le seul crime est d'avoir ouvert son porte-monnaie à des chômeurs afin de remplir des salles vides. Il est apparemment plus grave d'être ridicule que d'être malhonnête.

Il ne faut quand même pas se faire trop de souci pour l'avenir de M. Stirn. Venu du RPR, il a changé de parti cinq fois en dix ans. Il en changera bien une sixième. Je serais M. Chirac, je l'accueillerais avec enthousiasme. M. Stirn porte bonheur : il aime tant être ministre que sa seule présence au RPR ferait gagner à celui-ci les prochaines élections.

(7 juillet.)

Le soldat-citoyen au musée !

Il y a certains sujets sur lesquels il semble impossible que quelqu'un ose dire la vérité. Depuis des années que dure la controverse sur l'armée de métier opposée à la conscription, je n'entends que des niaiseries n'ayant aucun rapport avec la question. On peut espérer toutefois que la gauche qui, en dix ans, a capitulé sur tant de choses et qui fait à présent, à peu près en tout, une politique de droite, finira par supprimer complètement le service militaire, lequel en vérité n'a plus grand sens, surtout si on le ramène à dix mois.

Certes, ce sera déchirant pour elle de renoncer au mythe du soldat-citoyen qui abandonne la charrue pour empoigner son sabre et courir aux frontières. On a beau lui faire observer qu'il n'y a plus de paysans ni de frontières, elle n'en est pas moins attachée à cette sublime image de la Révolution. Or le soldat-citoyen varie selon les années. Comme pour le vin, il y a de bonnes et de mauvaises années. La cuvée Valmy, la cuvée Verdun, étaient admirables. La cuvée 1940, en revanche, n'était pas fameuse.

En outre, il faut que le citoyen, pour se métamorphoser en soldat, soit, comme on dit à présent, « motivé ». C'est-à-dire qu'il aime la Patrie, qu'il considère que mourir pour elle est « le sort le plus beau, le plus digne d'envie ». Ce sentiment ne m'a pas l'air très répandu actuellement. Cela se comprend. Depuis cinquante ans, on a tout fait pour dégoûter les Français de la France. On leur a même changé le nom de leur pays, qui s'appelle à présent l'Hexagone. Mourir pour une figure géométrique n'est pas très exaltant. On n'imagine pas un héros tombant au champ d'honneur en s'écriant : « Vive l'Hexagone !... »

Les pouvoirs auraient intérêt à réfléchir sur l'aversion qu'ont les Français pour l'uniforme, alors qu'ils l'admiraient jadis. Aimer l'uniforme, c'est aimer l'armée, qui est le symbole de la Patrie. De nos jours, les jeunes gens n'ont aucun plaisir à l'endosser, et se dépêchent de s'habiller en chienlit à la moindre perme.

L'armée de métier, c'est l'armée de l'Ancien Régime, l'armée de nos rois. Penant quatre cents ans, grâce à elle, Paris n'a pas une seule fois été souillé par une troupe étrangère. A partir de 1815, cela lui est arrivé à trois reprises. Je trouve que c'est beaucoup pour un siècle, et que la question est entendue. L'ennui est qu'il faudra attendre encore quelques années avant que les pouvoirs se décident. Les choses raisonnables ou utiles se font beaucoup plus lentement que les folies. C'est le jeu.

(21 juillet.)

Repenser le banditisme

Je regrette quelquefois de ne pas vivre avec mon temps. C'est-à-dire d'exercer une de ces professions modernes qui sont à la fois romanesques, lucratives, et susceptibles encore d'amélioration, pour peu qu'on ait de la jugeote.

Mesrine, par exemple, avait bien compris cela. Il était bandit, c'est une affaire entendue, et vivait de rapines, d'enlèvements, d'assassinats, d'extorsions variées comme Mandrin ou Cartouche, mais c'était un bandit progressiste. Il prenait soin de faire savoir aux journaux qu'il était en guerre contre la société capitaliste et qu'il se battait pour l'humanisation du système carcéral. Le malheureux a été tué par la ceinture de sécurité. Empêtré dans cet engin, il n'a pas pu se baisser pour attraper ses grenades ou sa mitraillette, et les policiers l'ont tiré comme un lapin au volant de sa voiture.

Au lieu de se mutiner bêtement comme ils le font en ce moment, et de grimper sur le toit des prisons, les détenus devraient réfléchir. C'est le moment pour eux de se livrer à une « révision déchirante », comme disent les gazettes. La libération anticipée d'un terroriste les exaspère et peut-être les désespère. En effet, il est désespérant pour quelqu'un qui croit à la justice (et les délinquants y croient plus que

327

quiconque puisqu'ils ont été frappés par elle) de constater qu'elle n'est pas raide et aveugle, mais étrangement souple, au contraire, et que le bandeau qui couvre ses yeux ne l'empêche pas de jeter des coups d'œil dans certaines directions.

Pour un prisonnier de droit commun, deux cadavres coûtent la prison à perpétuité. Pour un prisonnier politique, une dizaine de cadavres coûtent trois ans, quand ce n'est pas moins. Il y a là une sorte de « rapport qualité-prix » qui n'échappera à personne.

Telles sont les idées que je remuerais dans ma tête si j'étais prisonnier à Fresnes, à Fleury-Mérogis ou à Loos-lès-Lille, plutôt que de brailler sur les toits et de mettre le feu aux paillasses. Cela implique une tout autre attitude : prendre le genre pensif, lointain et dédaigneux, ne pas se lier avec les malfrats de l'établissement, refuser le vin rouge au réfectoire, obtenir une remise de peine pour bonne conduite et, une fois dehors, ne pas recommencer tout de suite les gamineries, mais écrire des lettres à la presse. Après, attaquer des bureaux de poste : cela fait plus politique que les banques et cela rapporte presque autant.

(4 août.)

Les jouets qui font du bruit

Lorsque j'étais petit, mes parents, qui me faisaient volontiers des cadeaux, se refusaient à m'offrir certains objets que je réclamais pourtant avec ardeur, tels que tambours et trompettes. Un jour je leur demandai la raison de cet ostracisme. Mon père me répondit par l'énoncé d'une maxime générale : « Il ne faut jamais donner aux enfants des jouets qui font du bruit. — Pourquoi ? demandai-je ingénument. — Parce qu'ils s'en servent et vous cassent les oreilles du matin au soir », dit mon père.

Je n'y avais pas pensé et je fus émerveillé par cet esprit

prophétique. J'avais une grande admiration pour mon père ; elle augmenta encore, malgré mon dépit. Fallait-il qu'il fût un homme supérieur pour imaginer ainsi l'avenir ! Il avait également une volonté de fer, car malgré mes supplications et mes serments solennels de ne jamais souffler dans une trompette au cas où l'on m'en donnerait une, il ne se départit pas une fois de son principe.

C'est M. Saddam Hussein qui m'a remis en tête ce lointain souvenir. Les grands personnages qui gouvernent l'Europe et l'Amérique n'ont pas tant de bon sens que mon père. Ils ont vendu des armes à profusion au président de l'Irak sans penser, apparemment, qu'après s'en être servi dans des buts qu'ils approuvaient, il s'en servirait ensuite pour autre chose et que cela ferait un vacarme qui déchirerait leurs oreilles.

L'indignation et la réprobation sont certes de belles attitudes, mais un peu ridicules quand on est soi-même le responsable de ce qui est arrivé. « Cet enfant me tue ! » s'écrient les grandes personnes lorsque le moutard tape sur son tambour. « Cet enfant est insupportable, on ne lui donnera plus de jouets », s'écrient l'Europe et l'Amérique après l'annexion du Koweit par M. Saddam Hussein et ses menaces contre l'Arabie Séoudite. Voilà même qu'on le compare à Hitler, ce qui ne doit pas lui être entièrement désagréable. J'aimais bien, moi, dans mon enfance, que l'on m'accusât d'avoir le diable au corps.

Une des maximes de mon père, qui avait sur la politique des idées aussi sages que sur l'éducation, était : « Gouverner, c'est prévoir. » Je l'ai tant entendu la prononcer que j'en étais excédé. Il me semble que le dernier homme d'Etat à s'en être inspiré était le général de Gaulle. Depuis vingt ans, nul ne prévoit plus rien, sauf quelques particuliers qui passent pour de vieux ronchons.

(11 août.)

Xénophobie

Il est quelquefois agaçant d'avoir l'esprit de l'escalier, en particulier quand on met dix-huit mois à trouver une réplique. L'année dernière, lors des célébrations du Bicentenaire, je n'ai pas songé une fois que la Révolution, entre autres, avait été une explosion de xénophobie. J'en suis d'autant plus mortifié que je me rendais tous les jeudis dans un bâtiment à coupole, situé sur les berges de la Seine, et qui s'appelle « palais Mazarin ».

Ce Mazarin, qui fut un si grand homme d'Etat, qui prépara le règne de Louis XIV, était italien et plus dévoué à la France que s'il eût été français de naissance. Mais ce n'était pas l'avis du peuple qui l'aurait volontiers découpé en morceaux et, sous le nom de Fronde, lui offrit une première édition de 1789.

De temps à autre, on me demande si je suis xénophobe. Cela me semble toujours une question saugrenue. Comment peut-on être xénophobe quand on est français et que l'on penche un peu vers la droite ? Les Français n'ont jamais été mieux gouvernés que par des étrangers. Nos rois, par exemple, qui, comme disait jadis le slogan de l'Action française, « en mille ans ont fait la France », étaient tous à moitié étrangers. Que dis-je, à moitié ! A force de mariages avec des princesses allemandes, espagnoles, florentines, il ne restait plus une goutte de sang français dans leurs veines à partir du XVIIe siècle. Charles VII, dit « le Victorieux », qui termina la guerre de Cent Ans et rejeta les Anglais à la mer, était le fils d'Isabeau de Bavière, catin célèbre. Quant à son père, il était fou. Après cela, qu'on nous laisse tranquilles avec l'hérédité.

La xénophobie révolutionnaire était telle qu'elle englobait le passé. Il était courant vers 1792 que l'on soutînt que les Gaulois, c'est-à-dire le peuple, avaient enfin pris leur revanche sur les Francs, c'est-à-dire les nobles. Ineptie, bien sûr ; il y avait des siècles que le sang gaulois et le sang franc s'étaient inextricablement mélangés. Mais ce sont des inepties de ce genre qui légitiment les guillotines. Et n'est-il pas caractéristique que les sans-culottes aient appelé la pauvre reine Marie-Antoinette « l'Autrichienne » ? Cela signifiait exactement « la Boche ». Elle était condamnée.

Marx et Engels n'étaient pas des sots. Pourtant, avec leur « Prolétaires de tous les pays, unissez-vous ! » ils ont énoncé une bien grande bêtise. Les prolétaires ne s'uniront jamais, par xénophobie précisément. Ce sont les aristocrates qui font les internationales. Ou, quand il n'y a plus d'aristocrates, les riches. Le nationalisme n'est pas un phénomène de droite. Hitler n'était pas de droite, ni Mussolini. Et si ce qu'on appelle bizarrement aujourd'hui chez nous l'« extrême droite » est nationaliste, raciste et xénophobe, elle n'est pas de droite, elle non plus.

(18 août.)

La garenne Brongniart

La caractéristique du boursicoteur français est une paire de longues oreilles qui se mettent à vibrer au moindre bruit. En d'autres termes, les gens qui jouent à la Bourse sont des lapins. Un coup de fusil tiré à cinq mille kilomètres, et aussitôt c'est l'épouvante. Les lapins du palais Brongniart courent se réfugier dans leurs terriers, c'est-à-dire jettent sur le marché leurs pauvres petits titres. Ce qu'ils avaient payé mille francs n'en vaut plus que la moitié ou le tiers, mais peu importe, la peur paralyse leur cervelle. Je crois qu'on est un peu moins sujet à la panique à Londres, New York et à Francfort.

La peur vient généralement, non pas d'un danger, mais d'un manque de philosophie devant le danger. En l'occurrence, les lapins de la Bourse, voyant leurs actions dégringoler, perdent toute faculté de délibération. Ils oublient que le monde, depuis des millénaires, passe par des crises et des apaisements, que pendant les crises le marché s'effondre mais qu'aussitôt que se dessine l'apaisement, il remonte.

Comme tous les petits-bourgeois, j'ai acheté quelques actions. A la vérité c'est le régime socialiste sous lequel nous vivons depuis neuf ans qui m'y a poussé ; il s'est mis assez vite à faire une politique de droite, que la droite n'avait pas faite, et qui m'a semblé des plus favorables au boursicotage. Avec un peu d'audace peut-être, mais non sans réflexion, je me suis dit : « Le socialisme, c'est l'argent. » Mon autre maxime était plus pragmatique : « Il faut acheter à la baisse et vendre à la hausse. »

Si j'étais un vrai spéculateur (et surtout si j'en avais les moyens), c'est maintenant que j'achèterais. J'achèterais quasiment les yeux fermés tout ce qui tombe. On n'a que l'embarras du choix. En tout cas je me garderais comme de la peste d'acheter les valeurs pétrolières qui grimpent comme des folles et redescendront d'ici à quinze jours ou deux mois. Surtout je ne vendrais rien de ce que j'ai. Dame, il faut de la force d'âme, et la force d'âme n'est pas la principale vertu des lapins.

Il est remarquable que les grandes oreilles des lapins n'entendent que les propos alarmistes. Un lapin de ma connaissance, pas plus tard qu'hier, m'a anxieusement demandé : « Croyez-vous que nous allons avoir la guerre ? — Avec qui ? ai-je répondu. » Mon lapin a aplati ses oreilles et n'en a pas moins couru à la garenne Brongniart pour liquider tout ce qu'il avait en portefeuille. « Mieux vaut perdre un bras que la vie ! » a-t-il couiné en se sauvant. Je lui ai crié qu'il valait mieux faire en sorte de ne pas être un lapin-tronc, mais il était déjà au fond de son terrier.

(25 août.)

L'art de la vengeance

M. Waldheim, président de l'Autriche, a réussi un assez joli coup en allant chercher en Irak les Autrichiens que M. Saddam Hussein y retenait et en les ramenant à la maison. D'ailleurs, tout l'Occident le traîne dans la boue. Ces choses-là ne trompent pas : quand un chef d'Etat se fait ainsi vilipender par l'étranger, c'est qu'il a été plus malin que les autres. La popularité de M. Waldheim doit être immense dans son pays.

On comprend que M. Waldheim se moque de l'opinion publique occidentale qui le méprise depuis des années et le traite de ci-devant nazi. A mon avis, il doit être assez content d'être le seul président à avoir obtenu le retour de ses nationaux, et regarder en ricanant ses confrères qui envoient leurs gros bateaux dans le Golfe, mobilisent l'ONU, profèrent des malédictions épouvantables et crient à l'*Anschluss*, mot qu'il comprend mieux que personne. C'est sa petite vengeance, à cet homme. Il faut avouer qu'elle est assez belle.

A mon avis elle aurait été plus complète si M. Waldheim avait obtenu de son ami Saddam Hussein de ramener avec lui, outre les citoyens autrichiens, dix Américains, dix Anglais et dix Français. Il n'y a pas pensé, sans doute, ce qui montre qu'il n'est pas tout à fait aussi malin que je le croyais.

En effet, l'Occident aurait été bien ennuyé par ces trente rapatriés. Il n'aurait pas pu refuser de les récupérer. Et il n'aurait pas pu se dispenser non plus de dire merci à M. Waldheim. Avoir pour débiteurs des gens qui disaient naguère pis que pendre de vous est finalement le suprême plaisir que puisse apporter une vengeance. La meilleure façon de se venger de ses ennemis est de s'en faire, malgré eux, des amis. Cela les rend impuissants et les exaspère.

Mais il faut pour cela être une grande âme généreuse ou être un remarquable fourbe. M. Waldheim n'est sans doute ni l'un ni l'autre, comme la plupart des gens, présidents ou non. La vengeance est un art délicat. Il ne suffit pas qu'elle soit agréable à manger, chaude ou froide, elle doit également être utile. Pauvre M. Waldheim qui a manqué une occasion si propice de se débarrasser définitivement de son uniforme de lieutenant de la Wehrmacht !

(*1er septembre*.)

Il a changé

L'autre soir, à « L'heure de vérité », j'ai trouvé M. Giscard charmant. Je l'avais un peu perdu de vue, je le confesse. Il s'était exagérément simplifié dans mon esprit. Je ne me rappelais que quelques traits de lui, son chuintement distingué, et surtout, hélas ! les bêtises qui lui avaient coûté son trône de roi de France. Bref, il était devenu pour moi, comme toutes les personnes qu'on ne voit pas ou qu'on oublie pendant des années, un schéma, une sorte de caricature.

Or voilà qu'apparaissait un homme compliqué et subtil, plein d'idées excellentes et de conceptions raisonnables, un analyste très vif de la situation politique, un critique implacable des gens au pouvoir. D'autant plus implacable qu'il n'élevait pas la voix, qu'il se bornait à constater avec indulgence ou fatalisme. Parlant vite avec cela, ce qui est toujours bon à la télévision : le spectateur a l'impression que le causeur a une foule de choses à dire et qu'elles se pressent dans sa bouche.

Jusqu'à ses formules qui étaient heureuses. Entre autres celle-ci que j'ai trouvée particulièrement bien venue : « Le gouvernement actuel ne résout pas les problèmes qui se posent à lui, il les contourne. » Ce n'est pas méchant, et d'ailleurs ce n'était pas dit méchamment, mais c'est meurtrier.

Autre surprise agréable, M. Giscard a bien vieilli. Il ressemble un peu à un lézard, mais cela lui va bien. Il a fait de nombreux sourires au cours de l'émission, et ces sourires de lézard avaient leur séduction, n'ayant rien de satisfait ou de complaisant. C'étaient des sourires retenus, amicaux, complices. On ne peut qu'avoir de la sympathie pour un homme qui sourit comme cela. Dernière chose, il a pris son parti de sa calvitie. Il a supprimé la déplorable portée de musique qui jadis rayait son crâne et volait au vent.

Les Français sont-ils sensibles à l'éclat, au brillant, à l'aisance ? Je l'ai cru jusqu'au mois d'avril 1981, c'est-à-dire jusqu'au débat qui mit aux prises M. Mitterrand et M. Giscard. Ce dernier avait été vraiment étincelant, écrasant tout à fait son concurrent, voltigeant autour de lui comme un duelliste, et c'est le concurrent qui avait plu au public. Mais les circonstances, dix ans après, ne sont plus les mêmes. C'est M. Giscard, aujourd'hui, qui est le concurrent. Il s'est bien reposé, probablement un peu trop à son goût. Lorsqu'il a quitté l'Elysée, après l'élection de M. Mitterrand, il a dit : « J'ai changé. » Personne ne l'a cru. On avait tort. C'était vrai.

(29 septembre.)

Made in Germany

Depuis 1945, nous avons des troupes dites « d'occupation » en Allemagne. De temps à autre, nous faisons mine de vouloir les retirer. Les Allemands nous demandent instamment de les maintenir. Ils ont été très contents aussi d'héberger des troupes anglaises et américaines. Certes, ces contingents n'étaient pas très nombreux, mais ils étaient là, avec leur drapeau. Attaquer l'Allemagne, c'était attaquer la France, l'Angleterre et les Etats-Unis. Gros morceau.

Les gens qui s'interrogent avec anxiété sur ce que l'Europe va devenir, à présent que l'Allemagne de l'Ouest et celle de l'Est se sont réunies, devraient un peu méditer sur ces forces alliées qui stationnent depuis quarante-cinq ans sur le sol germanique. Elles prouvent, entre autres choses, que le monde d'aujourd'hui n'a rien de commun avec le monde d'autrefois.

Jadis, un pays occupé par des soldats étrangers n'avait qu'un désir : leur voir les talons. Maintenant, les soldats qui vous occupent ne sont pas d'anciens ennemis, mais de nouveaux amis. Mieux : des défenseurs contre un éventuel agresseur. En l'espèce l'URSS.

J'entends bien que désormais l'URSS n'est plus dangereuse et qu'il est devenu inutile pour les Allemands d'avoir des militaires étrangers chez eux. Toutefois, quarante-cinq ans d'occupation, même symbolique, c'est long. Cela crée une habitude. Il n'y a plus de vainqueurs ni de vaincus, mais des peuples liés par des intérêts communs. J'oserai presque dire des complices. Et puis il ne doit plus y avoir tellement de rescapés de la dernière guerre. Tout Allemand de moins de cinquante ans n'a jamais vu son pays autrement qu'il n'est aujourd'hui, c'est-à-dire une nation grasse et opulente, faisant du commerce avec tout le monde, douillettement encastrée dans l'Europe unie.

Les gazettes françaises regardent avec un certain effroi, à ce qu'il m'a semblé, la réunification de l'Allemagne. Elles se croient en 1914 ou en 1939. Elles voient pointer le casque de Guillaume et la casquette d'Adolf. Mais l'Allemagne n'a plus besoin d'espace vital. Elle a les cinq continents pour écouler ses produits. La mention « Made in Germany » a remplacé *Deutschland über alles*.

Tout ce que nous pouvons faire, nous autres, pour être à égalité avec ce gros voisin, c'est d'avoir une volonté politique, c'est-à-dire d'exister par l'esprit dans la vie internationale. Il serait temps d'y songer.

(*6 octobre.*)

L'honneur des nations

Il serait plaisant que M. Hafez al Hassad, à qui on a laissé les mains libres au Liban parce qu'il s'était déclaré l'ennemi de M. Saddam Hussein, devînt l'ami de celui-ci, à présent qu'il a obtenu ce qu'il voulait. C'est assez le genre de tours de passe-passe auxquels se laissent prendre les démocraties occidentales, qui sont de grosses bêtes et ne voient pas plus loin que le bout de leur nez. On a connu des retournements d'alliance plus surprenants.

Les démocraties occidentales sont inconséquentes. Elles n'agissent jamais par honneur, mais par intérêt. Elles se moquent tout à fait du Koweit, mais elles ne se moquent pas de son pétrole. D'où la mobilisation contre M. Saddam Hussein, l'embargo, le blocus, les porte-avions dans le Golfe et les nobles paroles accompagnant tout cela. Le plus curieux est qu'elles sont dupes d'elles-mêmes et croient fermement qu'elles se sont mobilisées pour le droit des peuples.

Elles ont beaucoup pleurniché sur le Liban depuis une quinzaine d'années, sans lever le petit doigt pour lui venir en aide. Il n'y avait qu'une façon de le faire : à savoir garantir ses frontières par les armes ou, au moins, par une volonté politique. Mais pourquoi l'eussent-elles fait ? Qu'y eussent-elles gagné, sinon l'estime du monde, laquelle ne se mange pas sur du pain. Et puis nous avions la providentielle URSS qui nous empêchait de bouger, ce qui n'est, hélas ! plus le cas aujourd'hui.

Les démocraties occidentales sont inconséquentes, dis-je. Quoiqu'elles n'aient pas le moindre honneur, elles sont offusquées et stupéfaites quand un pays montre cyniquement qu'il n'en a pas plus qu'elles. Elles qui ne croient à rien, sinon au profit, elles sont persuadées que les autres ont le respect des traités, de la parole donnée, du droit des gens, de la morale internationale, etc.

Il est probable que M. Hafez al Hassad est plus intelligent à lui seul que tous les chefs des Etats occidentaux qui ont envoyé des flottes dans le Golfe. Cela signifie qu'il est encore plus fripon. Mais ils ne s'en doutent pas.

(20 octobre.)

L'Emprunt russe

L'Emprunt russe est un conte de fées qu'on me raconte depuis ma toute petite enfance. Jusqu'à M. Gorbatchev, c'était un conte qui finissait mal et qui, de ce fait, avait une poignante poésie. Les gentils Français, qui aimaient le tsar, lui avaient donné leurs économies pour qu'il construisît de belles choses modernes dans son grand pays arriéré, notamment des chemins de fer. C'était à la fois une bonne action et un bon placement.

Nous aimions beaucoup les Russes depuis 1870. Ils étaient les seuls qui ne nous eussent pas tourné le dos après que Bismarck nous avait battus. Le tsar venait à Paris et la flotte russe à Toulon. Il est doux d'avoir des amis après de dures épreuves comme le Siège, la Commune, l'arrachement de l'Alsace-Lorraine. Puis il y eut la révolution bolchevique. Le pauvre Nicolas II fut tué avec ses jolies grandes-duchesses et son petit tsarévitch qui était hémophile.

Nos « Emprunts russes » périrent dans cette exécution, car Lénine refusa de payer les dettes de la monarchie. Une foule de petits porteurs français furent essorés, étrillés, certains ruinés. Il y eut là une sorte de drame national. En effet la France vivait sur une certaine morale capitaliste : non seulement elle perdait des milliards, mais on lui expliquait que la morale de la Révolution n'était pas la même que la sienne, et que ce qu'elle appelait un vol ou une banqueroute était une chose tout à fait légitime de la part d'un pays qui fusille son souverain.

Depuis 1917, la douleur des Emprunts russes s'est assez atténuée chez nous. Les actionnaires sont morts ; leurs héritiers ont mis au grenier les belles vignettes avec leurs tristes coupons, quand ils ne les ont pas jetées à la poubelle. Néanmoins, chose étrange, les « Chemins de fer russes » n'ont pas cessé de circuler dans notre tête. Je les ai vus ressortir plusieurs fois du tunnel depuis une quarantaine d'années. Sous Staline, sous Kroutchev, sous Brejnev, on a espéré contre toute raison que l'URSS allait enfin nous verser un petit dividende.

Or voilà que peut-être elle va le faire. M. Gorbatchev laisse entendre qu'il va prendre en charge les vieilles dettes de la Sainte Russie ou, en termes modernes, qu'il va « liquider le contentieux avec la France ». S'il le fait, s'il parvient à le faire, ce sera la preuve que la Révolution soviétique est bien morte et enterrée. En effet, l'argent, dans ces matières idéologiques, est la seule chose qui ne mente pas.

(3 novembre.)

Le couronnement du libéralisme

Quand on y réfléchit, c'est quand même prodigieux que quelqu'un ait tiré deux coups de fusil sur la place Rouge pour le soixante-treizième anniversaire de la Révolution bolchevique. Le tireur a été arrêté par des agents du KGB, ce qui a étonné tout le monde. Quoi, le KGB existe encore et même arrête des gens ? En voilà une surprise ! Qui eût osé imaginer, du temps de Brejnev, d'abord qu'un promeneur sortirait dans la rue à Moscou armé d'un fusil, et ensuite qu'il s'en servirait ? Deux coups de fusil sur la place Rouge, il y a là de quoi réveiller Lénine qui dort paisiblement dans son mausolée.

Ces coups de fusil sont le couronnement de la perestroïka, et une espèce de sacre démocratique pour le président Gorbatchev. Puisqu'on tire sur lui ou tout au moins non loin de lui, le voilà logé à la même enseigne que les présidents

occidentaux, lesquels sont de braves libéraux qui n'empêchent personne, dans leurs doux pays, d'être armé jusqu'aux
dents et, si c'est possible, de faire un carton sur eux. Aux
Etats-Unis, on tue Kennedy et on tâche de tuer Reagan ; en
France, nous avons eu le Petit-Clamart ; il n'est pas jusqu'au
pape qui n'ait été blessé lui aussi. Bref, il n'y avait qu'en
URSS qu'on n'avait pas vu d'attentats de ce calibre.

D'après une photographie qui a paru dans la presse, on
voit les agents du KGB se jeter sur le tireur de la place
Rouge. C'est un document très intéressant : on dirait une
mêlée de rugby. Les bonshommes du KGB sont au moins
une douzaine et le coupable est invisible comme un ballon
ovale. A croire qu'ils étaient là, tout près de lui, prêts à lui
sauter dessus dès qu'il aurait fait pan-pan avec son arque-
buse. A croire aussi que le tireur était agent du KGB lui-
même et qu'on avait organisé minutieusement tout le
numéro.

Après une histoire pareille, dans la bonne vieille URSS de
Brejnev et de Staline, on aurait eu cinquante procès, une jolie
épuration, des départs massifs pour le Goulag, des cris de
douleur dans la *Pravda*. C'est qu'en ces temps heureux, on
ne cherchait pas à plaire à l'étranger, mais plutôt à lui
déplaire. Aujourd'hui, le tireur de la place Rouge aura deux
mois de prison, et pas même à la *Loubianka*. A moins qu'il
ne soit promu capitaine.

(10 novembre.)

Le bicentenaire des casseurs

Les casseurs de lundi dernier, qui ont profité de la manifestation des lycéens pour faire flamber des voitures, piller
des boutiques, mettre du désordre et de la violence un peu
partout, m'ont fait songer à la Révolution. Personne n'a
jamais envisagé la possibilité que celle-ci ait été faite par

340

quelques centaines de casseurs. Pourtant les casseurs sont de toutes les époques, et il y en avait autant au XVIIIᵉ siècle que maintenant. Le nom seul différait : on les appelait « la lie du peuple ».

Une révolution comme la nôtre, où il y avait un événement par jour, est une aubaine pour ces sortes d'individus. Ils ont commencé par casser la Bastille, qui était plus coriace que les magasins de chaussures et les épiceries. C'est eux qui sont allés chercher la famille royale à Versailles. Eux encore qui ont promené des têtes sur les piques, eux qui ont démoli l'hôtel de Castries, les églises, les statues, les châteaux. Non pas le peuple, qui regardait sans plaisir ces excès.

Le peuple français n'était pas plus composé de sauvages en 1789 qu'il ne l'est aujourd'hui. Il avait des revendications à faire, des cahiers de doléances, il voulait des assemblées, un peu de démocratie, il aimait bien le roi, toutes choses qui n'appelaient aucune fureur. Mais les casseurs étaient là, « descendus des faubourgs », comme on disait alors, ce qui est comme de venir à présent des « cités-dortoirs ». Eux étaient des sauvages. Ils étaient mille à peu près, comme en 1990. La monarchie, la vieille France, les traditions ont été détruites par un millier de voyous.

Curieusement, le gouvernement les confondait avec le peuple, et n'osait rien tenter contre eux. Ce fut d'abord le gouvernement royal, ensuite le Comité de salut public. Celui-ci, à distance, nous semble composé d'hommes terribles. En fait, c'était les mêmes gens que nous voyons aujourd'hui au pouvoir, incapables, par timidité ou par irrésolution, de faire preuve d'énergie devant des « éléments incontrôlés ». Les massacres de Septembre sont le fait des casseurs de 1792, car, quand il n'y a plus rien dans les boutiques, les casseurs cassent de l'homme.

(*17 novembre.*)

341

Sauvons l'immobilisme !

Si j'avais été député de l'opposition, j'aurais été bien embarrassé par le vote sur la censure, l'autre nuit, à l'Assemblée nationale. Le fond de l'affaire était : faut-il ou non renverser M. Rocard ? Or M. Rocard a toutes sortes de séductions. Certes, il veut augmenter les impôts du pauvre contribuable avec sa « CSG », mais en contrepartie il est très gentil, il ne touche à peu près à rien.

Qui eût osé espérer, il y a neuf ans, lorsque les socialistes prirent le pouvoir, à la grande épouvante des banquiers et des bourgeois, que cela finirait par un gouvernement immobiliste ? Personne. Pas même M. Mitterrand qui semble bien pourtant avoir pensé à tout. Il a grande envie de se débarrasser de M. Rocard ; il lui fait chaque jour des niches et des plaisanteries détestables, il ne cesse de le critiquer, de le désavouer. Si le cher Rocard est censuré quelque part, c'est à l'Elysée et non au Palais-Bourbon.

Mais il n'en a cure. On se casse les dents sur l'immobilisme. Les dents du président de la République, malgré tant de morsures, n'ont pas entamé le cuir du Premier ministre, qui n'a pas perdu son aimable sourire. Lequel se lassera le premier, l'un d'être mordu, l'autre de mordre ? Voilà une spéculation intéressante.

On sait ce qu'on perd, on ne sait pas ce qu'on trouvera, disaient jadis avec appréhension les bourgeoises lorsqu'elles changeaient de domestiques. Nous serons bien avancés si M. Mitterrand, après avoir acculé M. Rocard à la démission, nous fait la malice de mettre à sa place M. Joxe qui a des idées, ou M. Jospin qui n'en a pas. C'est alors que nous regretterons l'immobilisme. Enfin, si c'est M. Joxe, le peuple du quartier Saint-Sulpice, auquel je m'honore d'appartenir, pourra toujours exiger son autonomie et un parlement local qui pourrait siéger au cinéma « le Bonaparte », afin de bien montrer notre solidarité avec le peuple corse.

D'après ce que j'ai compris, la CSG augmentera de 1 pour cent l'impôt de tout le monde. En ce qui me concerne, ce ne sera pas la mer à boire, j'arriverai encore à extraire cela de mon porte-monnaie exsangue. Rien n'est trop cher payé pour conserver l'immobilisme. Si l'on m'avait dit, il y a cinq ou six ans, que je ferais un rempart de mon corps à M. Rocard, je ne l'aurais pas cru.

(*24 novembre.*)

Retour à l'entente cordiale

Jusqu'à ce que Mme Thatcher eût accédé au pouvoir, il y a douze ans, l'Angleterre ne nous avait donné que des satisfactions. Tantôt elle avait un gouvernement travailliste qui la mettait sur la paille, tantôt un gouvernement conservateur qui n'osait rien faire pour redresser la situation. Nous regardions avec bienveillance et sympathie cette malheureuse Albion s'enfoncer dans la faillite, le chômage, l'aboulie politique, l'étatisation stupide, la subordination aux Etats-Unis. C'était délicieux. Non certes que nous eussions nous-mêmes des gouvernements remarquables, mais il est indéniable que cela marchait mieux ici qu'en face.

Puis vint Mme Thatcher et tout est devenu très vite attristant. Elle a commencé par dénationaliser à tour de bras, ce qui a eu pour conséquence que les affaires ont repris et que la Grande-Bretagne est devenue aussi prospère que nous (et même un peu plus, à ce que je me suis laissé dire). Les constructeurs d'automobiles britanniques, dont nous suivions l'agonie avec une jubilation bien compréhensible, se sont mis tout à coup à revivre. Une des plus désagréables surprises que Mme Thatcher nous ait faite est sa guerre des Malouines, qu'elle a gagnée. Bref, quoi qu'elle entreprît, elle s'arrangeait toujours pour nous faire honte.

La seule chose dont nous puissions lui être reconnaissants, c'est qu'elle nous détestait. Cette antipathie qu'elle ressentait pour la France avait quelque chose de flatteur. La chère dame croyait que nous étions aussi méchants et patriotes qu'au temps de Fachoda. Son journal le *Sun* nous accusait encore, il n'y a pas deux mois, de puer l'ail. Il est doux d'être haï et injurié. Nous ne l'avions pas été depuis longtemps comme cela.

Il est d'assez bon augure que Mme Thatcher ait été remplacée par M. Major que l'on donne pour son dauphin. Si le cœur humain fonctionne en Angleterre comme ailleurs, il va s'efforcer dans les mois qui viennent de détruire l'œuvre de celle qu'il revendique comme sa « mère spirituelle ». Ce sera une façon de la tuer. Il serait bien étonnant que l'Angleterre ait deux individus remarquables à la file comme Premiers ministres.

J'ai lu dans les gazettes que Mme Thatcher avait rempli Downing Street de chintz multicolores et de cretonnes à fleurs. On va voir si M. Major refait la décoration dans un style moins « Sweet home ». Ce sera une indication.

(*1er décembre.*)

Râler pour régner

J'ai toujours pensé que le temps le plus heureux des septennats de M. Mitterrand avait été les deux années pendant lesquelles il avait cohabité avec M. Chirac. Heureux pour lui, s'entend. Tel qu'il est fait, une pareille situation ne pouvait que l'enchanter. En effet, c'est un homme qui a l'esprit de contradiction, ou tout au moins qui l'a acquis au cours des vingt et quelques années durant lesquelles il était dans l'opposition, et à quoi il était déjà prédisposé par son goût pour la littérature. Il a eu tout le loisir de comprendre que de n'être content de rien donne des joies profondes.

Etant président de la République et ayant nommé lui-même M. Mauroy puis M. Fabius, il était bien forcé de paraître plus ou moins satisfait de la politique que faisaient ses Premiers ministres. De là un air triste et renfrogné qui surprenait chez cet homme généralement guilleret et amène. Ce n'est pas ce Mitterrand-là que le peuple avait élu et à qui il avait donné une majorité socialiste à l'Assemblée. Il le lui fit savoir aux élections de 1986 en votant pour la droite.

Avec M. Chirac, le Président put enfin, de nouveau, n'être content de rien, comme au bon temps du Général, de Pompidou et de Giscard. Il le fut de la façon la plus remarquable, grognant sans cesse, et ne se plaignant jamais. Toute son attitude signifiait : « Cher Peuple qui m'a mis sous la férule de Chirac, tu m'as rendu bien malheureux, mais je ne t'en veux pas. Que ta volonté soit faite. Je boirai le calice jusqu'à la lie en espérant qu'en 1988 tu me récompenseras en m'élisant une seconde fois. »

Il fut réélu, comme on sait, et se retrouva dans la même position inconfortable qu'en 1981. Comment n'être content de rien en étant le maître de tout ? En mettant à Matignon M. Rocard, qu'il ne pouvait pas plus souffrir que M. Chirac, et qui l'exaspérait encore davantage, étant, en principe, de ses amis. Ce n'était pas tout à fait aussi délicieux que la cohabitation, mais c'était ce qui y ressemblait le plus.

Ce raisonnement explique, à ce qu'il me semble, les mauvaises relations que le Président entretient avec son Premier ministre, et toutes les malices qu'il lui fait. M. Rocard qui, malgré ses airs de boy-scout, n'est pas tombé de la dernière pluie, a très bien compris ce jeu-là ; il s'y prête avec une gentillesse qui lui est naturelle et une docilité qui l'est peut-être un peu moins. Moyennant quoi, il est en place depuis plus de deux ans et n'est pas près d'être mis à la porte. Le seul inconvénient possible, c'est que le peuple, aux prochaines élections, vote, comme en 86, pour la droite. Mais sera-ce un inconvénient ? M. Mitterrand retrouvera son cher Chirac et ce sera une fois encore la délicieuse cohabitation, laquelle, comme on sait, aboutit à la réélection du Président cohabité.

(8 décembre.)

La France où l'on s'ennuie

Je suis comme la plupart des Français : tout m'ennuie en ce moment, aussi bien chez nous qu'au-dehors. On me dira : « La guerre du Golfe ? » C'est vrai qu'elle m'a amusé un moment. Mais c'est comme du reste, je m'en suis lassé. La classe politique ? Je n'ai pas attendu les derniers sondages pour m'éloigner d'elle. Chose que je n'aurais jamais prévue il y a encore trois ans : je tourne à l'abstentionniste. J'enrage qu'il n'y ait pas d'élections en ce moment pour pouvoir bouder le bureau de vote.

Passons au football. Certes, je n'y connais rien, mais cela ne m'empêche pas d'avoir mal au cœur lorsque je vois les Girondins de Bordeaux se faire massacrer à Naples. Je tiens ce renseignement de seconde main, par ma femme, qui est une adepte de tous les ballons, ronds et ovales. Comme en général elle est très véridique, je ne mets pas sa parole en doute et je puise là une raison supplémentaire de souffrir.

Ah ! quand donc la France me fera-t-elle plaisir ? Je ne demande pas grand-chose pourtant, rien qu'un petit succès par-ci par-là, une initiative imprévue (et qui ne tournerait pas à la catastrophe), un homme politique qui ne me raconterait pas dans ses discours ce que j'ai entendu déjà deux mille fois, des présentateurs de télé qui parleraient français, des agents de publicité qui ne seraient pas des « hommes de communication ».

Car parmi les choses qui m'ennuient, la communication n'est pas la moindre. J'ai horreur qu'on communique avec moi, qu'on s'occupe de moi, de mes pensées, de mes aspirations. Autrefois, personne ne s'occupait de personne et la vie était délicieuse. Le gouvernement ne s'était pas mis en tête de m'empêcher de boire et de fumer. Il se fichait complètement que je me détraquasse la santé par des abus divers. Il m'y encourageait plutôt, à cause de l'argent que lui rapportaient la Régie des Tabacs et les taxes sur l'alcool. Où est-il le beau temps où la France avait le plus grand pourcentage d'ivrognes en Europe ? Clemenceau était ministre de l'Intérieur, Delcassé des Affaires étrangères, Poincaré des Finances ; le président Félix Faure mourait au champ d'honneur et Léon Bloy traînait tout le monde dans la boue.

Je me plains souvent dans cette chronique que les gens du pouvoir et ceux de l'opposition ne me lisent pas. Ils ont tort : je ressemble tout à fait à l'homme de la rue, je suis l'homme de la rue. Si je m'embête, cela veut dire que cinquante-six millions de gens s'embêtent. Cela mérite quand même qu'on s'en inquiète un peu. L'homme de la rue est le roi d'aujourd'hui, c'est bien connu. Et les rois sans divertissement deviennent vite insupportables.

(15 décembre.)

1991

La galère dans le Golfe

Quand on me demande mon avis sur la guerre du Golfe, qui aura lieu ou qui n'aura pas lieu, je réponds que je ne veux pas mourir pour le Koweit, ce qui est une façon de parler car je n'ai plus, hélas ! l'âge de mourir à la guerre. Là-dessus on me cite Marcel Déat qui en 1938 ne voulait pas « mourir pour Dantzig » et l'on me traite de néo-Munichois. A quoi je rétorque que je serais volontiers mort pour le Liban il y a une dizaine d'années, mais que personne ne m'y a convié, et que je serais encore tout prêt à mourir pour le Liban aujourd'hui, quoique l'on continue à ne pas me le demander.

On jugera que je manque de solidarité occidentale et capitaliste. C'est probable car je ne parviens pas à comprendre, en dépit de toutes les leçons d'honneur et de morale que j'ai entendues ces derniers mois, pourquoi nous sommes allés, nous les Français, nous fourrer dans cette galère. Cela me paraît d'autant plus singulier que nous avons vendu des quantités d'armes et d'avions à M. Saddam Hussein, afin qu'il pût s'amuser tout son soûl à jouer au soldat.

Cette guerre du Golfe est l'affaire des Américains et des Anglais, qui ont l'air d'y tenir beaucoup. Je ne vois pas ce que notre présence en Arabie Séoudite ainsi que nos bateaux

351

peuvent leur apporter, sinon une espèce de caution dont ils n'ont aucun besoin. Ils sont bien assez grands, bien assez forts, pour mettre fin dans le Golfe à un état de chose qui leur déplaît et qui nous est fort indifférent.

Il semble, du reste, que nos chers petits soldats ne soient guère appréciés dans les parages. On les confine dans le désert, on les empêche de se servir de leurs Mirage parce que l'ennemi a les mêmes et qu'on pourrait leur tirer dessus, on leur interdit de voir des dames, etc. Ont-ils seulement le droit de manger du jambon ? Je n'en jurerais pas.

Bref, si j'étais le gouvernement, je chercherais les moindres prétextes pour quitter la galère du Golfe. Le plus désolant est que les Séoudiens, que nous sommes censés protéger d'après ce que j'ai compris, nous en ont offert un, superbe, et quasiment sur un plateau d'argent, en refusant à M. Eddy Mitchell l'autorisation de distraire notre pauvre corps expéditionnaire. C'était l'occasion de se vexer, de parler d'affront fait à la France, et surtout à la chanson française qui est une chose sacrée, de crier à l'ingratitude, de rappeler le coup d'éventail du dey d'Alger, et enfin de se rembarquer dignement. Cette réaction d'honneur nous aurait agréablement changé de ce que nous voyons d'habitude. MM. Mitterrand et Rocard seraient remontés un peu dans les sondages.

(*5 janvier.*)

Notre guerre

Dans notre séance de jeudi dernier à l'Académie française, au cours de laquelle nous parlâmes pendant deux heures et demie de l'orthographe, je fus très étonné d'entendre un de mes confrères évoquer la guerre du Golfe dont on craignait qu'elle n'éclatât et nous reprocher d'être pareils aux Académiciens byzantins qui, en 1453, alors que les Turcs s'apprêtaient à prendre Constantinople, discutaient avec animation du sexe des anges.

D'abord, je trouve que le sexe des anges est un sujet fort important, qui donne lieu à toutes sortes d'hypothèses métaphysiques. En second lieu, ce n'est pas aux Académies de s'occuper de la guerre. Cela incombe aux militaires et aux gouvernements. A la rigueur aux citoyens, encore qu'on ne leur demande guère leur avis quand on les envoie se faire tuer.

On disait dans mon enfance : chaque chose à sa place, et les vaches seront bien gardées. Il me semble que l'Académie française est tout à fait à sa place lorsqu'elle opine sur l'orthographe pendant que les généraux et les aviateurs attendent le jour J et l'heure H. C'est là son métier, c'est là sa mission, c'est pour cela qu'on la paie. Non pour prendre des airs penchés sous prétexte qu'à cinq ou six mille kilomètres du quai Conti on va peut-être se tirer dessus. Car, quand même, Paris n'est pas Constantinople et les Turcs ne campent pas dans le bois de Vincennes.

Il faut bien dire enfin que la guerre du Golfe n'est pas notre guerre, et j'en suis toujours, après plusieurs mois, à me demander ce que nos soldats font là-bas. J'ai l'impression, d'ailleurs, de n'être pas le seul à me le demander, et qu'il y a bien des gens qui se le demandent aussi, jusque dans le gouvernement. Tandis que l'orthographe, à la bonne heure ! c'est tout à fait notre affaire, cela. En nous battant pour les accents circonflexes, les tirets, la place des trémas, le pluriel des mots composés, nous nous battons pour deux conceptions de l'âme française.

Il y a des gens qui veulent simplifier l'âme, d'autres qui ne la trouvent belle que dans la complication et les illogismes. Voilà le sérieux de la vie. La guerre du Golfe, à supposer qu'on n'arrive pas à l'éviter, sera oubliée depuis longtemps, alors que l'accent circonflexe, selon la jolie formule de Jules Renard, continuera à voleter comme un petit oiseau au-dessus des mots français.

(*12 janvier.*)

L'Arrière

Ce qui est fragile et délicat, dans une guerre, c'est les civils. Je ne suis pas le premier à en faire la remarque. Il y a un célèbre dessin de Forain, datant de 1915 ou 16, montrant deux Poilus dans une tranchée. Ils évoquent ce que l'on appelait alors « l'Arrière ». L'un des Poilus dit : « Pourvu qu'ils tiennent ! » Je crois que nos combattants, dans le Golfe, pourraient faire une plaisanterie du même genre.

En effet, l'Arrière de maintenant est en pleine panique. On croirait que l'ennemi est à Soissons et que tous les jeunes Français ont été mobilisés pour défendre le sol de la Patrie. Si l'on m'avait dit, il y a seulement un mois, que les gens se jetteraient sur le sucre, l'huile et les nouilles afin d'accumuler des provisions en vue des épreuves à venir, j'en aurais été abasourdi. Pourtant ils l'ont fait. Va-t-on revoir les BOF de 1940 ? Ma foi : ce sera sans moi. J'ai écrit une fois le *Bon Beurre*, je ne l'écrirai pas deux.

La France, depuis Clovis, n'a pas cessé de faire la guerre. Il me semble que, depuis quinze cents ans, nous aurions pu nous fabriquer une philosophie là-dessus. J'ai tendance à penser que les guerres du passé étaient moins ennuyeuses que les guerres modernes — et peut-être moins meurtrières, encore qu'il soit tombé pas mal de grenadiers au cours de l'année 1812. Quoi qu'il en soit, nous pourrions être un peu fataliste. Un de mes amis, Jacques Silberfeld, qui était un valeureux soldat, avait trouvé une formule magnifique : « Contre la peur, disait-il, un seul remède : le courage ! »

A mon avis, il n'est pas besoin d'être soldat pour l'adopter. Les civils pourraient bien la méditer eux aussi. Le courage civil, en ce moment, consiste à refuser d'être prévoyant. A refuser aussi de parler des opérations militaires américaines dans le Golfe, auxquelles nous sommes associés, comme d'une guerre. La litote est une forme de la bravoure. Mais les médias ne sont guère propices à la litote.

(*19 janvier.*)

Plus une ligne...

L'ennui avec la guerre, c'est qu'elle ne nous laisse le choix qu'entre deux attitudes : être pour ou être contre. C'est peu varié. Ce l'est d'autant moins que les arguments en faveur d'une position ou de l'autre n'ont pas changé depuis des siècles, et que l'on entend à chaque occasion les mêmes bêtises belliqueuses ou pacifistes.

Ces temps-ci, en France, c'est plutôt le genre belliqueux qui prédomine, à ce qu'il me semble. Il faut dire que la guerre du Golfe est du nanan. D'abord ce n'est pas nous qui la faisons — ou tout au moins, nous n'en faisons pas l'essentiel. C'est l'Amérique qui prend les initiatives, qui commande, qui déploie et « redéploie », qui oppose aux missiles des contre-missiles, qui démolit les vrais et les faux objectifs, c'est le président Bush qui s'épanche ou qui manœuvre, c'est les prisonniers américains qui servent de bouclier humain à Saddam Hussein.

Il suit de cela que les commentateurs et journalistes français nagent dans la joie : ils peuvent se livrer au patriotisme le plus échevelé, ce qui leur est interdit lorsqu'il s'agit de la France. Ils peuvent s'extasier en toute tranquillité sur le « potentiel militaire », les « armes sophistiquées », la « formidable organisation », la « haute technologie » de nos « amis d'outre-Atlantique », sur la bravoure des « boys », la férocité des « marines », etc. Toutes choses qu'ils se feraient tuer plutôt que de les dire de notre bonne vieille Légion.

Les gens à qui la guerre du Golfe ne dit rien qui vaille, qui pensent ni qu'elle sera facile, ni qu'il en sortira des choses satisfaisantes, sont mal vus. On leur assène de terribles tartines de morale, on leur dit avec mépris qu'ils sont irresponsables, on leur fait honte d'avoir des cœurs d'esclaves.

Le pire, évidemment, est que l'on ne parle que de cela, qu'on en est obsédé, que tout se passe comme si l'humanité entière retenait son souffle et ne portait d'intérêt à rien d'autre. Pourtant il faut bien que les commerçants continuent à aller à Rungis le matin, que l'on construise des automo-

355

biles, que l'on traie les vaches, que l'on apprenne l'orthographe aux enfants. Quant à moi, pauvre diable d'homme de
lettres parisien, j'écris comme à mon accoutumée un roman
qui raconte les amours d'un certain Chapotot avec une esthé-
ticienne de province. La guerre du Golfe, c'est bien gentil,
mais ce n'est pas les généraux américains qui écriront mon
bouquin à ma place, ni même les correspondants de guerre
qui sont pourtant de sacrés bavards. Sauf information tout à
fait surprenante (et je serais surpris qu'il y en eût dans les
semaines à venir), je ne consacrerai plus une ligne à ce sujet.
J'en prends l'engagement solennel.

(26 janvier.)

Un homme d'avenir

J'ai longtemps espéré que M. Chevènement était une sorte
de porte-parole officieux de l'Elysée. Son peu de goût pour
l'expédition militaire anglo-américaine qui a lieu actuellement, ses réticences, la mauvaise volonté qu'il mettait à partir en guerre me paraissaient du meilleur augure. Je me
disais : notre bon Président a une carte dans sa manche, qu'il
se réserve peut-être de jouer au bon moment.

En quoi, je le confesse, je tombais à pieds joints dans le
travers des petits-bourgeois pour qui rien n'est simple et qui
voient du machiavélisme partout. Or, il n'y en a nulle part et
encore moins en politique qu'ailleurs, où l'apparence des
choses est leur vérité même. En ce qui concerne M. Chevènement, j'aurais dû m'aviser d'un détail : c'est qu'il est un
gaulliste, et qu'un gaulliste, naturellement, ne saurait demeurer longtemps ministre dans un gouvernement socialiste. Soit
dit en passant, je n'imagine guère non plus qu'un gaulliste
puisse être très heureux dans l'opposition.

Etre gaulliste, ce n'est pas appartenir à un parti politique, mais avoir une « certaine idée de la France », de son

destin, de ses devoirs et aussi de ses intérêts. Disons que M. Chevènement est un « gaulliste de gauche », ce qui n'est pas la plus mauvaise façon d'être gaulliste. Je le sais depuis que je le rencontrai pour la première fois, il y a une quinzaine d'années. Je reconnus aussitôt, dans le prétendu croquemitaine du CERES, quelqu'un de ma famille. Il me semble que la sympathie fut réciproque. Par la suite, lorsqu'il devint ministre, je notai diverses réactions gaullistes dans son comportement. D'abord, une hauteur de vues qui n'est pas le propre du politicien courant. Ensuite, une impossibilité de son caractère à tout accepter, à être content de tout parce que son parti était au pouvoir.

En fait, il n'était pas content de grand-chose. Et il est encore gaullien en cela. Il est de ces gens qui vivent la démission à la main, qui ne s'accrochent à aucune dignité, à aucun poste, pour peu qu'on veuille les forcer à faire quelque chose à quoi n'adhère pas leur conscience. La politique, pour la plupart des gens, est l'art d'« arriver ». Pour le gaulliste, c'est l'art de partir, l'art de claquer les portes au nez. Le parti de M. Chevènement n'est pas accoutumé à ces manières, à ce que j'ai cru comprendre.

Je ne sais si M. Chevènement sera très satisfait que je le peigne ici en gaulliste. Il aurait tort de se formaliser. Sous ma plume, c'est une grande louange. Et en valeur absolue, il reste si peu de gaullistes qu'il y a de l'honneur à être admis dans cette réserve d'animaux préhistoriques.

(2 février.)

Encore une ligne !...

Une fois qu'on a gagné une guerre, il faut tâcher de ne pas la perdre. Je veux dire par là qu'il est rare qu'une victoire soit très profitable à celui qui la remporte. Il y a toutefois des recettes. Par exemple, l'annexion par le pays vainqueur

357

d'une portion du pays vaincu. C'est le système des voleurs de grand chemin, qui dépouillent leurs victimes de ce qu'elles ont. On peut également faire payer au vaincu une grosse somme d'argent, lui prendre ses bestiaux et ses usines.

Une autre recette consiste à occuper indéfiniment les territoires conquis. Dans l'Antiquité, on rasait les villes, on passait les habitants au fil de l'épée et on emmenait les survivants en esclavage. C'était simple et radical. Il semble que les bombardements d'aujourd'hui, qui aplatissent tout, soient moins efficaces que les glaives des légionnaires romains.

Que va-t-on faire après qu'on aura mis à genoux Saddam Hussein ? On n'annexera pas un morceau de l'Irak aux Etats-Unis ni au Royaume-Uni de Grande-Bretagne et d'Irlande du Nord. On ne lui prendra pas d'argent, on ne distribuera pas son pétrole gratis. Ah ! certes, on rétablira dans toute leur splendeur les émirs du Koweit qui vivent un amer exil en Suisse au milieu de Rolls datant au moins de l'année dernière. Mais qui dédommagera l'Amérique, l'Angleterre et la France de leurs soldats qui auront été tués et des milliards qu'elles auront dépensés dans l'affaire ? Moi, sans doute, comme d'habitude. Pour ce qui est de l'Irak battu, je présume qu'on lui consentira un prêt, remboursable en cent ans, ou jamais.

Il y a une dernière recette pour ne pas perdre une victoire. C'est d'obtenir du vaincu qu'il parle la langue du vainqueur, vu que la meilleure façon d'annexer les peuples, c'est de les modeler à l'image de leur conquérant, de leur faire adopter ses habitudes. Au fond, le triomphe de la civilisation française a été de faire réciter à de petits Africains : « Nos ancêtres les Gaulois avaient le teint clair et de grandes moustaches blondes. »

L'Irak parlera-t-il français, les petits Irakiens acquerront-ils des ancêtres gaulois lorsque nous en aurons fini avec les combats ? Et le monde arabe nous tressera-t-il des couronnes pour l'avoir débarrassé d'un méchant dictateur qui n'était même pas intégriste en matière de religion ? Du tout. Les Arabes ressentiront la défaite de l'Irak comme une humiliation de l'Islam tout entier. Et si l'on parle une langue occidentale dans le Golfe, ce sera le sabir anglo-américain. Moyennant quoi, pour reprendre une vieille expression de chez nous, le gouvernement socialiste français se sera battu pour le roi de Prusse.

(9 février.)

La main malheureuse

Quand j'étais gamin, on me donnait volontiers tel ou tel de mes camarades en exemple, l'un pour ses bonnes notes, l'autre pour sa douceur, un troisième pour son exquise politesse, etc. Moi qui savais à quoi m'en tenir sur eux, ayant quotidiennement la preuve que c'était d'atroces petites brutes ou des hypocrites, j'étais très agacé par ces leçons. Le temps m'a vengé. La plupart des garnements que l'on m'exhortait à imiter ont mal tourné, et ceux qui n'ont pas mal tourné sont devenus de vieux imbéciles. Je les rencontre quelquefois. Ils me tutoient, me demandent si je me souviens d'eux et me présentent à leurs épouses qui ressemblent à des dromadaires.

Quand j'ai grandi, les critiques littéraires ont remplacé les grandes personnes de mon enfance et m'ont désigné pour modèles divers hommes de lettres, dont j'ai oublié jusqu'au nom. Au mois de décembre, je voyais s'étaler dans les journaux la photo du lauréat du prix Goncourt, qui n'était jamais moi, hélas ! J'avais quand même la consolation de constater que, neuf fois sur dix, le lauréat en question ne tenait aucune des promesses que les messieurs de la place Gaillon avaient cru lire dans son ouvrage.

Le dernier exemple de bonne conduite que l'on m'a proposé est M. Gorbatchev. Et ce n'est pas n'importe qui, mais une assemblée de super-grandes personnes, si j'ose dire, qui l'a recommandé à l'admiration des enfants, à savoir l'académie d'Oslo qui décerne le prix Nobel de la paix. Moyennant quoi M. Gorbatchev envoie ses soldats et ses chars en Lithuanie. Il est étonnant que le prix Nobel de la paix n'ait pas été attribué à M. Saddam Hussein. Mais attendons un peu. S'il manifeste quelque bonne volonté et évacue le Koweit, il n'est pas dit qu'il ne l'obtienne pas. Ou alors ce sera M. Bush. Ou M. Khadafi, qui se tient tranquille depuis deux ou trois ans et dont on a presque oublié les espiègleries.

Quelqu'un qui aurait mérité le prix Nobel de la paix, c'est le général de Gaulle, mais il n'avait pas le profil du bon sujet que l'on a plaisir à couronner. Si mes souvenirs sont exacts, on a préféré le donner à un gentil socialiste allemand, M. Willy Brandt, lequel, ensuite, a été pris dans un ridicule scandale d'espionnage.

Malheur à ceux qu'on donne en exemple ! Pourquoi cela tourne-t-il toujours mal ? Pourquoi faut-il que ce soit si souvent un imposteur ou, au mieux, un incapable que choisissent les personnes chargées de reconnaître le mérite et de le claironner aux oreilles des foules extatiques ? Cela tient, sans doute, à la tendre sympathie que les escrocs éveillent immanquablement dans le cœur des honnêtes gens. Il y a là comme une espèce de loi de la nature.

(16 février.)

Tout finit par un impôt

Il n'était pas difficile de prévoir que notre participation à la guerre américano-anglaise contre Saddam Hussein finirait par un surcroît d'impôt pour les contribuables français. D'abord parce que toute idée, entreprise ou innovation d'un gouvernement finit par un impôt. En second lieu parce que nous n'avions aucun besoin de nous mêler de cette affaire dans laquelle il n'y avait que des coups à prendre et des haines à récolter. J'ai remarqué depuis longtemps que plus une chose est inutile ou fâcheuse, plus elle coûte cher. Il n'y a que le bonheur qui soit gratuit, quelquefois. Les ennuis sont hors de prix.

Pour ce qui est de « l'impôt-Golfe », comme disent plaisamment les gazettes, M. Bérégovoy s'est écrié que cette seule pensée le faisait frémir, mais un ministre des Finances qui refuse un impôt nouveau, c'est un événement si étrange, si rare qu'on ne peut s'empêcher de croire que le cher homme nous fait un mensonge de politesse. On y est d'autant plus disposé que M. Strauss-Kahn, président de la Commission des Finances à l'Assemblée, a déclaré qu'il fallait tout de suite le créer, cet impôt, ou, à défaut, un emprunt obligatoire. Je parie sur M. Strauss-Kahn : c'est lui et non M. Bérégovoy que l'on écoutera.

Autre observation que j'ai faite : lorsqu'un nouvel impôt est dans l'air, on ne peut en aucun cas compter sur l'opposition pour le combattre, c'est-à-dire nous protéger, ne fût-ce que par des paroles, de la voracité du pouvoir. M. Seguin, par exemple, en qui j'avais confiance, qui me paraissait animé de bons sentiments à mon égard, m'a bien déçu. « La logique, a-t-il dit, veut qu'un effort exceptionnel soit demandé aux Français. »

Quelle logique, cher M. Seguin ? Je verrais d'un assez bon œil que les Français (c'est-à-dire moi) fissent un « effort exceptionnel » si la patrie était en danger, ou si l'on voulait charger M. Bofill de construire tous les immeubles neufs de Paris, ou encore si l'on se mettait sur le pied d'offrir des bouquets de fleurs à toutes les vieilles dames de France. Je ne vois pas d'obligation à faire un effort exceptionnel pour être détesté de l'Islam et ruiner notre politique arabe traditionnelle.

J'ai reçu quelques lettres de lecteurs s'étonnant que j'approuvasse M. Chevènement. Ma foi, lui au moins ne me demandait pas d'effort exceptionnel. Il a même fait tout ce qu'il a pu pour que j'en fusse dispensé.

(23 février.)

Qui donc est Clausewitz ?

J'ai une grande infériorité sur la plupart de mes confrères de la presse écrite et parlée : je n'ai pas lu Clausewitz. Notez que je sais quand même qui c'est (principalement grâce au Petit Robert des noms propres) : il est né en 1780 à Magdebourg et mort en 1831 à Breslau. Il a combattu contre Napoléon en tant qu'officier prussien et s'est distingué à Waterloo. Après quoi il a écrit un bouquin intitulé en toute simplicité *De la guerre*, où l'on trouve la phrase immortelle que j'ai lue ou entendue au moins trente fois depuis le mois de janvier : « La guerre n'est que la continuation de la politique par d'autres moyens. »

A la vérité, je soupçonne que mes savants confrères n'ont pas lu Clausewitz plus que moi. Certains d'entre eux, en effet, citent son illustre aphorisme d'une façon telle que cela devient une pure et simple niaiserie : « La guerre n'est que la continuation de la *diplomatie* par d'autres moyens. » Or on a beau être prussien, on a quand même quelque subtilité. Du moins on en avait vers 1820. Ce que Clausewitz voulait dire, ce n'est pas qu'on se résout à faire la guerre après qu'on a épuisé toutes les négociations possibles, mais qu'on l'entreprend afin d'imposer par la force une certaine idéologie à des pays étrangers, qui ne l'auraient pas adoptée de leur plein gré.

Il était arrivé à cette vue en réfléchissant sur les guerres de l'Empire et surtout sur celles de la Révolution. Celle-ci ne conquérait pas seulement des territoires dans le but de les annexer, mais aussi de leur apporter un message républicain, de les convertir à un nouvel ordre politique. Clausewitz avait été très impressionné aussi par le phénomène de la levée en masse, tout à fait inédit dans l'Europe du XVIII{{e}} siècle. Il s'agissait pour la France, alors, de guerres vitales, et la nation entière y participait.

Encore un détail. Clausewitz n'est pas un théoricien de la guerre totale. D'après mon Petit Robert, il a écrit noir sur blanc que l'objectif des hostilités est la défaite de l'armée, voire le renversement de l'Etat adverse, mais nullement l'anéantissement des populations. En quoi l'on peut constater qu'il est un homme civilisé, un homme du temps des Lumières. Rien à voir avec les théoriciens des conflits modernes, dont le premier en date est un général poméranien, le célèbre Ludendorff, qui voulait tout démolir, et qui a eu bien plus de disciples, depuis 1918, et pas seulement à Berlin, que n'en a eu le cher Clausewitz en cent cinquante ans.

(*9 mars.*)

La pucelle de Birmingham

« Les enfants, disait la princesse Mathilde, j'aimerais mieux en commencer cent que d'en finir un seul. » C'est à elle, la chère femme, que j'ai tout de suite pensé lorsque j'ai lu dans les gazettes qu'une demoiselle de Birmingham, aussi vierge qu'on peut l'être, s'était fait inséminer artificiellement. Elle a même exigé que l'on conservât son pucelage intact. Ce trésor me paraît cependant bien menacé, à moins que, lorsque naîtra le petit inséminé, on ne pratique une césarienne. Un pucelage est une chose si rare au XXe siècle que la demoiselle pense peut-être que cela vaut bien qu'on vous ouvre le ventre.

Les gazettes donnent divers détails curieux. Par exemple que la demoiselle a commencé par verser mille francs, puis qu'il lui faudra payer six cent cinquante francs par mois pour le service après-vente. Ce prix lui donne la possibilité de choisir la couleur des yeux et des cheveux du bébé. Elle n'a malheureusement pas révélé si elle avait commandé une fille ou un garçon.

Normalement cela devrait être une fille car la demoiselle n'a pas l'air d'apprécier les individus de sexe masculin. Elle a en effet précisé qu'il était peu probable qu'elle eût jamais, dans la suite de son existence, de « rapports sexuels » (c'est ainsi que l'on parle de l'amour à présent). D'où l'attachement qu'elle manifeste pour son pucelage. Elle veut être en mesure à chaque instant de l'exhiber. Cela me rappelle une vieille blague d'un hebdomadaire londonien, la *Tribune*, qui, du temps que j'habitais Londres, avait organisé un concours de vantardises (*boasting*). Le second prix avait été attribué à une vieille fille (*spinster*) qui se flattait de posséder un certificat de virginité signé du pape. Le premier prix était allé à un monsieur censé avoir déclaré à un mariage : « Quel charmant couple ! J'ai couché avec eux deux. »

Quel que soit le sexe de l'inséminé, j'augure assez mal de son enfance et de sa jeunesse. Il sera tout pour sa mère, qui le couvrira et l'asphyxiera comme une cloche pneumatique. Il ne pourra pas faire un mouvement sans qu'elle soit derrière lui, éprouver un sentiment sans qu'elle veuille le connaître, ressentir l'attirance la plus innocente pour quelqu'un sans qu'elle en soit jalouse. Brr !

La demoiselle de Birmingham, malgré son idée idiote, n'est pas faite autrement que les créatures humaines courantes. C'est-à-dire qu'elle vieillira, que ses défauts et ses hantises s'aggraveront, qu'elle sera sans doute encore plus bête à soixante ans qu'elle ne l'était à vingt. Et comme elle aura reporté toute sa vie toute sa passion sur un seul être, voilà un double malheur en perspective. La pilule fait moins de dégâts.

(*16 mars.*)

Le marché du neuf et de l'occasion

Il me semble que tout le monde, depuis la guerre du Golfe, raisonne de travers à propos de nos ventes d'armes, moi inclus, d'ailleurs : il m'est arrivé dans cette chronique de me gausser que l'on retournât contre nous des canons et des missiles de notre fabrication. Comme d'habitude, je ne voyais pas plus loin que le bout de mon nez. Si la guerre du Golfe a démontré quelque chose, c'est qu'il fallait continuer à vendre du matériel militaire aux bonnes gens qui veulent en acheter, et même en vendre plus qu'avant, s'il se peut.

En effet, il n'a fallu que quelques semaines aux Alliés pour anéantir l'armée de Saddam Hussein et pour récupérer des tonnes de ferrailles héroïques, qui avaient assez peu servi et qui peuvent avantageusement être revendues une deuxième fois, de préférence à celui qui les a si mal utilisées. Ou alors, s'il est écœuré et nous retire sa pratique, à d'autres amateurs. Dieu merci, ils ne manquent pas.

Tout le monde sait que le commerce des armes est une bénédiction pour la France qui est, paraît-il, le troisième exportateur mondial de ces jouets pour grandes personnes. Non seulement cela nous rapporte de l'argent, mais encore cela permet de donner du travail à des milliers d'excellents ouvriers qualifiés qui, sinon, seraient au chômage. Il n'est donc pas question de supprimer cette source de prospérité et d'emploi. Je regrette de voir nos chers socialistes divisés là-dessus. Ils devraient tous faire bloc derrière notre cher Président, lequel n'est plus du tout celui qui, en 1981, faisait désarmer les avions de combat au Bourget, afin de n'avoir point l'œil offusqué par leurs bombes.

Comme toujours la solution est très simple : il ne s'agit que de faire un plan ou, comme disent les commentateurs politiques, d'établir un calendrier. D'abord on vend les armes. Ensuite de deux choses l'une : ou l'acquéreur ne s'en sert pas, elles se démodent en six mois, et on lui réexpédie des commis voyageurs munis de catalogues alléchants pour qu'il se réassortisse. Cela peut durer des années et être très « rentable ». Ou bien il s'en sert, et on lui rentre dans le chou ; on lui démolit tout son stock, à moins qu'on ne le récupère (voir plus haut). On fait la paix, et on passe avec lui de nouveaux contrats. Cela aussi peut durer des années et assurer une production permanente à nos usines.

Disons-le tout net : l'ONU n'a rien à faire dans ces arrangements. La seule chose qu'on lui demande, c'est de nous donner la permission de faire la guerre quand nous la lui demandons. Cette permission n'est pas très difficile à obtenir : il suffit de dire qu'on est le champion du droit et de la morale. Ce sont là comme des incantations magiques.

(23 mars.)

Baiser furtif

Quoiqu'elles soient négatives, l'Etat fait quelquefois de bonnes surprises. Il m'en a fait une cette semaine, précisément. J'ai reçu au courrier de mardi une enveloppe oblongue sur laquelle était imprimée la mention « Ministère des Finances », ce qui a commencé par me jeter dans un abattement profond.

En effet, la correspondance que j'entretiens avec ce ministère est extrêmement décourageante. Chaque fois que je reçois une lettre de lui, c'est pour me demander de l'argent. Pas un de mes amis, même les plus chers, les plus intimes, n'oserait en faire autant, ni surtout me dire que si je n'ai pas casqué à une certaine date, les châtiments les plus épouvantables pleuvront sur moi.

J'ai été tenté, je l'avoue, de ne pas ouvrir l'enveloppe, d'attendre deux jours ou davantage pour apprendre quelle nouvelle livre de chair le Shylock de Bercy avait inventé de découper sur moi. Il me semblait bien que j'étais en règle avec le percepteur, que je ne devais rien jusqu'au prochain tiers provisionnel, mais sait-on jamais où on en est avec ces gens-là ? Non seulement ils me prennent mon pauvre argent, mais encore ils ont l'art de me maintenir dans un état d'inquiétude permanent, de remords vague, comme si, au lieu d'être leur victime, c'était moi le coupable, moi l'exacteur.

La curiosité l'a emporté. Il faut une force d'âme que je n'ai pas pour refuser de prendre connaissance sur-le-champ d'un embêtement. Je veux savoir ce que c'est, au lieu de m'en moquer et de vivre insoucieusement jusqu'à ce que les choses deviennent pressantes. Je n'en ai pas été puni. C'est avec un soulagement à peu près inexprimable que j'ai constaté que l'enveloppe ne contenait qu'une circulaire imprimée tonnant contre un certain individu désigné comme étant « le maire de Paris », lequel, d'après ce que j'ai cru comprendre, critiquait la taxe d'habitation et la taxe professionnelle.

Je dis que j'ai « cru comprendre », car je n'ai évidemment pas lu ce texte qui, par extraordinaire, ne me mettait pas en demeure de payer quelque chose. J'étais si heureux, si épanoui que j'ai craint qu'un détail, dans cette lecture, ne m'attristât : faute de français, phrase en charabia administratif ou, hélas ! annonce d'un, deux, trois ou quatre impôts nouveaux. J'ai quand même vu, au verso, les signatures de M. Bérégovoy et de M. Charasse, sur lesquelles j'ai déposé un baiser furtif, pour une fois que je pouvais le faire sans arrière-pensée.

(30 mars.)

Comment facturer ?

Les journaux, la télévision, la publicité, qui décrivent à qui mieux mieux les merveilles de la vie moderne et expliquent la manière de s'en servir pour devenir heureux ou riche, ne disent jamais, ai-je remarqué, ce qui pourrait nous être réellement utile, réellement profitable. Prenons les fausses factures, par exemple. Voilà un vrai conte de fées. Depuis que je lis des articles à ce sujet ou que j'en entends parler à la radio, je ne rêve que d'en établir. Cela ne doit pas être bien difficile, que diable ! puisque le moindre imbécile d'industriel ou de financier y parvient le plus aisément du monde.

A en croire les éditorialistes et les commentateurs, la fausse facture serait une chose plutôt répréhensible, mais il semble que ce soit sans importance, puisque le gouvernement n'en blâme pas l'usage et même protège les personnes coupables de ces bagatelles. Il met toutefois une condition à son indulgence : à savoir que le faux facturier ait donné de l'argent au Parti socialiste, ce qui me semble bien naturel. A qui ferait-on des gracieusetés sinon aux gens qui vous ont dépanné ?

Jusqu'ici je comprends à peu près : il faut commencer par donner des sous. Ce n'est pas la mer à boire. Je suis tout prêt à allonger mille ou quinze cents francs au Parti socialiste si, grâce à cela, cet excellent parti m'en fait gagner dix mille ou vingt mille. Mais à quel moment de l'opération interviennent les fausses factures ? Avant, pendant, après ? Et comment libelle-t-on une fausse facture ? A qui l'envoie-t-on ? A ce cher vieux parti qui vous la retourne tamponnée, avec une lettre aimable ? Ah ! Je serais bien content si un expert éclairait ma lanterne.

On me dira que je peux toujours commander du papier à en-tête et qu'une fois que je l'aurai, nul ne m'empêchera d'inventer de superbes factures : cent mille pots de moutarde de Dijon à M. Mauroy, ci : quatre-vingts millions de francs ; soixante-quatorze tonnes de harengs congelés à MM. Nallet et Kiejman, ci : deux milliards cent vingt mille francs (pourquoi mégoter ?), enfin une douzaine de roses à Mme Tasca, ci : dix-neuf millions (une affaire).

Si par extraordinaire on me chicanait et qu'on me traînât en justice, je m'arrangerais pour que mon juge d'instruction fût M. Thierry Jean-Pierre. Il suffit qu'il s'occupe d'une affaire de fausses factures pour qu'on lui retire le dossier.

(13 avril.)

L'eau de boudin

En l'An IV, c'est-à-dire en 1794, Roederer écrivit dans *Le Journal de Paris* cette remarque pénétrante : « On a beaucoup parlé du danger de la corruption des mœurs dans une république, point encore du danger de la sottise. » J'ai lu cette citation dans les *Souvenirs* de Ludovic Halévy, librettiste d'Offenbach et l'un des hommes les plus intelligents du Second Empire.

Roederer fut républicain pendant la Révolution et le Directoire, puis impérialiste sous l'Empire et enfin monarchiste sous la Restauration, imitant en cela, du reste, les neuf dixièmes des Français qui, dit Halévy, « ont été et seront toujours partisans du gouvernement établi ».

Il est exact, en effet, que le pouvoir, chez nous, agit comme un aimant et attire à lui la majeure partie de la population. Il fait mieux même que de l'attirer : le peuple français est un gros enfant qui, depuis qu'il n'a plus de roi, cherche inlassablement un père à travers le suffrage universel, et qui, aussitôt qu'il l'a élu, se met à avoir confiance en lui, à le respecter, à le chérir. Et lorsqu'un pouvoir reste longtemps en place, comme c'est le cas de celui qui nous gouverne en ce moment, les Français, qui se sont habitués à lui, éprouvent de la répugnance à en changer, s'accommodant de ses faiblesses, de son arbitraire, éventuellement de ses malhonnêtetés.

Au fond, la Révolution, dont on a fêté le Bicentenaire de façon si pompeuse, a été le grand malentendu de notre histoire. Elle nous a fait passer pendant deux siècles pour une nation de progrès, qui bouscule tout, qui ne rêve que de transformer le monde, qui propage toujours les « idées nouvelles ». Rien de plus faux. Sans les incertitudes de Louis XVI nous aurions encore un roi de France, sans la Terreur nous n'aurions pas eu l'Empire, sans l'absurde guerre de 1870 nous aurions encore un empereur. C'est une contre-vérité de dire que nous sommes un peuple ingouvernable. Depuis deux cents ans, nos gouvernements n'ont jamais été renversés que par eux-mêmes.

Il est probable que le pouvoir actuel s'autorenversera, comme les autres. On dirait d'ailleurs que, par un enchaînement fatal, il fait tout pour cela, avec ses fausses factures, ses suspensions de fonctionnaires, son « peuple corse », et le reste. Pour le moment, tout tourne en eau de boudin comme dit, justement, le bon peuple. Mais l'eau de boudin est encore plus traîtresse que l'eau qui dort. On se retrouve noyé alors qu'on croyait tranquillement faire la planche.

(*20 avril*.)

Les vieilles teignes

Le principal avantage d'avoir de l'argent, c'est qu'on peut s'offrir le luxe de dire ce qu'on pense. Comme on n'attend rien de personne, on se soucie peu de froisser les amours-propres. Dans ce domaine, la vieillesse, quelquefois, supplée à l'argent. Je veux dire qu'à partir d'un certain âge, d'une certaine notoriété, il n'y a plus de raison de mentir, de flagorner, de passer de la pommade, de faire le béni oui-oui.

J'ajouterai même que rien n'est charmant comme une vieille teigne. Léautaud, à quatre-vingts ans passés, enchanta la France entière par ses entretiens radiophoniques avec Robert Mallet au cours desquels il épargnait aussi peu les morts que les vivants. Mauriac lui aussi avait des mots bien féroces et bien drôles auxquels sa voix chuchotante ajoutait encore du piquant. Personne n'a oublié le « Doux Jésus ! » qu'il murmura en caressant le manteau de vison d'une dame dont le mari avait écrit un livre à succès sur le Christ.

Dans le genre vieille teigne, M. Pinay, qui a cent ans ou qui va les avoir, vient de faire d'excellents débuts. Une demoiselle journaliste lui a demandé son avis sur le monde actuel et quelques-uns de ses confrères de la politique. Le président de la République, d'après lui, est un « monarque » qui se livre à un copinage éhonté. « Voyez le ministre de l'Intérieur ; vous connaissiez son nom avant qu'il ne soit nommé ministre ? » Le même président déteste Rocard, à qui il n'a pas pardonné de s'être, jadis, présenté contre lui. « Il est très rancunier. »

M. Barre a son paquet : « Il a gâché sa vie et sa carrière...

Il est très professeur. » Pour ce qui est de M. Giscard d'Estaing, « quand on a été président de la République, on ne recommence pas une carrière comme il a voulu le faire. » Curieusement, c'est M. Delors à qui M. Pinay voit le plus de chance dans une élection présidentielle : « Il est très posé, il ne fait pas de politique. » Déjeunant avec M. Bérégovoy, il lui dit tout à trac : « Qu'est-ce que vous foutez au PS ? » Réponse du ministre des Finances : « Je me le demande un petit peu. » Autre parole de M. Bérégovoy rapportée sans vergogne par le pétulant centenaire : « Savez-vous qu'on m'appelle le Pinay de gauche ? » Voici encore deux gracieusetés : « M. Tapie est un agitateur, ce n'est pas un type sérieux. » M. Le Pen est « un garçon intelligent mais qui n'a pas la stature d'un homme d'Etat. »

Quand on est centenaire, on n'a visiblement plus peur de rien. A la demoiselle journaliste qui lui fait remarquer que tous les politiques aujourd'hui se réclament de De Gaulle, il réplique : « Pas moi... Je n'ai jamais été gaulliste ! » Il faut une fameuse intrépidité pour dire une chose pareille dans un régime socialiste. Moi qui suis aussi gaulliste qu'on peut l'être, elle me ravit. Ah ! Vivement que j'aie cent ans pour m'amuser !

(27 avril.)

Défense du Parti socialiste

J'imagine les cris de joie qui auraient retenti à la Conciergerie et dans toutes les prisons de France en 1793, si l'on avait appris soudain que le citoyen Robespierre ne songeait qu'à mettre de l'argent dans un compte en Suisse, touchait des pots-de-vin, se faisait établir de fausses factures de poudre de riz et de perruques. Un homme qui veut être riche et qui fait des malhonnêtetés pour cela n'est pas dangereux. Du moins, on sait qu'on peut acheter sa clémence, voire sa complicité. Combien de pauvres suspects auraient sauvé leur tête s'il n'avait fallu que payer Robespierre !

Hélas ! Il était incorruptible. Il n'arrêtait pas de faire de la morale à la tribune de la Convention et, pour le malheur du pays, il était le premier à donner l'exemple, à pratiquer scrupuleusement les vertus qu'il prônait. D'où le carnage de la Terreur. De la part d'un Juste aussi farouche, il n'y a pas d'indulgence à attendre. Heureusement, le cher Tallien, qui était un pourri (ou un ripoux), ainsi que ses amis, qui ne l'étaient pas moins que lui, abattirent l'Incorruptible et, grâce à ces excellents porcs, la joie de vivre revint en France.

Je trouve que l'on est bien léger de se moquer ou de s'indigner des gamineries auxquelles s'est livré le Parti socialiste depuis une dizaine d'années, de l'affaire Urba, et des divers scandales qui éclosent par-ci par-là. Tout cela prouve au moins que les socialistes sont humains. Ils voulaient le pouvoir pour de bonnes raisons : avoir de grosses voitures à cocarde, se prélasser dans les palais nationaux, manger des ortolans arrosés de chambertin, mener des vies de princes. Il est tout à fait normal qu'ils désirent conserver ces agréments (ou ces privilèges, comme on voudra). Et pour les conserver, ils feront ce qu'on a toujours fait : sacrifier leurs principes à leur commodité.

Au lieu de reprocher aux socialistes de nous avoir étourdis de morale et d'être devenus aussi immoraux que n'importe qui, félicitons-nous (et félicitons-les) qu'ils aient abandonné leur morale et leur vertu, bref, d'être le contraire de Robespierre. Je me rappelle la frousse des bourgeois et des gens de droite en 1981 : ils étaient convaincus que le Parti socialiste était une pépinière d'Incorruptibles. Ils s'attendaient au Comité de Salut public. Ils ont eu Thermidor.

Je trouve qu'il y a là de quoi largement se réjouir. Il ne faut pas avoir le mauvais goût de reprocher aux professeurs de morale de s'être transformés en tripoteurs. C'est ce que nous pouvions espérer de mieux.

(18 mai.)

Le sexe fort

Il y a dans la nature féminine quelque chose d'expéditif et de brutal qui ne manque jamais de prendre les hommes au dépourvu. Par exemple, ils restent sans voix quand leurs femmes ou leurs maîtresses les quittent : elles rompent en trente secondes, sans précaution, sans ménagement, des unions de plusieurs années, et il n'y a pas à y revenir. Tout à coup elles se transforment en rocher.

M. Mitterrand a-t-il pensé, en prenant Mme Cresson pour Premier ministre, qu'il aurait désormais affaire à une de ces créatures radicales ? Peut-être croit-il, comme il est de mode aujourd'hui, que les femmes sont les égales ou les semblables des hommes et que l'on peut faire avec elles tout ce qu'on fait avec ceux-ci, singulièrement de la politique.

Or ce n'est pas vrai. Les femmes, même les plus hommasses (c'est-à-dire les plus souples, les moins résolues) ont en elles un fonds d'irréductibilité. En outre, elles sont d'une loyauté effrayante. C'est la croix et la bannière pour parvenir à leur faire trahir les gens qu'elles aiment ou les idées auxquelles elles croient. D'où leur peu de réussite dans la politique, en dépit de quelques exceptions, bien sûr, telles qu'Anne d'Autriche, la Grande Catherine, l'impératrice Marie-Thérèse, la reine Victoria. Il est vrai qu'il s'agissait là de souveraines, qui avaient moins que d'autres besoin de se montrer parfois arrangeantes.

Pour en revenir à Mme Cresson, je crains que M. Mitterrand et le Parti socialiste n'aient pas fini d'avoir des contrariétés avec elle. Ne serait-ce que parce qu'elle est socialiste et que, étant femme, elle va vouloir montrer sa loyauté envers le socialisme. Elle l'a d'ailleurs un peu dit dans son discours d'investiture, qui n'a pas été du goût des députés de la droite, mais qui a sûrement déplu encore davantage aux députés de la gauche, lesquels s'étaient très bien accommodés de vivre depuis six ou sept ans dans le libéralisme le plus conservateur.

Le dernier défaut de Mme Cresson, d'après moi, est d'être

373

une jolie femme. En politique, ai-je remarqué, il est bon d'être moche et vieux. Cela fait sérieux, cela inspire confiance. Et cette aimable Edith ne prend même pas la précaution d'être mal habillée. Bref, j'augure mal de son gouvernement. Passé l'amusement d'avoir une femme pour Premier ministre, tout le monde va être atroce avec elle. A commencer par ses camarades de parti, dont la vanité masculine doit être un peu égratignée.

(*25 mai.*)

Le contrat sentimental

Jusqu'à mercredi, j'étais persuadé que les Américains choisiraient d'acheter le train à grande vitesse allemand de préférence au train français. Dans ce genre de marché il entre autant de politique, voire de sentiment, que d'intérêt.

Nous l'avons constaté il y a une dizaine d'années lorsque l'Europe avait à se doter d'un avion de chasse. M. Dassault, homme de génie, proposait le Mirage qui était un excellent « produit » comme on dit de nos jours. Les Etats-Unis tâchaient d'écouler une autre machine volante, beaucoup moins perfectionnée. C'est eux qui signèrent le contrat, parce qu'ils étaient les Etats-Unis précisément, à qui il était plus avantageux de faire plaisir qu'à la France, fût-ce au prix de la vie de quelques pilotes belges.

J'étais sûr, dis-je, que les Américains prendraient le train allemand et non le train français, même s'il allait un peu moins vite, et si les vis n'étaient pas aussi bien serrées. En effet, ils ont reporté sur l'Allemagne la sympathie qu'ils avaient pour nous jadis. Il y a diverses raisons à cela. Notamment parce qu'ils ont battu l'armée allemande en 1945 et que ces choses-là attachent. Nous n'étions que leur allié et même pas un allié amusant. D'autre part, les Allemands ne leur ont jamais rendu le moindre service et par conséquent ne leur

374

cassent pas les pieds inlassablement avec La Fayette. Bref, je ne voyais que des arguments en faveur du chemin de fer germanique.

J'avais oublié une chose, ce qui montre que je n'ai pas l'esprit politique (ce que je n'ignorais pas, d'ailleurs) : c'est que nous avions participé à la guerre du Golfe, tandis que l'Allemagne, considérant que ses intérêts arabes étaient plus précieux que ses intérêts américains, s'était désintéressée de cette entreprise. Or il y a, dans la nation américaine, un côté maître d'école qui se plaît à récompenser les bons élèves et à envoyer au coin les mauvais sujets. Du temps du général de Gaulle, nous étions le type même du mauvais sujet. Nous ne respections pas le dieu dollar, et nous allions chahuter à Phnom Penh, quand ce n'était pas à Montréal.

Grâce à notre bon gouvernement socialiste, nous sommes redevenus de bons élèves à part entière, qui font très gentiment ce que désire le maître. Il s'ensuit que nous récoltons des bons points. Que dis-je, des bons points ! La licence d'installer le TGV au Texas équivaut à une inscription au tableau d'honneur. J'ose à peine finir cette chronique par la formule chère à Alexandre Vialatte : « Et c'est ainsi qu'Allah est grand ! »

(1er juin.)

Les discours difficiles

Le prix Nobel de la paix, que l'on vient de décerner en grande pompe à M. Gorbatchev, me rappelle une conversation que j'eus avec M. Pierre Gaxotte vers 1960. Il était de l'Académie et je n'en étais pas. Nous nous trouvions l'un et l'autre chez une de ces fées parisiennes qui ont presque toutes disparu aujourd'hui. Marthe de Fels, je crois. Quelqu'un lui demanda pourquoi l'Académie n'élisait plus de militaires.

— A cause du discours, répondit Gaxotte. Comment voulez-vous dire à un général qu'il est arrivé avant tout le monde à Perpignan en mai 1940, ou que sa retraite de Sedan à Nice a été un modèle de vélocité ? Comment le féliciter d'avoir laissé faire prisonnier tout un corps d'armée ?

C'était injuste, car quelques généraux, quand même, s'étaient bien conduits en 1940, et quelques autres avaient rejoint la France libre, mais c'était drôle, et je ne manquai pas de pouffer de rire à cette évocation de l'accueil d'une ganache sous la Coupole. Gaxotte, qui était en verve ce jour-là, ajouta que l'Académie, faute de militaires, s'était mise à élire des médecins car, semblait-il, elle ne pouvait vivre sans un petit contingent de morticoles. Le mot de « morticoles » est de lui et non de moi. C'était sans doute une réminiscence de Léon Daudet dont il avait été le collaborateur à *L'Action française*.

Je n'ai pas la moindre idée de la façon dont se déroule, à Oslo, la cérémonie au cours de laquelle on remet le prix Nobel de la paix. Je sais que le lauréat prononce une harangue (un « remerciement » comme on dit au quai Conti) dans laquelle, je suppose, il s'arrange pour glisser quelques considérations sur son génie et sa belle âme. Mais le protocole comporte-t-il une réponse à ce laïus, faite par un membre de l'Académie Nobel ? Si oui, la réponse à M. Gorbatchev serait tout à fait du genre à réjouir Pierre Gaxotte. Avec l'Armée rouge en Lithuanie et la guerre entre les Azerbaïdjanais et les Arméniens, il y a un texte superbe à écrire sur l'esprit pacifique et les méthodes franciscaines du président de l'URSS.

Outre cela, Dieu merci, la carrière de M. Gorbatchev n'est pas finie, et il peut avoir dix ou vingt occasions de faire tuer des gens. Mais peut-être est-il moins désagréable de mourir sur l'ordre d'un prix Nobel de la paix que par la faute d'un tyran cynique : il doit avoir à cœur de mériter son prix et il vous expédie en prenant l'air mélancolique pour bien montrer que cela ne lui fait pas plaisir.

(*8 juin.*)

Un drame de la modestie

S'il est exact que Mme Cresson a déclaré à un journaliste anglais, il y a quatre ans, qu'un Britannique sur quatre était pédéraste, cela prouve surtout, selon moi, sa modestie, pour ne pas dire son humilité. En effet, pour avoir parlé de la sorte, c'est qu'elle n'imaginait pas qu'elle deviendrait, un jour, en France, le second personnage de l'Etat (ou le troisième ? Je ne sais pas au juste, mais c'est encore joli), que l'on passerait au crible son passé, que l'on extrairait tous les squelettes possibles de ses placards, y compris les plus ténus.

En 1987, Mme Cresson ne se voyait nullement revêtue de la pourpre. Bien qu'elle eût été un peu ministre, elle ne croyait pas qu'elle eût devant elle un destin national, comme celui de la chère Margaret qui siégeait alors à Downing Street. Elle était la petite Edith, moqueuse, primesautière, qui raconte tout ce qui lui passe par la tête parce qu'elle est une personne privée et qu'elle sait que cela n'a pas d'importance. Etait-elle seulement député ? Je me le demande. Du reste, qui remarqua ses propos quand elle les tint ? Peut-être quelques gentlemen qui se crurent visés et en sourirent avec bonhomie.

A Paris, en 1987, le Premier ministre était M. Chirac dont on pensait qu'il le resterait longtemps, à moins qu'il ne devînt l'année suivante président de la République. On avait bien l'impression que la droite, revenue au pouvoir, n'allait plus s'en laisser déloger. D'autant que le gouvernement de M. Chirac était des plus satisfaisant. M. Pasqua était un remarquable ministre de l'Intérieur et M. Balladur, chose inconcevable aujourd'hui, diminuait nos impôts au lieu de les augmenter.

Bref, Mme Cresson, causant avec un journaliste anglais, était sûre qu'elle ne remettrait jamais plus les pieds dans les palais nationaux, sinon pour dîner, car on y invite parfois les jolies femmes. D'où ses plaisanteries sur les mœurs d'outre-Manche. Plaisanteries peu originales, au demeurant, car il me semble les avoir entendues cent fois ou mille fois depuis ma jeunesse. Mme Cresson, pour bien prouver que les Anglais sont ce dont elle les accuse, s'est plainte qu'ils ne la suivaient point dans la rue. J'ai lu cela dans une gazette. Si c'est vrai, il y a là, je le crains, une naïveté. Mme Récamier était plus prudente. Sainte-Beuve cite ce joli mot de son âge mûr : « Ah ! Ma chère amie, il n'y a plus d'illusion à se faire. Du jour où j'ai vu que les petits Savoyards dans la rue ne se retournaient plus, j'ai compris que tout était fini ! »

Pour les femmes de maintenant, rien n'est jamais fini. Elles ont l'Académie et Matignon, ce qui, on aura beau dire, compense bien des choses. En Angleterre, elles vont dans les clubs ; elles ont envahi à peu près tous les bastions dans lesquels, naguère, les messieurs se barricadaient entre eux. Hélas, il n'y aura bientôt plus de pédérastes sur le territoire de la Grande-Bretagne. Elles viendront à bout de les convertir. Encore une tradition qui meurt.

(22 juin.)

Lettre de cachet

Moi qui ne cesse de regretter Louis XIV et l'Ancien Régime, je suis très content de l'affaire Diouri. Voilà un homme qu'on a, pour ainsi dire, mis à la Bastille comme au XVIIᵉ siècle. Les folliculaires auront beau clabauder, cela ne manque pas d'allure. Quel dommage que *Le Canard enchaîné* ne publie plus sa rubrique « La Cour » depuis la mort de De Gaulle et de Pompidou ! Il y avait là un joli épisode à raconter : comment le monarque, par une lettre de cachet, a fait empoigner un coquin de gratte-papier coupable (ou présumé coupable, puisque son libelle n'a pas encore paru) de lèse-majesté à l'égard de son bon frère et cousin, le roi du Maroc.

J'avais bien raison, il y a quelques années, de préconiser la reconstruction de la Bastille à l'entrée du faubourg Saint-

Antoine. Mon argument était qu'il y a plus de bandits que de mélomanes en France, et qu'une prison aurait été plus utile qu'un Opéra, ce que je trouvais irréfutable et qui l'est aujourd'hui, semble-t-il, encore plus qu'alors. Je n'avais pas songé, je l'avoue, aux lettres de cachet, dont la Bastille est le complément indispensable. Je n'imaginais pas que notre démocratie mollassonne et fatiguée pût un jour remettre en honneur cette pratique des grandes époques de notre histoire.

Comme toujours, on a eu tort de ne pas m'écouter. La prison de la Bastille aurait plus de succès que l'Opéra. On aurait pu, depuis dix ans, y mettre diverses personnes qui seraient certainement mieux là qu'ailleurs. Pour prendre un exemple récent, je verrais très bien dans un des cachots du rez-de-chaussée (les plus humides) le juge Jean-Pierre qui a eu l'effronterie de déplaire à la Cour. Et pourquoi pas M. Chevènement, pendant qu'on y est ? Voilà un trublion qu'on a fait ministre et qui a donné une sorte de soufflet au gouvernement en démissionnant de son office.

Pour ce qui est de M. Diouri, on ne m'ôtera pas de l'idée qu'il eût été moins dispendieux de le conduire au faubourg Saint-Antoine plutôt qu'au Gabon. Moins dispendieux et plus prudent, car ainsi on ne l'eût pas perdu de vue, on aurait pu périodiquement rafler ses papiers, le mettre aux fers s'il persistait dans ses errements, l'étrangler au besoin.

On me rétorquera que si l'on n'a pas embastillé M. Diouri, on l'a du moins exilé, et que c'est là encore quelque chose qui ressemble aux habitudes du Roi-Soleil. Je n'en disconviens pas. Mais l'exil n'est plus ce qu'il était. On n'est plus en exil nulle part de nos jours, à cause de la télévision et du téléphone. M. Diouri n'a pas fini de bassiner l'opinion.

(29 juin.)

La petite joie du citoyen

Pour exprimer le dégoût et l'indignation que lui inspire le mariage du vieux Panisse avec la jeune Fanny, César s'écrie : « C'est une gabegie, c'est une sinécure ! » Pagnol n'a pas choisi ces mots au hasard : la gabegie et les sinécures sont les deux choses qui font le plus horreur aux Français et dont je les ai, depuis mon enfance, entendus accuser les fonctionnaires. Ceux-ci non seulement n'en fichent pas une rame, mais encore jettent l'argent des contribuables par les fenêtres.

Il s'ensuit que la grande liesse, la grande gâterie est le rapport de la Cour des comptes qui paraît chaque année et qui expose au public les diverses gabegies dont l'Administration a été responsable, les marchés désastreux, les gestions aberrantes, les gaspillages éhontés, les combines en tous genres. Les honnêtes citoyens, en prenant connaissance de ces imprévoyances ou de ces turpitudes, sont partagés entre deux sentiments également agréables : l'amertume de voir avec quelle légèreté on fait valser les deniers de l'Etat, et la joie de se dire que, s'ils ne faisaient pas mieux leur métier que les grands (et demi-grands) de ce monde, ils seraient depuis longtemps à l'Armée du Salut.

Il y a une vingtaine ou une trentaine d'années, parut un livre remarquable : *Le Principe de Peter*, qui expliquait pourquoi tout allait mal partout et toujours : c'est parce que chacun tend à atteindre son niveau d'incompétence. Par exemple, tel qui est un sous-directeur fort brillant, fait un déplorable directeur, vu qu'ayant les capacités requises pour le premier poste, il ne les a pas pour le second. Il s'ensuit que tout dans le monde est régenté par des incapables. La Cour des Comptes, en France, est le complément du principe de Peter.

Mais c'est un complément incomplet, si j'ose dire. Le bon peuple aimerait qu'après avoir montré comment tout allait mal elle désignât les misérables ayant atteint leur niveau d'incompétence, les rétrogradât ou, mieux encore, les condamnât à mort, comme on envoyait à la guillotine, sous la Révolution, les généraux qui perdaient les batailles.

Nous avons eu des révélations bien croustillantes, cette année. En particulier le coût de la Grande Arche de la Défense, qui est d'une si parfaite et colossale laideur, et surtout les milliards qu'on a dépensés pour installer le ministère des Finances à Bercy. Le détail le plus amusant est celui de la sculpture destinée à orner la cour d'honneur dudit ministère, qui a coûté un million deux cent mille francs et qu'on a reléguée dans une cave, étant, je suppose, si horrible que même les énarques du lieu s'en étaient aperçu. Une information bien plaisante, enfin, est que les ministères ne paient pas leurs notes de téléphone. Il y a pour six millions de factures en souffrance. Nonobstant, on ne leur coupe pas la ligne.

Il est curieux que personne ne fasse jamais de rapprochement entre les rapports de la Cour des comptes et certains impôts plus ou moins nouveaux. Entre autres celui dit « de solidarité ». Solidarité avec les pauvres ministres, s'entend, et leur personnel.

(6 juillet.)

Le circulus

Le philosophe Pierre Leroux, après avoir longuement médité, inventa la théorie du *circulus*, dont l'idée générale était que l'homme possède des ressources inépuisables avec sa propre matière fécale. En la mélangeant judicieusement à du sable, il obtient un terreau fertile dans lequel prospèrent les haricots, les carottes, les petits pois, les navets, voire les patates. Ainsi l'homme est-il assuré de disposer toujours d'aliments sains et nourrissants qui le rechargent en matière première, laquelle ensuite sert d'engrais. Il n'y a pas de fin dans cet échange, et un individu non constipé a de quoi manger jusqu'à son dernier soupir.

Pierre Leroux s'exila à Londres après le coup d'Etat du 2 décembre 1851. N'ayant guère de ressources, il expérimenta la théorie du *circulus* sur son balcon, dans des caisses de bois qui répandirent bientôt une puanteur dont se plaignit le voisinage. Mais le philosophe n'en avait cure : les haricots et les navets qu'il obtenait et qu'il faisait admirer à ses disciples le consolaient des clabauderies. Il est fâcheux qu'on n'ait pas lu Pierre Leroux dans les divers endroits de la planète où sévit la famine. Cela ne sentirait pas la rose, mais les gens ne mourraient plus d'inanition.

En revanche, il semble bien que le président de la République, qui est un grand érudit, l'ait lu. Non certes qu'il ait fait installer des caisses de bois sur les balcons de l'Elysée, mais il applique le *circulus* à sa manière en libérant périodiquement des fournées de détenus, à l'occasion de telle ou telle solennité.. Cette année-ci, c'est en l'honneur du 14 Juillet qui est le dixième de son règne.

Il s'agit bien de *circulus*, car les détenus en question, généralement, reprennent les activités pour lesquelles ils avaient été mis en prison ; cela donne du travail à la police qui est obligée de les arrêter à nouveau. Sans cet afflux soudain de délinquants, elle risquerait de sombrer dans l'oisiveté, ce qui la démoraliserait et, qui sait, donnerait lieu à des licenciements. Je comprends le pourquoi de ces grâces qui paraissent si étranges à des esprits peu réfléchis : sans elles, il y aurait des policiers au chômage.

Leur autre avantage est qu'elles font de la place dans les prisons. Celles-ci sont, paraît-il, surpeuplées. Libérer des détenus coûte moins cher que de construire des bâtiments pénitentiaires. Et qui paierait ces bâtiments ? Nous autres, les pauvres contribuables, à qui on infligerait, pour cela, un nouvel impôt. Quatre mille voleurs en liberté nous coûteront moins cher peut-être qu'une nouvelle idée éclose à Bercy.

(13 juillet.)

L'attaché de presse

Y a-t-il, en France, un homme de lettres qui n'envie pas M. Diouri ? Je ne vois pas, dans la rentrée de septembre, un livre qui soit mieux lancé que le sien. Y a-t-il un éditeur qui ne rêve d'avoir un attaché de presse comme M. Marchand ? Tous, jusqu'aux plus chétives officines, feraient des ponts d'or à un tel génie de la publicité, qui vous prend un auteur totalement inconnu et, en deux jours, le métamorphose en célébrité.

M. Diouri a eu tout ce qu'un écrivain peut désirer : la une des quotidiens (avec photo, s'il vous plaît !) ; les radios et télévisions ont parlé de lui ; il n'est pas jusqu'aux commentateurs politiques qui ne lui aient consacré leur éditorial. Dans mes rêves les plus fous, je n'ai jamais imaginé une pareille félicité. Lorsque j'attrape un petit article par-ci par-là, un écho, une demi-colonne dans *Le Soir* de Bruxelles, je me trouve sacrément chanceux.

Que faire pour que M. Marchand me prenne en main ? J'aurais justement besoin de lui, devant comme M. Diouri publier un bouquin à la rentrée. Il s'agit d'un roman intitulé *Portraits de femmes*. L'intrigue en est captivante à souhait, on le lit en haletant de la première à la dernière page, on pleure, on sourit finement, on est bouleversé par quelques « inoubliables figures de femmes », comme disent les critiques. Bref, lancer un tel livre ne doit pas être bien sorcier.

Le seul inconvénient (dont je ne me dissimule pas, hélas ! la gravité) est que je ne parle pas du roi du Maroc. Mais qu'à cela ne tienne : si M. Marchand accepte de me prendre pour poulain, je peux très bien rajouter quelques paragraphes sur SM Hassan II, sur Mme Cresson, voire sur notre propre président de la République. Dans le genre féroce et vengeur, je suis tout à fait remarquable ; j'écris des choses « dont on ne se relève pas », c'est-à-dire qu'il faut au moins vingt-quatre heures pour les oublier.

Enfin, je ne suis jamais allé à Libreville. Voilà un voyage qui me plairait. Ce n'est pas que je raffole des vacances, mais ces vacances-là, au soleil de l'Afrique, dans un bon hôtel, tous frais payés par M. Marchand, m'iraient comme un gant. Je reviendrais au bout d'un mois, tout bronzé, ce qui me rend, paraît-il, joli garçon, parce que j'ai les yeux bleus. M. Marchand a si bien fait les choses que M. Diouri a été reçu et fêté par M. Bongo. Je serais très heureux, moi aussi, de rencontrer M. Bongo, que je ne connais pas. Je le peindrais d'une façon épouvantable dans un prochain ouvrage, dont j'espère que M. Marchand s'occuperait également.

(20 juillet.)

Présidentiables !

Les deux seuls candidats pour lesquels j'aurais voté avec plaisir, j'oserai même dire avec ferveur, à la prochaine élection présidentielle ne pourront pas se présenter, pour la raison vraiment misérable qu'ils sont l'un et l'autre étrangers et qu'on ne peut pas élire, du moins jusqu'à présent, des immigrés à des postes politiques. Triste exemple de la xénophobie démocratique.

Mes candidats ont un autre défaut, qui est le métier qu'ils exercent actuellement dans leur patrie d'origine : ils sont rois tous les deux. Or, je ne sais pourquoi, les Français, qui raffolent des rois chez les autres, qui sont ivres de snobisme quand l'un d'eux vient à Paris, pour qui l'adjectif « royal » exprime le paroxysme de l'admiration, qui n'ont eu qu'à se louer du gouvernement monarchique pendant mille ans, sont entichés de la République en dépit de tous les inconvénients et drames que celle-ci leur a attirés depuis 1792.

Mes deux rois sont incommensurablement plus intelligents, plus prudents, plus sérieux que la moyenne de nos politiciens nationaux. D'ailleurs tout le monde en conviendra quand j'aurai dit leur nom : il s'agit de SM Juan Carlos d'Espagne et de SM Hassan du Maroc. Pour ce qui est du

384

premier, c'est non seulement un homme remarquable mais encore un Bourbon de la branche aînée, ce qui ferait plaisir aux quelques douzaines de légitimistes qui subsistent en France. Quant à moi, je trouve qu'un double royaume franco-espagnol groupant quatre-vingt-dix millions de sujets et mené par cet excellent souverain ferait une très estimable puissance, et très adaptée au monde moderne. J'ajoute que SM Juan Carlos a été élu à l'Institut, ce qui fait de lui mon confrère. Mais ce n'est pas la confraternité qui m'anime : il y a plus d'un de mes confrères du quai Conti pour lequel je ne voterais pas.

Un royaume franco-marocain, sous la houlette de Hassan, ne serait pas mal non plus. D'après ce qu'il a déclaré l'autre soir à la télévision, nous avons pu constater qu'il a les idées les plus raisonnables sur quelques grandes questions que notre gouvernement s'est montré incapable de résoudre depuis dix ans, entre autres le chômage et l'immigration. Ne pourrait-on pas l'élire à l'Institut, lui aussi, pour commencer ? Ainsi les chances seraient égales entre Juan Carlos et lui.

Pour être complet, je rappellerai que nous avons un troisième membre de l'Institut qui ferait un bon président de la République : c'est M. Richard Nixon, qui appartient à l'Académie des beaux-arts. Malheureusement, il ne parle pas français aussi bien que les deux autres, et il ne nous apporterait pas les Etats-Unis en dot.

(*27 juillet.*)

La faveur

J'ai été extrêmement jaloux en lisant dans les gazettes que Washington avait accordé à l'URSS le statut de « nation la plus favorisée », qui lève les obstacles douaniers à l'entrée des produits soviétiques sur le marché américain. Après quoi je me suis calmé en songeant que l'URSS, à part des poupées en bois peint et des boîtes laquées, n'avait guère de produits à exporter, la pauvre. Bref, il est peu probable que le fait d'être la nation la plus favorisée des Etats-Unis lui fournisse autre chose que des satisfactions sentimentales. Celles-ci, j'en conviens, ont leur prix.

N'empêche qu'il y a quelque amertume pour nous autres, braves nations occidentales qui, depuis bientôt un demi-siècle, obéissons aux moindres lubies de Washington et poussons l'amour jusqu'au mimétisme, à constater que nous sommes moins « favorisés » qu'un pays dont le seul but a été, entre 1945 et 1985, de faire toutes les misères imaginables aux Américains. Cela ressemble à la parabole du Fils prodigue pour qui l'on tue le veau gras, et dans cette affaire nous avons le triste rôle du Fils aîné.

Heureusement, nous avons le général de Gaulle pour nous consoler. Nous pouvons nous dire que, pendant les onze ans qu'il a été le président de la République française, il a fait de son mieux pour embêter nos amis d'outre-Atlantique : retrait de l'OTAN, discours de Pnom Penh, reconnaissance de la Chine populaire, rétablissement de l'étalon or afin de contre-carrer l'hégémonie du dollar, etc. S'il était encore là, il est sûr que la France serait la nation la plus favorisée des Etats-Unis. Nous les submergerions d'automobiles Peugeot, de locomotives de TGV, de cafetières électriques, de matériel de pétanque, de revues littéraires (rédigées en français) et de médicaments contre le sida fabriqués par l'Institut Pasteur. Mais le Général n'est plus là, et nous ne pouvons rien espérer d'autre que d'être traités comme de vieux amis, c'est-à-dire aussi mal que possible.

Quelle chose étrange que cette manie qu'ont les Américains de distribuer des bons points et des mauvais points, de récompenser et de punir au nom de la morale, à condition, bien sûr, que celle-ci n'aille pas à l'encontre de leurs intérêts. La raison pour laquelle l'URSS a été décrétée nation la plus favorisée est particulièrement amusante : c'est parce qu'elle vient enfin de permettre aux Russes de voyager comme il leur plaira à l'étranger. Comme ils n'ont pas le sou, ils ne risquent pas d'aller bien loin de leurs frontières.

(3 août.)

Terre d'asile

A-t-on caché l'assassinat de Chapour Bakhtiar au général Aoun ? Je l'ai espéré un moment mais cela me semble peu probable. Le pauvre général Aoun est claquemuré depuis je ne sais combien de mois dans l'ambassade de France à Beyrouth. Il doit y périr d'ennui. D'autant que l'époque n'est pas aux réceptions, aux bals, aux grands dîners, qui pourraient lui apporter de la distraction. J'entends bien que c'est charmant de prendre tous ses repas en tête à tête avec M. l'Ambassadeur et Mme l'Ambassadrice, mais peut-être la conversation, quelquefois, languit-elle.

Le général en est réduit à lire le journal, écouter la radio, regarder la télévision. Bref, il ne peut ignorer que deux tueurs sont allés égorger M. Chapour Bakhtiar dans sa villa de Suresnes, après avoir dit aimablement bonjour aux policiers qui gardaient le célèbre proscrit. Le travail fait, les deux braves sont partis en toute tranquillité. D'après ce que j'ai lu dans les gazettes, leur idée était de passer en Suisse, en se proclamant turcs.

La Suisse était un mauvais choix. C'est un pays sérieux, où les gens font bien leur métier. Le douanier helvète, examinant à la loupe leurs passeports, constate que les visas sont faux, leur inflige une amende et les refoule chez nous, où ils font toujours du tourisme, du moins au moment où j'écris ceci. Il est possible, après tout, qu'on les arrête d'ici à ce que ma chronique paraisse. Possible, mais pas sûr. M. Marchand, ministre de l'Intérieur, qui est en vacances, ne sait peut-être pas, lui, que M. Bakhtiar a été tué. Il serait charitable de le

387

lui apprendre, afin qu'il fît une belle déclaration en langue de bois. Cela galvaniserait la PJ, assurément.

Si le général Aoun parvient, sans être tué en chemin, à gagner l'aéroport de Beyrouth afin de prendre un avion pour la France, il ne sera pas sauvé pour autant. On peut même penser que le danger, pour lui, commencera au moment où il débarquera sur notre sol. Enfin, il aura toujours la ressource de se réfugier à l'ambassade du Liban. A sa place, j'irais en Suisse plutôt qu'en France. Il y a de bien jolies maisons autour du lac Léman, où il pourrait en toute sécurité attendre la vieillesse. La Suisse n'est pas une « terre d'asile » comme la France, mais il est certain que les réfugiés politiques y vivent plus longtemps.

(17 août.)

Imbéciles ou salauds

Quel dommage que les intellectuels occidentaux qui se sont donnés à l'URSS depuis 1935 ne disent plus rien à présent ! J'entends bien que ce ne sont plus des jeunes gens, que quelques-uns sont des vieillards chenus et que beaucoup d'entre eux avoisinent la soixantaine. A ces âges, on n'a pas trop envie de révéler au monde que pendant un demi-siècle on a apporté généreusement son concours à l'une des plus lourdes tyrannies que l'humanité ait connues. Néanmoins je trouve qu'il ne serait pas sans élégance qu'une ci-devant taupe, par exemple, ou un ci-devant fanatique se frappât publiquement la poitrine.

Cela serait d'autant plus élégant que les seules choses qu'on pourrait dire sont : j'ai été une dupe, ou : j'ai été sciemment un auxiliaire de l'oppresseur. Je ne sais pas lequel de ces deux aveux est le plus douloureux. C'est reconnaître qu'on a été un imbécile ou un salaud. Ce mot de « salaud » est chargé, en l'occurrence, d'une particulière ironie. C'est le terme qu'utilisait Sartre pour désigner les gens qui ne partageaient pas ses opinions ; c'est-à-dire ceux qui n'étaient pas aveuglés par l'imposture communiste et qui, éventuellement, y résistaient.

Au fond, ce qui attire les hommes, c'est la force et la cruauté. Les intellectuels, ou ce que Benda appelait « les clercs », en sont fascinés plus que d'autres. Curieusement, ils n'admettent pas que le bonheur des peuples, comme tous les bonheurs, puisse être une chose délicate à équilibrer, qui exige des précautions, des modifications prudentes et empiriques, une légèreté de touche perpétuelle, toutes choses auxquelles les vieilles monarchies excellaient. Il leur faut des bouleversements sociaux, des ères nouvelles, du jamais-vu. C'est ce qu'on appelle du « bovarysme », à savoir la croyance qu'on peut « changer la vie ». Le bovarysme des élites occidentales a été le grand atout du communisme et un des secrets de la puissance de l'URSS qui a duré jusqu'à ce que la vérité revienne en force et termine le bovarysme en tragédie.

Car la vérité du monde finit inévitablement par s'imposer. Cela prend plus ou moins de temps. Evidemment, lorsqu'elle s'impose vite, les dégâts sont moins grands que quand il lui faut soixante-treize ans pour réapparaître.

J'ai vraiment écrit cette chronique pour le plaisir : elle ne servira à rien. Il y aura toujours des dupes et des salauds parmi les intellectuels pour aider la prochaine imposture politique parce qu'elle ne ressemblera pas, extérieurement, aux précédentes, quoique, dans le fond, ce soit toujours la même chose.

(*20 août.*)

Les peuples centrifuges

Les peuples sont individualistes. Ils répugnent aux empires, tout comme les individus répugnent à l'embrigadement et à l'uniformité. Il y a en eux un puissant instinct familial qui les pousse à se séparer des autres peuples auxquels on les a artificiellement unis, afin de se retrouver indépendants dans leur territoire propre, avec leur langage, leurs traditions, leurs secrets, leur méfiance à l'égard du monde extérieur. Cela ne signifie pas qu'après y être parvenu ils ne se livreront pas à de sanglantes rivalités, voire à la guerre civile, mais c'est le lot des familles de se déchirer.

Les fondateurs d'empire ne savent pas cela, ou, s'ils le savent, ils ne tardent pas à l'oublier. Ils se flattent que l'empire qu'ils ont assemblé durera toujours, ou du moins très longtemps, que les peuples qu'ils ont soudés par leur seule volonté finiront par s'en accommoder, parce qu'ils y trouvent la paix, l'ordre, la prospérité, et qu'ils participent de la puissance de l'ensemble.

Non seulement le fondateur a bonne conscience, étant persuadé qu'il fera le bonheur des pays qu'il a conquis, mais encore il a une poigne de fer, en sorte que personne ne bouge. Les peuples sont comme les individus : faciles à intimider, poltrons, admirant la force, se taisant prudemment. Tant que le fondateur est en vie, sa grande ombre les exalte et les épouvante. Si le successeur a une poigne pareille, ils continuent à rester tranquilles. Mais la poigne ne se transmet ni héréditairement ni par élection. Un jour vient inévitablement où l'un des empereurs a des scrupules, des idées humanitaires, un cœur accessible à la pitié, et tout est fichu.

Je dis que les peuples sont comme les hommes : ce n'est pas exact ; ils sont comme les enfants qui sentent instantanément les faiblesses de leurs parents et en profitent. Nous assistons en ce moment à un spectacle étonnant qui est le démantèlement accéléré d'un empire dont on croyait qu'il était figé pour un siècle, sinon davantage. On s'aperçoit que l'idéologie n'en était nullement le ciment, ainsi qu'on le prétendait, mais la poigne de Lénine, de Staline et de Brejnev. Tout à coup, il n'y a plus eu de poigne.

Ce qui est solide, c'est les patries, qui ont mis longtemps à se créer, et qui se sont habituées à être ce qu'elles sont, même si leurs éléments sont parfois hétéroclites, comme c'est le cas pour la France et l'Angleterre. Elles-mêmes d'ailleurs ne sont pas à l'abri des petits nationalismes qui éclosent dans leurs provinces, exactement pour la même cause qui détruit les empires : parce qu'on ne sent plus de conviction dans le gouvernement central et que, par suite, on n'a plus peur de la loi.

(22 août.)

Un drame des vacances

La leçon à tirer des récents événements de Moscou, et à laquelle devraient réfléchir les Français qui ont la chance de n'être pas chômeurs, c'est que rien n'est dangereux comme de prendre des vacances. Si M. Gorbatchev, au lieu d'aller se prélasser au soleil, était resté au Kremlin, dans son bureau, assis à sa table, les lunettes sur le museau, une main sur le téléphone, l'autre sur le stylo, personne n'aurait songé à prendre sa place.

Il paraît qu'en URSS on fait des gorges chaudes parce que M. Ianaev et ses putschistes étaient les propres ministres de M. Gorbatchev. Il n'y a pas de quoi tant rire : ce sont nos amis, nos subordonnés, nos obligés, ceux dont on ne se méfie pas qui profitent de notre absence pour s'asseoir dans notre fauteuil.

Quoique le putsch se soit dégonflé comme un pneu crevé, je crains que M. Gorbatchev n'ait pas fini de se mordre les doigts d'être allé en vacances. En effet, son concurrent le plus dangereux, M. Boris Eltsine, qui est un malin, n'était pas parti, lui. Il siégeait dans son parlement de Russie, il montait sur les chars, il désarmait les soldats rebelles en leur serrant la main, il haranguait la foule. Pendant trois jours le peuple n'a eu que lui pour défendre la liberté. Bref, si quelqu'un est sorti grandi de l'affaire, c'est bien lui. Grandi est peu dire : tout seul il a flanqué par terre le coup d'Etat ; le voilà maintenant, en fait, le premier personnage de l'URSS.

Dernier effet désastreux des vacances de M. Gorbatchev : l'Occident s'est bien trop indigné en sa faveur. Je serais citoyen soviétique, ce déchaînement, ces menaces de couper toute aide économique à l'URSS, ces imprécations variées, cet ambassadeur américain que l'on convoque à Washington, etc., m'auraient fait mauvaise impression. Je n'aurais pu m'empêcher de songer à Louis XVI soutenu par les monarchies européennes contre la Révolution française. Je me serais dit, même si c'était faux, qu'un homme qui est si cher à l'étranger doit avoir quelques inconvénients.

Lorsque le général de Gaulle était président de la République, il n'avait pas assez de sarcasmes pour les ministres qui arboraient un teint bronzé, en sorte que les malheureux, s'ils osaient parfois prendre trois ou quatre jours de congé, évitaient soigneusement de se mettre au soleil. Voilà ce que j'appelle un homme sérieux. Cela n'a pas empêché pourtant la petite drôlerie de Mai 68, parce que, imprudemment, il était allé faire un voyage en Roumanie. Comme quoi, quand on a une bonne place, il ne faut jamais en bouger.

(24 août.)

Les héros éponymes

Il n'est pas de tout repos d'être un héros éponyme, c'est-à-dire quelqu'un dont on donne le nom à une rue ou à une ville. Finalement ce sont les rois et les empereurs, dans ce domaine, qui tiennent le coup le plus longtemps. Le record doit être Alexandrie qui fut fondée par Alexandre le Grand en 332 avant J-C Césarée n'est pas mal non plus. Louis XIV, quoiqu'il n'ait qu'une toute petite rue près de l'Opéra, se défend bien avec la Louisiane, Sarrelouis, et le lycée Louis-le-Grand.

Le xxᵉ siècle n'est pas clément pour les héros éponymes. Combien y avait-il d'Adolf-Hitler Strasse en Allemagne en 1945 ? Une quantité certainement. Il ne serait pas facile d'en retrouver une seule aujourd'hui. Quant à Lénine et Staline que l'on croyait installés pour longtemps dans leurs pénates posthumes, ils me semblent bien mal en point. Quand on commence à débaptiser et à déboulonner, on ne s'arrête que quand il ne reste plus rien.

Lénine a été un peu plus coriace que Staline. Je veux dire qu'il lui a survécu trente ans, puisque Stalingrad est devenu Volgograd en 1961 et que Leningrad n'est redevenu Saint-Pétersbourg que ce mois-ci. Mais qu'est-ce que trente ans dans la vie d'un éponyme ? Dans un siècle, on aura l'impression que ces deux bonshommes ont été rayés de l'Histoire simultanément, qu'ils ont été renvoyés ensemble au néant comme deux mauvais souvenirs.

Volgograd n'est pas un bien joli nom pour une ville. Qu'attend-on pour la rebaptiser Tsaritsyne, comme elle s'appelait avant la révolution d'Octobre ? Mais cela va venir, probablement. On peut compter sur M. Eltsine, qui a du patriotisme, c'est-à-dire qui est attaché au passé de son pays, à ses vieilles gloires, à ses antiques traditions, pour œuvrer dans ce sens. Peut-être que le mot « tsar » lui fait encore un peu peur, mais cela ne durera pas. Gorki, étant homme de lettres, gardera peut-être sa ville quelques années de plus. Toutefois, cet homme de lettres a fait de la politique, il était ami de Lénine, et il me semble bien que Staline a été le témoin de son mariage avec une baronne balte que j'ai connue, jadis, à Londres. Tout cela n'est pas fameux par les temps qui courent. Je prends le pari que le nom vénérable de Nijni-Novgorod renaîtra de ses cendres.

Paris aura décidément joué un grand rôle dans la vie de Lénine. Il habitait dans le 14ᵉ arrondissement, rue Marie-Rose, lorsqu'il organisait la révolution avant la guerre de 1914. A présent qu'il est mort, il y a dix rues Lénine dans les municipalités communistes de banlieue. Et dans le quartier de l'Europe, nous avons une rue de Leningrad, qui descend de la place Clichy. Elle n'est pas près de s'appeler rue de

Saint-Pétersbourg, si l'on se fonde sur la station de métro Stalingrad. Après que la momie du cher Lénine aura été expulsée de sa taupinière de la place Rouge, ce qui ne saurait tarder, nous pourrons peut-être la recueillir et l'héberger. Au Panthéon, par exemple.

(*21 septembre.*)

Les criminels du béton

Moi qui me fais un devoir de ne jamais signer de pétitions, j'en ai quand même signé une récemment : celle qui adjure le gouvernement de ne pas construire la « Bibliothèque de France » ou de la construire autrement. A la vérité, j'ai signé non pas pour l'argument que fait valoir la pétition, à savoir qu'il est funeste de ranger les livres en hauteur dans des grands bâtiments de verre, alors qu'ils ne peuvent subsister que dans les sous-sols et les endroits ombreux, mais tout simplement parce que j'ai vu là l'occasion de protester contre l'édification dans Paris de quatre « tours » supplémentaires.

Les tours sont des abominations. Tout au moins dans nos villes françaises. Elles les écrasent, elles les défigurent, elles en font n'importe quoi. Et cela dans la pire intention : pour que notre coin d'Europe ressemble un peu (en plus moche) à l'Amérique. Cet américanomorphisme est une des grandes sottises du monde actuel. Et cela dure depuis vingt ans. Le nombre d'horreurs américanomorphes édifiées à partir de 1970 est consternant. Ah ! Que Paris était beau avant la tour Montparnasse, avant la Défense, le Front de Seine, avant le Palais des Congres (j'enlève intentionnellement l'accent grave), avant le Centre Pompidou, avant les colonnes du Palais-Royal, avant la pyramide du Louvre !

Les gouvernements (de gauche comme de droite, hélas ! l'amour des horreurs est partout), les promoteurs, les architectes croient que tout ce qui est américain ou qui a le genre américain est moderne, et que, par conséquent, il faut édifier des gratte-ciel dans tous les coins. Il est étonnant que personne n'ait reconnu là l'esthétique du chalet normand qui fit tant de ravages entre 1900 et 1930. On en construisait partout, jusque dans les Causses, jusque sur la Côte d'Azur. Le chalet normand était l'idéal du petit-bourgeois. Rien n'est saugrenu (et hideux) comme un chalet normand en dehors de la Normandie. De même, rien n'est plus saugrenu ni plus hideux qu'une tour en dehors du territoire des Etats-Unis. Spécialement à Paris, ville qui n'a pas plus de vingt-cinq mètres de hauteur. Les seules belles tours parisiennes sont celles de Notre-Dame et, bien sûr, celles de Saint-Sulpice.

Voilà pourquoi je serais bien content si on arrivait à raser les tours de la Bibliothèque de France avant même qu'on ne les bâtisse. Mais raser des tours n'est pas une petite affaire. Seul Richelieu en était capable. Malheureusement il n'est plus au pouvoir depuis pas mal de temps.

A ceux qui, comme moi, sont allergiques à la construction contemporaine et aux enlaidissements systématiques de la France, je conseille vivement la lecture d'un petit ouvrage qui vient de paraître et qui s'intitule *Les Criminels du béton*, dont l'auteur est mon camarade Alain Paucard, président du Club des Ronchons (Editions des Belles Lettres). Les criminels du béton sont pires, d'une certaine façon, que les criminels de guerre. Ceux-ci détruisent, puis disparaissent et on les oublie. On ne peut oublier les criminels du béton : leurs traces sont partout.

(*28 septembre.*)

Le style Restauration

Je me suis souvent demandé pourquoi les hommes politiques unanimes, de gauche comme de droite, flétrissaient avec tant d'énergie les électeurs qui s'abstenaient de voter aux consultations nationales. Qu'est-ce que cela peut leur faire, pensais-je, qu'il y ait peu ou beaucoup de votants ? Le système reste le même : est élu celui qui remporte la majorité des suffrages. Ils devraient être plutôt contents, continuais-je à penser, que 50 ou 60 pour cent du corps électoral se fiche de la façon dont le pays sera gouverné : ce sera autant de gens qui ne pourront pas se plaindre si les choses tournent mal puisque, ayant eu leur mot à dire, ils ont dédaigné de le faire.

A la longue, je me suis aperçu de la fausseté de mon raisonnement. Une démocratie est une espèce de restaurant dont les hommes politiques sont les patrons et les maîtres d'hôtel. Il faut que le restaurant soit achalandé pour qu'il ait bonne réputation. Si le bruit se répand qu'on y mange exécrablement, que les additions qu'on vous présente sont autant de coups de fusil, que le personnel de l'établissement est malpoli, qu'on est malade après chaque repas, etc., il n'y a bientôt plus de pratiques.

Lorsque Louis XVI, le 15 juillet 1789, se rendit devant l'Assemblée nationale, Mirabeau demanda qu'il fût accueilli avec « un morne respect », et il ajouta : « Le silence des peuples est la leçon des rois. » On pourrait dire de même que l'abstentionnisme est la leçon des démocraties, à cela près, toutefois, qu'il ne s'accompagne pas d'un « morne respect » mais plutôt de toutes sortes de moqueries et d'injures à l'égard de la grande gargote nationale.

Le plus singulier est que le restaurant continue à servir impavidement ses ragougnasses sans chercher à les améliorer le moins du monde, et que les restaurateurs, tant que la boutique ne ferme pas, jouissent de confortables revenus. C'est qu'ils font payer non seulement leurs clients, c'est-à-dire les électeurs qui votent, mais encore ceux qui ne viennent pas manger chez eux, c'est-à-dire les abstentionnistes.

Qu'est-ce qui pourrait redonner un peu d'éclat au restaurant démocratique et y attirer de nouveau la clientèle ? La moindre des choses : un peu de dévouement du personnel, un ou deux plats réussis, des cuisiniers passables et — pourquoi pas ? —, de temps en temps, une bonne « surprise du chef ».

Je me souviens d'une époque où les surprises du chef étaient fréquentes, succulentes et inopinées. Curieusement, alors, le chef était un militaire de carrière. Comme quoi il n'est pas nécessaire, pour réussir dans la restauration, d'avoir fait l'école hôtelière.

(*5 octobre.*)

Kopecks et dollars

L'inconvénient des changements de régime, c'est que les petits secrets, tout à coup, apparaissent sur la place publique. Les nouveaux maîtres s'empressent de les divulguer pour montrer rétrospectivement la noirceur de leurs prédécesseurs. Ces choses-là ne se produisaient pas au temps des monarchies ; les subventions, pots-de-vin, pourboires, dessous-de-table, sacs de pistoles, commissions et autres moyens corrupteurs étaient hermétiquement préservés par une discrétion héréditaire. Moyennant quoi tout le monde vivait dans la respectabilité.

On n'a jamais entendu un monarque dire à la presse : « Mon père à qui je viens de succéder était un vieux coquin qui envoyait de l'argent aux séparatistes bosniaques pour embêter l'empereur d'Autriche et qui donnait des subsides au parti des bousingots pour entretenir l'agitation à Paris. Avec moi, ces honteuses pratiques sont finies ; désormais, plus personne ne recevra d'argent. Et si quelqu'un vient m'en demander, je m'empresserai d'en informer le monde entier qui saura ainsi où se trouvent les vendus. »

La mésaventure du pauvre PCF, dont un hebdomadaire russe vient de raconter qu'il encaissait des millions de roubles chaque année, est vraiment caractéristique de notre époque instable. On pensait bien que l'URSS arrosait les partis frères ici et là, mais ce n'était qu'une médisance, un ragot politique. Qui aurait jamais imaginé que le bailleur de fonds lui-même, connu pour sa discrétion, mangerait le morceau ?

397

Dans ces matières, une certitude (ou un aveu) est tout autre chose qu'une supposition. Même si rien n'est vrai, même si le PCF parvient à prouver qu'il n'a pas touché un kopeck de Staline et de Brejnev, on croira toujours qu'il a été le stipendié du KGB. La calomnie, c'est du cyanure, comme disait à peu près Beaumarchais.

Un détail m'a particulièrement égayé dans cet événement déplorable : c'est que les journaux qui en ont rendu compte n'ont parlé que de dollars. Le PCF, disent-ils, recevait de l'URSS « deux millions de dollars par an ». Le PC portugais, un million. Le PC grec, neuf cent mille. Même le PC israélien (il y en a un) avait droit à six cent mille dollars. C'est assez curieux, quand on y réfléchit, de convertir automatiquement en dollars l'argent de la corruption. Je me demande si des millions de vrais dollars viennent des Etats-Unis, non pour engraisser les partis communistes qui sont devenus bien maigres, mais pour d'autres achats moins aléatoires. Les Américains, en dépit de leur manie de tout dire, sont quand même moins bavards que les Russes. Ils ne nous diront pas cela, je le crains.

(12 octobre.)

De l'insolence

Voici quelques exemples d'insolence :

« Je vous écrirai demain sans faute. — Ne vous gênez pas, écrivez-moi comme à votre ordinaire » (Rivarol).

Quand Napoléon III confisqua à son profit les biens immenses des Orléans, M. Dupin, président de l'Assemblée et membre de l'Académie française, déclara : « C'est le premier vol de l'Aigle. »

Le mot de Forain à une dame quittant une réunion où il se trouvait est célèbre : « Quand je serai partie, ne dites pas trop de mal de moi », minaudait-elle en prenant congé. « Non, je vous défendrai », répliqua Forain.

L'insolence a été un des beaux arts en France. Au XVIIIᵉ siècle, elle remplaçait presque le duel. Elle avait encore cet avantage sur l'épée que le roi lui-même pouvait s'en servir contre tel ou tel de ses sujets. Louis XV avait sûrement autant d'esprit que les philosophes de son temps. On rapporte une réplique admirable de lui au peintre La Tour qui faisait son portrait au pastel. Durant les séances de pose, La Tour, qui n'était pas intimidé, exposait en toute simplicité à Sa Majesté ses idées sur la politique. Louis XV écoutait avec patience, à la fois par respect pour l'artiste et bonne éducation. « Convenez, Sire, dit La Tour, que nous n'avons pas de marine ! — Je vous demande pardon, M. La Tour, dit le roi, nous avons M. Vernet. » Il est difficile de remettre plus joliment et plus finement quelqu'un à sa place, de lui dire par allégorie de ne pas sortir de ses compétences.

L'insolence et son corollaire l'irrespect ont disparu des mœurs françaises il y a une vingtaine d'années, lorsque le charabia des universitaires, des ecclésiastiques, des techniciens, des présentateurs de télévision, l'a emporté sur la langue française traditionnelle telle qu'on l'avait parlée pendant quatre siècles. Il est impossible d'être insolent ou irrespectueux en jargonnant. Le jargon est, par essence, grave, pédant, niais, snob. Surtout, il vise à donner à celui qui l'emploie l'air important, l'air d'un initié. L'insolent ne pose jamais à cela. Au contraire, il s'en amuse.

Je dis que l'insolence s'est presque substituée au duel. Certes, mais c'est encore de l'escrime, et l'escrime n'est pas un art pour les curés conciliaires, les cuistres, les politiciens, les « scientifiques », bref, pour tout ce qui fait la loi dans le monde actuellement, et qui impose son parler barbare. Il y faut la langue française, toute pure comme une lame, trempée dans l'imparfait du subjonctif et maniée d'un poignet aristocratique.

Périodiquement, quelqu'un, dans la presse, se lamente parce qu'il n'y a plus d'insolence, plus d'irrespect chez nous. Il y en aura de nouveau quand on se remettra à parler français. C'est tout simple.

(*18 octobre.*)

Que faisait-il dans cette caverne ?

Les savants professeurs disent quelquefois des choses fortes. Par exemple, M. Courtin, qui jouit du titre de « directeur de recherches au CNRS », s'est avisé, non sans étonnement, à propos des peintures rupestres découvertes récemment dans les calanques de Cassis, que les hommes préhistoriques « n'étaient pas les sombres brutes qu'on imaginait ». Moi, qui ne suis pas un savant (ou un « scientifique », comme on dit aujourd'hui), j'aurais pu l'éclairer depuis longtemps.

A cause du sieur Darwin et de sa théorie du transformisme, l'homme-des-cavernes est le grand calomnié de l'histoire moderne. On raconte vraiment n'importe quoi sur ce malheureux. Entre autres que, quand il désirait s'accoupler avec une femme des cavernes, il commençait par la rouer de coups et la traîner par les cheveux sur quelques kilomètres. S'il y avait la moindre vérité dans cette invention, tout ce qu'on pourrait en déduire c'est que, déjà, à cette époque reculée, l'homme était différent des animaux. Ceux-ci, en effet, à la saison des amours, font toutes sortes de gracieusetés et de mignardises à leurs femelles pour les séduire.

Chesterton, qui croyait en Dieu et qui, par conséquent, avait la certitude que l'homme était une créature unique et la mesure de toute chose, pose la seule question sérieuse sur la préhistoire : Que faisait l'homme des cavernes dans sa caverne ? Or c'est là justement le seul renseignement que nous avons sur lui : il faisait de la peinture. En d'autres termes, c'était un artiste. Si on donne des pinceaux et des couleurs à un gorille, il pourra bien barbouiller au hasard une paroi de caverne, mais ses barbouillages, en un million, ou en dix millions d'années, ne ressembleront jamais à un bison ou à un élan. Le gorille ne saurait alimenter de ses productions que les galeries d'art abstrait de Paris et de New York, qui sont spécifiques du XXᵉ siècle de l'ère chrétienne.

L'idée géniale de Darwin, qui a entraîné l'adhésion des têtes de linotte pensantes, c'est que les choses se sont faites lentement, qu'il s'est écoulé des périodes infinies entre le moment où le poisson a commencé son évolution et celui où il est devenu *homo sapiens*. Puisque cela a duré si longtemps, se disent les linottes, cela prouve que Dieu n'existe pas. Curieux raisonnement. Il y a tout autant de mystère et de merveilleux à transformer une carpe en Charles Darwin, voire en M. Courtin, même si cela prend dix mille siècles, qu'à créer Adam par un foudroyant acte d'amour.

Pour en revenir à l'homme des cavernes, je pense que c'était un charmant garçon, et qui ne s'exprimait pas par onomatopées comme dans les romans des frères Rosny. Sachant peindre, il devait savoir aussi faire des vers et peut-être de la musique. Contrairement aux chercheurs du CNRS, je ne serais pas tellement étonné si l'on apprenait un jour qu'il connaissait le chauffage central.

(*26 octobre.*)

L'exemple de la Pologne

Vue de France, la situation polonaise après les récentes élections législatives paraît tout à fait enviable. Dans le prochain parlement polonais, qu'on appelle la Diète, il y aura plus de vingt partis politiques différents et plutôt antagonistes. Notre IVᵉ République, entre 1944 et 1958, n'en comptait pas autant dans son Assemblée nationale. Quel régime charmant c'était ! Au moindre scandale, vlan ! on mettait le gouvernement par terre. Les ministres n'osaient pas prendre de décisions importantes, vu qu'ils ne restaient guère en place plus de quatre ou cinq mois.

Certes, en matière de politique étrangère, ce n'était pas bien fameux ; le monde entier se moquait de nous, de nos fiertés mal placées et de nos humilités encore plus mal placées. Mais à l'intérieur, que d'avantages ! Le président de la République, que ce fût M. Auriol ou M. Coty, n'avait pas la moindre idée en matière d'art, d'esthétique, d'urbanisme ou, s'il en avait, se gardait bien de les exprimer. Il faut rendre cette justice au général de Gaulle qu'il n'en avait pas davantage. C'est après lui que les gens de goût sont arrivés, et que tout a été fichu.

La grande tentation d'un homme politique, quand il devient ministre, est d'avoir des idées. Habituellement, ce sont des idées stupides, qui coûtent cher et qui apportent une incommodité de plus au pauvre peuple, quand elles ne provoquent pas de catastrophes. L'autre tentation est d'avoir du goût. Or, par une espèce de malédiction, les ministres ont un goût détestable. Jadis ils n'aimaient que le genre pompier et surchargé. Depuis une vingtaine d'années, ils sont saisis d'une frénésie de modernisme. Comme leur pouvoir, à cause de la Constitution de la Ve République, est très stable et très étendu, ils ont tout le temps et toute la liberté de répandre sur le pauvre sol français des horreurs architecturales. Il faudra bien, un jour, raser la plupart des choses qui ont été construites depuis 1970, date à laquelle on a soudain commencé à voir dans Paris des endroits laids, ce qui n'était pas arrivé depuis Philippe Auguste.

Des ministres qui ne conservent leur ministère que quatre ou cinq mois ne peuvent pas faire de bien grands dégâts, ni imposer sérieusement leurs chimères. Le président de la République, n'ayant pas de majorité à sa dévotion, est logé à la même enseigne. Je ne nie pas que cette précarité dans le pouvoir n'ait des inconvénients. Mais la stabilité c'est bien pire, quand on n'a pas pour maître un homme de génie comme celui que les godillots appelaient « le Vieux » et qui, en plus, était modeste.

Pour en revenir à M. Walesa, je trouve que les Polonais n'ont pas été si fous en se donnant une Diète ingouvernable. M. Walesa va être obligé de travailler dur pour apporter quelques améliorations à son pays. Il n'aura pas une minute à lui pour penser à ses idées ou à ses goûts. Cela fait rêver.

(2 novembre.)

Les antidémagogues

La démocratie française, telle qu'on peut l'observer sous la Ve République, est une chose étrange. On a le sentiment que les gouvernements s'ingénient à faire ce qui sera le plus désagréable à la population, le plus propre à l'exaspérer, voire à lui faire horreur. Ah ! Où est-il le bon temps où les hommes politiques étaient des démagogues, où ils ne s'autorisaient pas la moindre chose qui eût risqué d'agacer les électeurs !

La démagogie a été supplantée par deux passions (ou deux vices) dont aucun des membres de ce qu'on appelle la classe politique n'est exempt. Ces deux passions sont le snobisme et la morale. On les trouve autant à gauche qu'à droite, quoique sous des formes différentes.

Le snobisme de la droite, lorsqu'elle était au pouvoir, consistait à ressembler autant qu'elle le pouvait à la gauche. Elle avait honte d'être de droite. A ses yeux, il n'y avait de chic qu'à gauche. Il fallait être plus socialiste que les socialistes, plus pleurnichard que les humanitaires professionnels, avoir des lendemains qui chantaient plus fort que les autres, et ainsi de suite. Moyennant quoi, le peuple, furieux d'avoir, en votant à droite, donné le pouvoir à une gauche honteuse, vota en 1981 pour la vraie gauche, en pensant peut-être qu'elle ferait une politique de droite.

Elle la fit, en effet, après deux ou trois ans de bêtises idéologiques, non par snobisme, mais par nécessité. Le snobisme de la gauche est ailleurs : elle veut persuader le monde qu'elle a beaucoup de cœur et beaucoup de goût, qu'elle vibre comme une harpe éolienne à toutes les injustices du monde et qu'elle s'y connaît fameusement en peinture, architecture, sculpture, littérature, musique. Pour épater qui ? Elle-même sans doute. En tout cas, pas le peuple, qui veut qu'on coupe la tête aux assassins et qui déteste les machins modernes tout verre et fer-blanc que l'on construit à tour de bras dans nos pauvres villes.

Le peuple sait très bien que les hommes politiques, quel que soit leur bord, n'ont pas plus de cœur que de goût. D'ailleurs ce n'est pas cela qu'il leur demande. Il leur demande d'être sérieux, sans imagination, sans pitié, sans fantaisie, avares des deniers de l'Etat, pratiques, cyniques, raisonnablement agressifs avec l'étranger. Bref, tout le contraire des belles âmes et des amateurs d'art.

(9 novembre.)

Ce régime est badin

Dimanche dernier, en contemplant et en écoutant le président de la République, je songeais à Swift. Celui-ci a énoncé la maxime numéro un de la politique : « Je dois me plaindre que les cartes sont mal battues jusqu'à ce que j'aie un beau jeu. » Tant que les socialistes ont eu un beau jeu, ils trouvaient les cartes très bien battues. En 1986, la partie ayant duré cinq ans et ayant comporté un certain nombre de coups malheureux, les cartes n'étaient plus très fameuses. Les pauvres joueurs socialistes avaient une main lamentable. En revanche, leurs adversaires regorgeaient d'atouts et de cartes maîtresses.

Situation affreuse ! Il fallait sans tarder rebattre les cartes, et vigoureusement. Cela donna le scrutin proportionnel, grâce auquel l'opposition ne put gagner les élections législatives de 1986 que de justesse. Sans le scrutin proportionnel, la gauche n'eût pas été loin d'être capot.

Nous voici dans une de ces tragiques circonstances où il est nécessaire de battre les cartes une fois de plus, sous peine de catastrophe. Et le grand Croupier national, d'après ce que j'ai compris, n'a pas l'intention de s'en tenir là. Il veut changer le règlement du casino. Ce qui est particulièrement remarquable est la façon dont il s'est défaussé de deux millions et demi de chômeurs. Ces chômeurs-là n'étaient pas dans son jeu. Le clan adverse les lui a sournoisement refilés quand il s'est assis à la table de bridge.

Que va être l'« injection » de proportionnelle dans le prochain scrutin ? Voilà un gros travail pour M. Marchand, ministre de l'Intérieur, dont la barbe risque de blanchir prématurément. Il lui faudra étudier avec minutie chaque circonscription et n'injecter de la proportionnelle que dans celles où l'opposition risque de rafler les sièges. En revanche, dans les « bonnes » circonscriptions, c'est-à-dire celles où les socialistes sont à peu près sûrs d'être élus, il est impératif de garder le cher vieux scrutin majoritaire. Voilà une belle et grande mission pour M. Marchand. S'il arrive à un scrutin serré, comme en 86, je lui vois un bel avenir dans une France socialiste.

Dans *L'Habit vert*, de Flers et Caillavet, le duc de Maulévrier dit de la République : « Ce régime est badin. » Cette réplique date de 1912. Il me semble qu'elle n'a rien perdu de sa pertinence.

(*16 novembre.*)

Il faut sauver les Gobelins

Les Gobelins sont un des trésors de Paris, et on veut le lui voler. Le plus singulier est que le voleur est justement l'homme chargé de sa garde, à savoir le ministre dit de la Culture. Les Gobelins existent depuis trois cents ans. Ils sont plus qu'une manufacture de tapisserie : c'est une des grandes choses qui restent de notre passé. Depuis leur fondation, ils n'ont jamais bougé de l'endroit que Louis XIV, Colbert et Le Brun leur avaient assigné.

Ce lieu, par l'action conjuguée des siècles et du beau travail que l'on y fait toujours, est devenu magique. Je m'y suis promené cette semaine. Je ne dirai pas que rien n'a changé depuis le XVIIe siècle, car il y a dans l'enceinte des Gobelins quelques constructions modernes, mais l'air qu'on y respire est le même. Les employés sont des gens de notre temps, bien sûr, mais ces artisans, ou, pour mieux dire, ces artistes ont une politesse, une gentillesse, un amour de leur travail qu'ils ont directement hérités de l'Ancien Régime. Autre chose miraculeuse : cet îlot de maisons anciennes, de verdure, de silence, donne l'impression d'être à des années-lumière des ignominieuses tours dont on a couvert le 13e arrondissement.

Le ministère de la Culture, dont dépendent les Gobelins, a pris la décision de les « délocaliser », comme il dit dans son jargon, c'est-à-dire de les expédier dans l'Oise ou dans la Creuse. Cela entre dans le cadre de la décentralisation administrative : il faut que chaque ministère envoie en exil 5 pour cent de ses fonctionnaires. C'est ainsi que cent vingt artisans-artistes des

405

Gobelins, cent vingt familles dont certaines comptent plusieurs générations de lissiers et de tapissiers, vont être déracinées.

Car c'est bien de déracinement qu'il s'agit. Et ce déracinement a été préparé de longue main. On a commencé par fermer le musée des Tapisseries afin d'y emmagasiner les meubles du ministère des Finances lorsque celui-ci a quitté la rue de Rivoli et s'est logé à Bercy. La chapelle où avaient lieu des expositions a été transformée en entrepôt. Pour finir, on a nommé il y a un mois un nouvel administrateur, lequel n'est rien d'autre qu'une espèce de syndic de faillite. Le plus drôle est qu'on a été le chercher en province : il s'occupait de l'action culturelle (j'ignore ce que c'est) dans le Poitou.

Quelquefois, en criant très fort et à temps, on empêche un mauvais coup de se faire. Il faudrait que les Parisiens fissent savoir en masse qu'ils veulent garder les Gobelins dans le 13e arrondissement. Que cela leur appartient depuis le Grand Siècle, qu'ils y tiennent, qu'ils s'opposent à ce qu'un gouvernement de rencontre prenne la décision saugrenue de les déménager. Le ministère de la Culture doit bien avoir cent vingt nullités dans ses bureaux qu'il serait sans importance d'installer à trois ou quatre cents kilomètres. Mais les nullités sont intouchables, c'est bien connu. C'est toujours les gens de valeur qui trinquent.

(*23 novembre.*)

La censure par la TVA

Il y a longtemps que les écrivains français n'ont pas été persécutés. En ce qui me concerne, je n'ai eu que deux procès dans toute ma vie, ce qui n'est pas grand-chose comparé à Vallès et à Zola, par exemple, qui durent s'exiler en Angleterre, ou à Montherlant condamné à ne rien publier pendant cinq ans, à Maurras emprisonné, à Brasillach fusillé, etc. En outre, mes procès étaient ridicules : ils m'avaient été intentés par deux imbéciles vexés parce que j'avais donné, par inadvertance, leur nom à des personnages de roman. J'étais sûr de les gagner. Je les perdis. Les tribunaux n'aiment pas les hommes de lettres et le leur font sentir quand cela se trouve.

Hormis Louis XIV qui leur donnait de l'argent au lieu de leur en prendre, les gouvernements ne les aiment pas non plus. Leur rêve est qu'on n'écrive plus rien du tout. En effet, avec ces gens de plume, on n'est jamais tranquille. Ils ont des lubies humanitaires, des élans de morale, des indignations, des mépris qui font mal. Certes, il y a des écrivains très gentils, très dociles, qui ne se mêlent pas de politique ou qui encensent celle du pouvoir, mais cela ne suffit pas pour rendre la corporation digne de confiance. Le mieux est encore de museler cette engeance dans sa totalité.

Comment empêcher un écrivain d'écrire, surtout s'il a du talent ? En le forçant à faire autre chose, ou plus exactement en occupant sans trêve son esprit avec des broutilles matérielles. Pour écrire, il faut un peu de loisir, un peu de solitude, un peu de contention, pas trop de soucis. Si vous submergez l'écrivain de petites corvées, de formulaires, d'additions et de soustractions, il ne pensera bientôt plus qu'à cela. Adieu romans, poèmes, pamphlets, nouvelles, comédies, tragédies et vaudevilles.

Grâce à l'institution de la TVA sur les ouvrages de l'esprit, nous autres gratte-papier allons être bien occupés, et il est probable que le papier que nous gratterons désormais sera principalement le papier de l'administration des Finances, sans parler des registres où nous consignerons que nous avons acheté des trombones, de l'encre à stylo, du papier quadrillé, du ruban à machine et divers autres articles déductibles de nos maigres revenus. Outre cela nous devrons conserver notre comptabilité pendant six ans. Cela fera très chic sur nos rayons à côté de nos œuvres, prématurément complètes.

Le plus gai, dans cette affaire, est qu'il faut commencer par informer l'Administration que nous sommes en vie. Comme si elle ne le savait pas, l'hypocrite !

(30 novembre.)

Tout le monde était gentil

Notre pauvre gouvernement, qui joue de malheur à peu près dans tous les domaines, a eu quand même un coup de chance : ce n'est ni un ministre, ni un haut fonctionnaire, ni quelqu'un d'embarrassant qui a fourni à l'ambassade pro-syrienne du Liban la liste des Libanais de France partisans du général Aoun, mais un simple brigadier du commissariat du 16e arrondissement. C'est si beau qu'on y croit à peine.

On y croit d'autant plus difficilement que le coupable, le traître, le baudet a été démasqué en deux jours. Il a commencé par nier, bien sûr, puis il a avoué. Ah ! que cet aveu a dû être doux à des dizaines d'oreilles à l'affût dans les palais nationaux ! La seule chose convaincante dans son histoire est qu'elle est idiote : il était copain avec le chef de la sécurité de l'ambassade, M. Chami, lequel est très gentil. D'ailleurs tout le personnel de l'ambassade prétendument libanaise est très gentil. Le brigadier n'a pas pu refuser de donner la liste qu'on lui demandait si gentiment. Les drames de la sympathie sont nombreux dans l'Histoire.

Il n'en reste pas moins que le brigadier a commis (espérons que c'est sans s'en rendre compte) un acte affreux, qui déshonore tout le pays et qui ressemble en petit à l'affaire du fichier des Juifs français communiqué aux nazis. A-t-il seulement reçu de l'argent pour cela ? On le voudrait. D'une certaine façon, cela rendrait son cas moins moche. Je trouve en effet qu'il est moins grave de trahir pour de l'argent que par conviction. Un homme corrompu n'est jamais aussi malfaisant qu'un fanatique.

Si le brigadier est réellement coupable, il n'a agi, je pense, ni par passion politique ni par goût du lucre, mais pour un troisième motif qui se rencontre également dans les annales : par bêtise, par crédulité, parce qu'il a été circonvenu par des malins qui lui ont joué la comédie de l'amitié. N'empêche qu'il est peu méfiant pour un policier.

J'augure mal de son avenir. Rien ne plaît davantage aux autorités que d'avoir un lampiste à se mettre sous la dent.

Lorsque, en plus, c'est le lampiste qui a fait le coup, la vie est belle. Au moins jusqu'au prochain scandale.

(*7 décembre.*)

Sépulture chrétienne

Donner à Lénine une « sépulture chrétienne » me semble une idée étonnante. Peut-être, après tout, est-ce une idée profonde. Mettre Lénine dans un cimetière, au milieu de centaines de tombes surmontées de croix, cela revient à l'enterrer définitivement, à le perdre dans une foule de morts chrétiens, à le replacer dans sa vieille foi orthodoxe qu'il n'aurait jamais dû abandonner ni persécuter. Dans une sépulture chrétienne, sa momie se sentira à peu près aussi à l'aise qu'un diable dans un bénitier.

Est-ce sur l'ordre de Lénine que la plupart des églises d'URSS ont été transformées en musées antireligieux ? En tout cas, il n'était pas opposé à cette nouvelle destination des lieux du culte. J'ai visité quelques-uns de ces musées. Le principal était installé dans la cathédrale de Kazan sur la perspective Nevski à Saint-Pétersbourg. C'était accablant d'imbécillité. On y voyait des gravures représentant des popes lubriques fouettant les grosses fesses de leurs paroissiennes, des archimandrites hideux comptant leur or avec des mines d'usurier, des couvents abritant des saturnales. Naturellement l'Inquisition n'était pas absente. Elle était illustrée par toutes sortes d'instruments de torture et de personnages en cire subissant des tourments épouvantables sous l'œil charbonneux des moines composant le tribunal ecclésiastique.

Les musées antireligieux étaient très fréquentés. Des groupes d'enfants les visitaient sous la houlette de leur maîtresse d'école. Evidemment, ce qui intéressait le plus ces petits était les supplices infligés par les Inquisiteurs et représentés avec réalisme. L'institutrice, en toute innocence, commentait ces horreurs et expliquait aux écoliers qu'ils avaient bien de la chance de vivre dans un pays civilisé qui, ne croyant plus en Dieu, était plein de douceur et d'humanité.

J'ai visité aussi l'hypogée de Lénine sur la place Rouge. On n'avait pas encore déménagé la momie de Staline, ou, plus exactement, on n'avait pas encore donné à ce cher homme une sépulture chrétienne, ce qui a eu lieu par la suite. Autant Staline était beau avec sa grosse moustache et ses petites mains crochues, autant Lénine était vilain. Je remarquai en outre qu'il avait une barbe de huit jours derrière sa vitre. On m'expliqua que son embaumement avait été fait n'importe comment (j'allais écrire : à la diable !) et qu'une semaine s'était écoulée, pendant laquelle la barbe avait poussé, avant qu'on pût enfin le mettre sous vide.

Il sera intéressant de savoir ce qu'on fera du mausolée de la place Rouge lorsque Lénine n'y sera plus. Pourquoi pas une église ?

(14 décembre.)

Le bois de la peste

La démocratie ressemble à une route de montagne pleine de virages, de croisements inattendus, donnant sur des à-pics vertigineux. Il faut qu'il y ait dix accidents, vingt accidents pour qu'on se décide, soit à faire des travaux d'aménagement, soit à mettre des panneaux signalant les dangers. Bref, il n'est pas difficile de jouer les Cassandre dans un régime comme celui dont nous bénéficions il suffit de se servir du principe de causalité, c'est-à-dire de déduire d'une situation donnée ce qu'il en résultera inévitablement.

Par exemple, il y a cinq ans au moins que je pense que le bois de Boulogne est un grand bouillon de culture du sida, et que de s'y risquer la nuit est plus mortel que de se promener sur les grand chemins au temps où ils étaient infestés de brigands.

Le bois de Boulogne est l'« Eros-center » parisien, mais un Eros-center anarchique, où l'on ne bénéficie nullement des commodités et des sûretés que l'on avait jadis dans les maisons dites de tolérance. C'était bien la peine de les fermer, par souci de morale ! Si un des habitués du *Chabanais*, du *Sphinx* et du *One-two-two* (les plus jeunes sont octogénaires à présent) visitait le Bois aux heures propices, il serait horrifié. Il verrait la barbarie, le vice, la crapule sans fard et se rappellerait avec désespoir l'époque de haute civilisation bordelière de ses belles années, les grands salons pleins de dorures, de glaces, de canapés et de fresques libertines, les bidets à robinets dorés, la politesse et la bienséance que faisait régner la sous-maîtresse de l'établissement, sans oublier les visites médicales.

Un autre inconvénient de la démocratie, c'est qu'on a peur des mesures radicales. On harcèle le pauvre citoyen-contribuable d'un tas de contraintes et de taxes, mais on n'entreprend jamais de grandes opérations salutaires, par peur de paraître dictatorial. Une mesure grandiose, pourtant, serait d'établir un cordon sanitaire autour du bois de Boulogne, comme on en établissait au Moyen Age autour des villes où régnait la peste Après tout, le sida est la forme de la peste au XXe siècle.

(21 décembre.)

Le drapeau

Le drapeau rouge exprimait toutes sortes de choses : il était le symbole que brandissaient les gens qui voulaient changer la société ou améliorer leur situation. Maintenant que l'on sait dans tous les détails ce que représentait cet emblème, à savoir des millions de morts, une tyrannie méticuleuse, une oligarchie de profiteurs, l'Europe centrale colonisée et affamée, des peuples tellement pauvres et malheureux qu'ils regrettent presque le vieil ordre oppresseur dont on les a délivrés, qui osera se recommander de lui ?

On n'a même pas craché sur ce pauvre drapeau rouge lorsqu'on l'a amené, au Kremlin. On ne comptait, paraît-il, que cent soixante-seize badauds pour regarder descendre le long de sa hampe ce vieux chiffon. La haine était absente au rendez-vous : il n'y avait qu'un peu de curiosité. C'était pourtant un moment historique. Le drapeau rouge à la trappe, ce n'est pas rien. Cela signifie soixante-quatorze ans d'erreur et d'imposture qui s'achèvent. Nonobstant, personne ou presque ne s'était dérangé. Quelle chose fabuleuse, quand on y pense, que le drapeau tricolore de la vieille Russie flottant aujourd'hui dans le ciel de Moscou !

Pendant le discours d'adieu que Gorbatchev a prononcé mercredi dernier à la télévision désormais russe, il y avait à côté de lui un beau drapeau rouge, en soie, timbré d'un marteau et d'une faucille d'or, et orné de franges. S'est-il rendu compte qu'il donnait à voir une dernière fois aux populations de la ci-devant Union soviétique le drapeau de l'ancien régime ? Qu'en le regardant, on n'avait pas seulement le spectacle d'un homme du passé prenant congé de l'avenir, mais la personnification même de ce passé auquel il se piquait d'être fidèle.

J'entends bien qu'il reste encore quelques drapeaux rouges dans le monde. Il y en a un à Pékin, un autre à Hanoi, un troisième à La Havane, et peut-être une demi-douzaine ici et là. Mais je ne crois pas qu'ils dureront. Il est inévitable que, le drapeau rouge de l'URSS ayant disparu, les autres drapeaux rouges disparaissent aussi avec ce qu'ils recouvrent. Leur durée dépendra de la poigne des dictateurs.

La France étant le plus attardé de tous les pays du monde, il est probable que c'est chez nous que nous aurons le plaisir de voir le drapeau rouge le plus longtemps. Il a encore de beaux parcours à faire, au milieu des calicots protestataires, de la Bastille à la Nation.

(*28 décembre.*)

Table

1986

1987

1988

1989

417

Œuvres complètes, tomes I, II et III (Flammarion).
Le Bonheur et autres idées, essai (Flammarion).
Discours de réception à l'Académie française (Flammarion).
Mémoires de Mary Watson, roman (Flammarion).
Un ami qui vous veut du bien (Flammarion).
De la France considérée comme une maladie (Flammarion).
Henri ou l'Éducation nationale, roman (Flammarion).
Le Socialisme à tête de linotte (Flammarion).
Le Septennat des vaches maigres (Flammarion).
Le Mauvais Esprit, entretiens avec J.-E. Hallier (Orban).
La Gauche la plus bête du monde (Flammarion).
Contre les dégoûts de la vie (Flammarion).
Ça bouge dans le prêt-à-porter (Flammarion).
Le Spectre de la rose (Flammarion).
Le Séminaire de Bordeaux, roman (Flammarion).
Conversation avec le Général (Flammarion).
Les Pensées (Cherche-Midi).
Loin d'Édimbourg (De Fallois).
Portraits de femmes, roman (Flammarion).
Vers de circonstance (Cherche-Midi).
L'Assassin, roman (Flammarion).
Domaine public (Flammarion).
Le Vieil Homme et la France (Flammarion).
Le Septième Jour (Flammarion).
Le Feld-Maréchal von Bonaparte (Flammarion).
Le Spectre de la rose (Flammarion).

Traductions :

Les Muses parlent, de Truman Capote.
L'Œil d'Apollon, de G. K. Chesterton.
Le Vieil Homme et la mer, d'Ernest Hemingway.

Cet ouvrage a été composé par
Graphic Hainaut (59690) Vieux-Condé
et imprimé par **Bussière Camedan Imprimeries**
à Saint-Amand-Montrond (Cher), en août 1997
pour le compte de la Librairie Plon

N° d'édition : 12836. N° d'impression : 1/2051
Dépôt légal : août 1997

Imprimé en France